Joy Fielding

La femme piégée

Traduit de l'américain
par Michel Deutsch

Éditions J'ai lu

Titre original :
THE OTHER WOMAN

A Warren

1

— Excusez-moi. Vous êtes bien Mme Plumley ?

La fille était jeune et jolie, avec une poitrine généreuse et une voix curieusement rauque. Mal à l'aise, Jill Plumley s'agita, enfonçant ses talons dans la terre meuble de la pelouse tondue de frais. Elle avait d'abord voulu mettre des chaussures à talons plats — après tout, ce n'était jamais qu'un pique-nique, même s'il se tenait dans le cadre de l'ultra-chic country club de Rosedale — mais David avait insisté : toutes ces dames seraient sur leur trente et un. Et en effet, c'était bien le cas. Sauf cette fille, qui portait avec désinvolture un T-shirt rouge et un jean tout bête, moulant de façon suggestive sa croupe provocante. Mais c'était la femme de qui, d'abord ?

Jill nota qu'elle avait des yeux violets, une peau sans défaut et si habilement maquillée qu'elle n'avait pas l'air de l'être. Son embarras ne fit que croître quand elle se rendit compte que, de son côté, l'inconnue l'observait aussi. Brusquement, elle eut honte de ses cheveux ébouriffés, qui paraissaient toujours avoir besoin d'un coup de peigne, et de sa taille — 1,72 m et des poussières. La fille avait une chevelure noire et soyeuse et une taille plus décente — environ 1,65 m à vue de nez. Machinalement, Jill Plumley se tassa, se sentant grande et gauche, comme le fameux éléphant dans un magasin de porcelaine.

— Oui ? (C'était moitié une confirmation, moitié une interrogation.) Oui, c'est bien moi...

Un sourire lumineux, parfait, éclaira les traits de la jeune femme. Elle lui tendit la main.

— Je me présente : Nicole Clark. Je vais épouser votre mari.

Tout s'immobilisa brusquement, comme dans un film qui casse en cours de projection.

Décidément, c'était le jour ! Cela avait commencé à 7 heures ce matin, quand elle avait été catapultée dans la salle de bains par son estomac en révolte contre son dîner de la veille. David l'y avait suivie, armé d'une bombe aérosol, et ils étaient restés là, elle à vomir, lui à appuyer sur l'atomiseur, jusqu'au moment où elle avait trouvé la force de lui crier d'arrêter : cette odeur la rendait malade. David lui avait alors souhaité un joyeux anniversaire — cela faisait tout juste quatre ans qu'ils étaient mariés — et il s'était recouché, lui laissant le soin d'aller chercher les deux enfants qu'il avait eus d'un premier mariage et de les conduire au pique-nique, événement qu'ils attendaient à peu près avec autant d'impatience qu'un rendez-vous chez le dentiste. Ou qu'une visite à leur belle-mère. Pour couronner le tout, Son Altesse Royale, la première Mme Plumley, avait reçu Jill sur le pas de la porte de sa princière demeure — qui avait été celle de David — et, regardant à travers elle comme si elle était transparente, lui avait demandé de garder les enfants à dîner : elle n'était pas libre ce soir.

Un anniversaire, une indigestion, deux gosses hostiles, l'ex-épouse de son mari, et maintenant... ça !

Muette, Jill dévisagea cette Nicole Clark, qui la regardait aimablement et droit dans les yeux comme si elle venait de lui demander l'heure. Lentement, le décor se recomposa, reprit ses formes et ses couleurs, la réalité prenant le pas sur l'absurdité de la situation.

Jill se trouvait au milieu d'une cohue d'une bonne centaine d'avocats, collaborateurs d'un des plus importants et des plus prestigieux cabinets juridiques de Chicago, accompagnés de leurs épouses et de leur progéniture. On était à la mi-juin, mais la journée était torride.

La tenue légère de Jill lui collait à la peau, ses chaussures blanches s'enfonçaient lentement dans la terre et elle était en train de discuter avec une fille qui avait au bas mot dix ans de moins qu'elle, à l'épiderme sans défaut, dont les cheveux étaient insensibles à l'humidité ambiante, et qui venait de lui annoncer qu'elle allait épouser son mari.

C'était sans doute une plaisanterie. Quelqu'un — peut-être même David — avait monté cette blague à l'occasion de leur anniversaire de mariage. Jill se détendit et sourit, se sentant un peu ridicule d'avoir mis si longtemps à comprendre.

— Ce n'est pas une blague, fit Nicole Clark comme si elle lisait dans ses pensées. Je parle sérieusement.

Le sourire de Jill s'élargit encore. Qui qu'elle fût, cette fille était parfaite. Une actrice professionnelle peut-être, engagée tout spécialement pour l'occasion ? Ou une cliente de David ? Cette idée lui fut vaguement désagréable, lui rappelant une remarque qu'avait faite sa mère, il y avait bien longtemps, et qu'elle avait resservie à David lors de leur première et mémorable rencontre. Elle jouait alors son rôle de jeune et impétueuse réalisatrice de télévision et lui — sans doute le plus beau et le plus séduisant des avocats qu'elle eût jamais vu — celui d'interviewé en puissance. Sans en avoir l'air, elle avait noté son visage énergique et son corps d'athlète ; son alliance lui avait fait penser à cette remarque caustique, lancée par sa mère lorsque sa cousine Ruth avait commencé à sortir avec l'avocat qui lui avait obtenu son divorce. Est-il vrai, avait-elle demandé alors à David, quelque six ans auparavant, que les avocats spécialisés dans les divorces, et divorcés eux-mêmes, entretiennent souvent des relations coupables avec leurs clientes ? Je suis incapable de répondre à cette question, avait répliqué David avec un demi-sourire plein de malice, je n'ai jamais divorcé.

Depuis quand êtes-vous marié ? avait insisté Jill, consciente de l'incongruité de cette question non prévue au programme. Quinze ans, avait-il répondu, le visage brusquement fermé.

Jill souriait toujours, espérant toutefois que Nicole

n'était pas une cliente de David. Mais les plaisanteries les meilleures étant les plus courtes, elle souhaitait ardemment que cette fille prenne ses cliques et ses claques, elle et ses ongles carminés.

Mais celle-ci n'en avait pas fini.

— J'ai pensé qu'il était plus honnête de vous prévenir...

— Ça suffit comme ça ! l'interrompit Jill avec une brutalité qui les surprit autant l'une que l'autre. Je veux dire... vous m'avez bien eue, je le reconnais, continua-t-elle plus doucement. La plaisanterie était excellente et mes amis riront de bon cœur quand je la leur raconterai, mais...

— Ce n'est pas une plaisanterie.

Jill serra les dents. Ses tempes bourdonnaient.

— Alors, allez au diable et laissez-moi en paix, dit-elle d'une voix presque inaudible.

Se redressant de toute sa taille, carrant fièrement les épaules comme si elle venait d'être élue Reine d'un Jour, elle toisa Nicole Clark et lui cria en silence : Je n'ai pas peur de toi ! Je n'ai peur ni de toi ni de ta jeunesse ni de tes menaces !

Nicole haussa les épaules sans se départir de son sourire, fit demi-tour avec une lenteur délibérée et se perdit dans la foule.

Mais où est David ? se demanda soudain Jill en se retournant d'un mouvement vif et frémissant d'une soudaine indignation. Elle scruta la foule des invités. En dépit de sa belle assurance, elle venait d'éprouver la plus grande frayeur de sa vie. Elle aperçut Nicole qui, la démarche langoureuse, se faufilait entre les groupes, souriant à tout le monde avec aisance et se dirigeant de toute évidence vers un endroit bien précis. Où ça ? Jill l'observait avec un intérêt nouveau.

Une voix masculine l'interpella avec insistance. Elle se retourna à contrecœur.

— Jill Plumley ! J'ai dit à Harve que vous étiez la seule personne capable de répondre à cette question.

Al Weatherby était le fondateur de la firme. Chose que son corps sec et nerveux de jeune homme et ses cheveux châtains ondulés ne laissaient guère supposer. Jill lui sourit, tout en jetant de discrets coups d'œil vers la foule. Mais Nicole avait disparu.

— Qui était la partenaire de Dick Benjamin dans *Le Mariage d'un agent de change*? enchaîna Al. J'ai parié cinquante dollars avec Harve Prescott que vous nous donneriez la réponse.

Nerveux, celui-ci attendait un peu plus loin.

— Johanna Shimkus, dit Jill distraitement.

— Non, pas sa femme. L'autre... vous savez... la fille follement sexy qui se jetait sur le lit en retroussant sa jupe...

— Tiffany Bolling...

Elle avait l'impression d'être attirée par la foule comme par un aimant.

— Exactement! s'exclama Al tandis qu'elle s'éloignait. Vous êtes sensationnelle! J'étais sûr que vous le sauriez. Vous avez entendu, Harve?

Pourvu que je n'aie pas été trop grossière! songeait Jill en plongeant dans la cohue. Car Al Weatherby n'était pas seulement la clé de voûte d'un cabinet juridique dont la réussite était notoire — à l'origine simple petit teinturier, il s'était taillé un empire à la force du poignet —, mais c'était aussi l'homme auquel son mari devait sa rapide ascension. Il lui avait fait confiance, l'avait fait entrer dans sa firme alors en pleine croissance, l'avait formé, guidé, devenant son meilleur ami en cours de route. Avec sa patience légendaire il leur avait même appris à tous les deux à jouer au bridge. L'entendant rire, elle se retourna juste à temps pour voir le clin d'œil enjoué qu'il lui décochait, et elle comprit qu'elle n'avait pas à s'inquiéter : Al Weatherby n'était pas homme à se vexer pour un oui ou pour un non. Rassurée, elle ne pensa plus qu'à la fille au T-shirt rouge.

Nicole Clark s'était volatilisée. Elle était peut-être rentrée chez elle? S'accrochant à cet espoir, Jill poussa un profond soupir et fit demi-tour. Elle aperçut Laurie, la fille de David, qui contemplait d'un air morose la table chargée de pâtisseries — sans rien toucher, bien entendu — et Jason, son frère, qui daignait participer, sans beaucoup d'entrain, à une partie de cache-cache improvisée, organisée par de plus dynamiques que lui. Les adolescents sont-ils tous aussi grognons ? Jill sourit brusquement à l'idée que Nicole pourrait avoir à se débattre avec ces deux délicieux bambins. Elle se sentit aussitôt beaucoup mieux. Jason ressemblait à sa mère au point que c'en était gênant et il était d'une timidité quasiment insupportable. S'il arrivait au frère ou à la sœur de sourire en présence de Jill, c'était en général parce qu'ils venaient d'apprendre que leur mère allait réclamer au tribunal une augmentation de sa pension alimentaire ou qu'elle avait décidé de faire retapisser toute la maison en blanc pour se remonter le moral parce qu'elle se sentait un peu déprimée depuis ses vacances en Europe.

Laurie la dévisagea avec une expression de dédain si parfaite que Jill éprouva presque de l'admiration pour la manière dont cette fillette osseuse était capable de lui faire comprendre d'un seul regard, non seulement qu'elle la considérait toujours, au bout de six ans, comme une briseuse de foyer, une intruse, une étrangère, un inconvénient provisoire qui serait certainement éliminé dès que son père aurait recouvré son bon sens, mais que par-dessus le marché elle était dérangée, débile, tarée et tout ce qui vous vient à l'esprit comme qualificatifs de ce genre quand on a quatorze ans.

Je n'ai pas brisé le mariage de tes parents, essaya-t-elle de lui dire en silence, pensant à la célèbre réplique d'Elizabeth Taylor quand Eddie Fisher abandonne Debbie à ses maillots et à ses couches. On ne brise pas un ménage uni. Laurie détourna les yeux. Dame ! Allez donc faire avaler cela à une gamine de quatorze ans !

Au même moment, Jason surgit et, sans le faire exprès, la bouscula, lui écrasant les orteils.

— Oh ! pardon, fit-il en la reconnaissant. Je ... Je t'ai marché sur le pied ?

— Ce n'est rien, répondit Jill. D'ailleurs, j'en ai un autre. Excuse-moi, c'est une vieille blague idiote, ajouta-t-elle avec un rire forcé en voyant que Jason était au bord des larmes. Alors... tu t'amuses bien ?

Quelle idée de poser cette question ! Le premier imbécile venu pouvait deviner la réponse.

— C'est sympa, répondit le petit garçon en articulant soigneusement pour ne pas bégayer.

Elaine ne cessait de faire remarquer à David que Jason n'avait commencé à bégayer qu'après son départ, preuve de plus de sa faillite en tant que père. Depuis quelque temps, Jason s'astreignait à parler moins vite pour tenter de dominer ce bégaiement. Si seulement David pouvait aussi aisément maîtriser son sentiment de culpabilité ! se dit Jill en observant le gamin qui faisait tellement plus vieux que son âge. Il lui semblait entendre la voix d'Elaine : C'est toi, maintenant, l'homme de la maison, Jason.

Jill éprouva l'envie subite de le prendre dans ses bras. Mais le regard de l'enfant se durcit et elle se sentit aussitôt rejetée. Jason s'éloigna d'un pas traînant qui trahissait un ennui grandissant. Peut-être partait-il à la recherche de son père dans l'espoir de s'en aller d'ici au plus tôt.

Où était David ?

Elle le repéra finalement, debout sous un gigantesque saule pleureur — décor on ne peut plus théâtral —, engagé avec un confrère dans une conversation qui paraissait très sérieuse et que personne n'aurait sans doute l'audace d'interrompre. Elle se détendit un peu.

Elle se sentait bien rien qu'à le regarder. Tout le monde lui disait qu'il ressemblait à Robert Redford, mais il avait beau avoir des cheveux blonds comme les blés qui lui flottaient sur le front, des yeux vert pâle et malicieux, c'était quand même pousser les choses un peu loin. Quoi qu'il en fût, il était incontestablement beau, et s'il n'avait pas cette présence unique qui est l'apanage des idoles de l'écran, quelle importance ?

Malgré elle, Jill pensa de nouveau à Nicole Clark. Si l'on voulait être objectif, elle formait avec son mari un couple indéniablement bien assorti. Sortis tous les deux du même moule, parfaits et désinvoltes, ils se complétaient à merveille. Même les cheveux blonds de David s'harmonisaient avec les cheveux noirs de Nicole, la chevelure de l'un contrastant avec celle de l'autre et la mettant en valeur. Mais au diable l'objectivité ! Jill secoua sa crinière rousse dont quelques mèches folles restaient collées, par pure méchanceté, dans son dos. Quand son humeur était bonne, Jill se trouvait quelque chose de commun avec Carly Simon. Mais comme elle était seule à l'avoir jamais remarqué, la ressemblance ne devait pas sauter aux yeux. Après tout, c'était sans importance. C'était elle que David avait épousée, quittant pour cela une femme qui répondait mieux aux canons de la beauté traditionnelle. Toutefois, penser à l'infidélité et au divorce de son mari n'avait rien de réjouissant. Elle avait envie de rentrer. Peut-être que si elle prétendait qu'elle n'était pas bien... ses maux d'estomac, la chaleur...

— Alors, comment va la vie à l'université ?

Jill sursauta, se retourna et se trouva nez à nez avec Beth Weatherby, la femme d'Al. C'était une des rares personnes, parmi les épouses de la corporation, pour qui elle éprouvait de la sympathie.

— Très bien...

Elle s'aperçut aussitôt que son interlocutrice n'était pas dupe de son mensonge.

— Je n'en doute pas ! dit Beth en riant.

Elle avait quarante-cinq ans, douze de moins qu'Al, et il y avait vingt-sept ans qu'ils étaient mariés. Jill n'en revenait pas qu'on puisse savoir ce que l'on veut à dix-huit ans et le vouloir toujours trois décennies plus tard.

— J'ai vu qu'Al a essayé de vous poser une colle tout à l'heure, reprit Beth comme si elle avait deviné les cheminements de la pensée de Jill. Franchement, à l'âge qu'il a, c'est encore un gamin. Il a passé la moitié de la nuit à chercher la question qui vous prendrait en défaut. (Jill se mit à rire.) Ça vous manque vraiment, non ? continua Beth, sautant du coq à l'âne.

— Quoi donc ? demanda Jill bien qu'elle connût déjà la réponse.

— La télévision.

— Oui, dit-elle simplement, distraite par la réapparition de Nicole Clark qui manœuvrait pour rejoindre David et qui s'intégra à son groupe avec la plus parfaite aisance.

— Qui est la fille qui discute avec votre mari ? demanda Beth, tournée vers le saule pleureur. Je ne me rappelle pas son nom, c'est une nouvelle. Une étudiante en droit, qui fait un stage d'été chez Weatherby & Ross.

— Elle veut être avocate ?

— Al l'apprécie beaucoup. Il la trouve très intelligente. En fait, maintenant que j'y réfléchis, je ne l'ai jamais entendu dire autant de bien de quelqu'un, mis à part David. Selon lui, elle a un avenir brillant devant elle. Et, en plus, elle est belle comme il n'est pas permis !

Une vague nausée commençait à envahir Jill.

— Excusez-moi, je ne me sens pas très bien.

Elle battit en retraite vers un coin désert de la pelouse. Mais déjà Beth l'avait rattrapée. De son sac de paille jaune, elle sortit une poignée de comprimés.

— C'est excellent contre les aigreurs, expliqua-t-elle avant que Jill eût ouvert la bouche. Prenez-en deux.

Jill obéit docilement.

— Mâchez.

Jill mâcha en faisant la grimace.

— Je sais, ça a un goût épouvantable. On dirait de la craie. Cela fait je ne sais combien d'années que j'en prends. Pour mon ulcère, ajouta-t-elle sans attendre la question qui allait de soi.

— Parce que vous avez un ulcère ? demanda Jill, sincèrement étonnée.

— Maladie professionnelle, répondit Beth en souriant. C'est le lot des femmes d'avocat.

Sans compter trois enfants à élever. Jill savait par David que le plus jeune, un garçon de dix-sept ans, avait abandonné ses études pour rejoindre la secte Hare Krishna. Il avait déclaré qu'il l'autorisait à abattre Jason, son propre fils, à coups de revolver si jamais il était victime d'une pareille aberration.

— Tenez, ceci devrait vous ravigoter, fit Beth en sortant encore quelque chose de son sac — une autre pilule, sans doute.

Mais non. Ce n'était pas une pilule, mais une enveloppe qui lui était adressée.

— J'ai pensé que cela vous plairait... dit-elle en la lui tendant avec un sourire timide.

Puis elle s'éloigna et se dirigea vers un petit groupe de

femmes qui s'écartèrent pour lui faire place. Jill déchira l'enveloppe et en sortit une lettre tapée à la machine. Seul le libellé était manuscrit. Elle la lut d'abord rapidement, puis la relut.

Chère amie,
Vous ennuyez-vous au lit ? Êtes-vous lasse de retrouver tous les matins au réveil les mêmes grognements, les mêmes plaintes et les mêmes odeurs ? Regrettez-vous l'époque lointaine où son cœur était plus grand que sa calvitie ? Nous savons ce que vous éprouvez. Nous éprouvons la même chose. C'est pourquoi nous avons fait le projet suivant : envoyez simplement votre mari à la personne dont le nom figure en tête de la liste ci-dessous, barrez ce nom et inscrivez le vôtre en dernière position. Puis recopiez cette lettre et expédiez-la à cinq de vos amies. Dans les six mois qui viennent, vous recevrez ainsi 40000 maris.
Mais prenez garde : VOUS NE DEVEZ EN AUCUN CAS ROMPRE LA CHAÎNE ! C'est ce qu'a fait, il y a deux ans, Barbie Feldman. Et depuis, non seulement elle est condamnée à supporter ce pauvre vieux Freddie, mais sa rôtissoire est tombée en panne et elle s'est fait violer par le réparateur. Nous ne voudrions pas qu'une chose pareille vous arrive.
A quoi bon tenter le sort ? Décidez-vous. C'est plus drôle que de repasser des chemises. Envoyez simplement votre mari à la personne numéro 1, ajoutez votre nom à la liste et rendez le même service à cinq de vos amies. NE ROMPEZ PAS LA CHAÎNE !

Suivait une liste de cinq noms, dont le dernier était celui de Beth Weatherby.

Jill éclata de rire et se sentit aussitôt beaucoup mieux. Ça ne m'étonne pas de Beth, se dit-elle, les yeux braqués sur le saule pleureur. Son mari était maintenant en tête-à-tête avec Nicole. Instantanément, cette vue la démoralisa de nouveau. David avait l'air heureux et détendu. Même à cette distance, elle discernait un éclair malicieux dans son regard. Soudain, sans doute en réponse à une remarque follement intelligente de Nicole Clark, il s'esclaffa. Secouant la tête pour remettre en place ses cheveux, il surprit le regard de Jill. Il lui sourit aussitôt tendrement et leva son verre dans sa direction. Puis il murmura quelque chose à l'oreille de Nicole qui opina du chef. Jill fixa alors la fille au T-shirt rouge qui, à son tour, leva son verre comme pour porter un toast. Et ses lèvres remuèrent silencieusement, comme pour dire : « Joyeux anniversaire... »

2

Le cabinet Weatherby & Ross occupait à lui seul deux des quatre-vingt-quatorze étages du Centre John Hancock. C'était le rêve d'un décorateur de Hollywood : épais tapis berbères beiges, murs recouverts de suède caramel, lithographies et tapisseries modernes, couloirs qui s'enfuyaient gracieusement dans toutes les directions et sur lesquels s'ouvraient à intervalles réguliers de vastes bureaux, éclairés par des baies allant du sol au plafond, avec vue adaptée au titre et à l'importance de leurs occupants.

Le bureau de David Plumley était situé immédiatement au-delà du large escalier intérieur circulaire, presque en face de la salle du conseil d'administration. La vue — du 58e étage — était spectaculaire. Et le désordre inimaginable.

Jill Listerwoll avait été introduite avec courtoisie et on lui avait assuré que David Plumley serait là d'un instant à l'autre. Elle attendait déjà depuis vingt minutes mais cela lui était égal : elle en profitait pour mettre de l'ordre dans ses notes et relire les renseignements que lui avaient fournis les avocats qu'elle avait déjà interviewés. De tous les bureaux où elle avait eu l'occasion de pénétrer depuis le début de l'après-midi, celui de Plumley battait tous les records de fouillis. Elle n'avait jamais vu autant de manuels de droit éparpillés sur tous les meubles. Le grand bureau de chêne disparaissait sous les paperasses, les rayons de la bibliothèque, pleins à craquer, débordaient. Même les deux fauteuils à rayures bleues et vertes flanquant la table de verre ronde — le coin réservé aux visiteurs — étaient enfouis sous les traités juridiques, et des piles de papiers grimpaient comme du lierre à l'assaut des murs. Les œuvres d'art, d'un modernisme agressif, ne manquaient pas d'intérêt. Une litho, représentant un parcmètre indiquant que la durée du stationnement était écoulée, était la seule concession à l'humour. Manière subtile, sans doute, de faire comprendre aux clients qui s'attardaient trop qu'il était temps de faire place nette. Pas de photos de famille. Cela allait de soi pour l'avocat qui avait gagné le plus grand nombre de procès en divorce.

David Plumley entra enfin et prit place derrière son bureau. D'un bref coup d'œil, Jill enregistra ses cheveux blonds, ses yeux verts et son sourire gamin qui proclamait « Je sais que je suis beau garçon ». Elle avait l'impression d'entendre cliqueter le parcmètre qui trônait derrière lui et elle posa sa première question. Celle, précisément, dont elle avait affirmé à sa mère, du haut de sa supériorité, qu'elle ne la poserait pas.

— Est-il vrai que les avocats spécialisés dans les divorces, et divorcés eux-mêmes, entretiennent souvent des relations coupables avec leurs clientes ?

Le sourire malicieux de David Plumley s'élargit encore.

— Je suis incapable de répondre à cette question, dit-il simplement, je n'ai jamais divorcé.

— Depuis quand êtes-vous marié ? continua Jill, l'œil attiré par l'alliance en or qui brillait à sa main gauche.

C'était là un ornement parfaitement inutile : tout le monde savait que les hommes ayant pareille allure étaient invariablement mariés.

— Quinze ans, répondit-il d'une voix neutre, le visage brusquement fermé. Je suis désolé de vous avoir fait attendre.

— Attendre ?

L'espace d'une seconde, Jill avait eu l'idée complètement farfelue qu'il faisait allusion à son mariage.

— J'ai été retenu par une réunion. Impossible de m'échapper... Voulez-vous une tasse de café ?

Il avait retrouvé son sourire malicieux. Presque comme s'il était capable de lire dans les pensées de Jill, de deviner le trouble physique qui l'avait brutalement envahie.

— Non, merci, répondit-elle en évitant son regard. J'en ai déjà bu trois.

— Autrement dit, vous n'en êtes pas à votre première interview.

— Non, en effet, confirma-t-elle sèchement. Votre bureau est-il toujours aussi en désordre ?

— Oui, répondit-il du même ton froid et précis. (Il n'avait pas besoin qu'on lui mette les points sur les i.) Alors, qu'attendez-vous au juste de moi ?

Elle le lui expliqua, retrouvant avec satisfaction son personnage de réalisatrice de télévision, insensible à ces yeux verts qui la regardaient tranquillement. Elle préparait une nouvelle émission sur l'élite du barreau de Chicago et menait son enquête auprès des trois principaux cabinets juridiques de la ville (Plumley émit des réserves sur les deux autres). Elle essayait d'avoir un aperçu de la manière dont fonctionnait au jour le jour une firme de l'importance et de l'envergure de Weatherby & Ross. Al Weatherby, qu'elle avait interrogé en premier, lui avait fait faire le tour du propriétaire. Il lui avait fièrement expliqué que l'objectif final de cette importante société était de grandir encore, jusqu'à devenir la plus prospère de la ville. Elle employait au total quatre-vingt-cinq juristes (dont trente associés principaux), ce chiffre devant atteindre la centaine dans les cinq années à venir. Chaque avocat disposait d'une secrétaire particulière à temps complet, sans compter les employés du bureau central. Outre les installations individuelles et la salle de conférences, il y avait une bibliothèque, une cafétéria et deux salles de repos. Le loyer annuel avoisinait le million de dollars.

Les avocats se répartissaient en différentes spécialités, de sorte que si une difficulté se présentait, on trouvait toujours quelqu'un pour résoudre le problème. Droit commercial, droit pénal, législation fiscale, législation immobilière, droit privé, droit public... toutes les disciplines étaient représentées. Et tout cela fonctionne très bien, merci.

— Combien gagnez-vous par an ? demanda Jill, espérant le prendre au dépourvu.

— Cette question n'est-elle pas un peu hors de propos ?

Elle le regarda droit dans les yeux.

— Je ne le pense pas. Cette émission étant centrée sur les membres les mieux payés de votre profession, j'aimerais savoir en gros de quoi je parle.

— Nous en sommes tous là, murmura-t-il rêveusement comme pour lui-même. Disons, six chiffres.

— Plus de cent mille dollars ?

— Six chiffres, répéta-t-il.

— Êtes-vous rémunéré en fonction de l'importance de l'affaire ? Plus l'enjeu est gros, plus vous gagnez ?

— Non, ce n'est pas mon genre.

— Ah bon ? Et quel est votre genre ?

— Je préfère être payé en fonction de la quantité de travail et de temps que me demande une affaire, et non de son importance. Ce système, à mon avis, n'est pas toujours équitable, encore que nombre de mes confrères, d'une réputation notoire, le défendraient avec de solides arguments.

— Mais c'est un système qui ne vous plaît pas ?

— J'aime mieux ma méthode.

— Pour des raisons d'éthique ?

— Peut-être. Nous autres avocats, nous avons aussi des principes moraux, dit-il en souriant enfin. Vous savez, j'ai l'impression de subir un contre-interrogatoire.

Jill changea brusquement de sujet :

— Quel est votre horaire habituel ?

Il haussa les épaules et répondit avec une pointe d'ironie :

— Oh ! je travaille une moyenne de quinze heures... J'arrive à 8 heures, je rentre le soir à 10 heures.

— Cela ne fait que quatorze heures.

Il sourit de nouveau.

— Trouvez-vous « équitable », comme vous dites, de

gagner autant d'argent grâce aux malheurs des gens? poursuivit-elle.

— Je me plais à croire que je mets justement fin à leurs malheurs. D'ailleurs, oui, je trouve que c'est très équitable. Je travaille extrêmement dur.

— Que pensez-vous de ce reproche qui vous est fait par les intéressés, à savoir que les choses commencent à se gâter, au cours de la procédure de divorce, seulement quand les avocats interviennent?

— Je pense que vous avez dû parler surtout avec des perdants.

Jill retint le sourire qui lui montait aux lèvres.

— Vous ne croyez donc pas, reprit-elle en secouant la tête pour résister au charme de son interlocuteur, que les femmes sont en général impitoyables et qu'elles cherchent à dépouiller le pauvre garçon de tout ce qu'il possède?

— Cela arrive, répliqua David Plumley avec franchise. Mais il y a également des hommes qui ne reculent devant rien pour éviter de payer ce qu'ils doivent à leur épouse. Et ce n'est là qu'un problème parmi d'autres. Malgré tous leurs mouvements de libération, la plupart des femmes ignorent encore leurs droits. C'est mon rôle de les leur faire connaître. Et de veiller à ce qu'ils soient respectés.

— Quelle proportion de femmes avez-vous dans votre clientèle?

— A peu près les deux tiers.

— Qu'est-ce qui vous a fait choisir ce métier?

— J'aime donner des conseils.

— Et pourquoi le droit privé?

David Plumley hésita un instant et haussa les épaules.

— Je ne sais pas exactement. J'ai tâté d'un peu de tout. Le droit foncier ne m'emballait pas plus que le droit criminel, j'avais horreur du droit commercial et du droit fiscal, encore que je m'y débrouillais fort bien. Au fond, cela s'est fait tout seul. Êtes-vous mariée?

— Non.

— Divorcée?

— Célibataire, répliqua Jill sur un ton de défi. Sans mari. Vieille fille.

Elle le bravait du regard. O.K. mon vieux! C'est toi qui as commencé. Où veux-tu en venir?

Pour sa part, David Plumley voyait devant lui une femme aux grands yeux marron et à la flamboyante crinière rousse, qui prenait un malin plaisir à cacher sa séduction sous un pantalon qui faisait des poches aux genoux, une chemise informe et une attitude abrupte, pour ne pas dire agressive. Une femme indépendante, un peu tête en l'air, qui avait une situation importante, prestigieuse même, et qui essayait de toutes ses forces de résister à la fascination qu'il exerçait sur elle. Et bien qu'elle fût loin d'être la plus jolie femme à avoir pénétré aujourd'hui dans son bureau, elle l'attirait plus en cet instant qu'aucune de celles qu'il avait jamais rencontrées.

Un coup frappé à la porte interrompit leurs réflexions respectives. Al Weatherby entra en trombe pour dire à Plumley, entre haut et bas, que Warren Marcus commençait à tempêter contre la nonchalance généralisée des collaborateurs de la maison et le priait d'avoir l'obligeance de lui apporter ses analytiques à cinq heures.

— Qu'est-ce que c'est que des analytiques? demanda Jill, le crayon en l'air, dès que la porte se fut refermée.

Cette interruption avait été la bienvenue.

La réponse de l'avocat fut claire et précise comme s'il avait l'habitude et le goût d'instruire les novices :

— Ce sont les bordereaux qui indiquent, primo le temps passé sur une affaire donnée, secundo la nature de cette affaire. C'est à quoi je faisais allusion tout à l'heure quand vous m'avez interrogé sur mes méthodes de travail. Supposons que vous veniez me voir parce que vous voulez divorcer et que nous ayons un entretien de deux heures. Après votre départ, j'ouvre un dossier au nom de Listerwoll Jill et je note « 2 heures : consultation en divorce. » Quelques jours plus tard, vous me téléphonez pour me dire que vous craignez que votre mari ne réclame la garde des enfants. La conversation dure une demi-heure. Je reprends mon dossier et j'inscris « 30 minutes : conversation à propos de la garde des enfants. » Au bout de trois mois, j'additionne les heures que j'ai consacrées à vos problèmes familiaux, je multiplie le total par mon tarif horaire, et je vous envoie une note d'honoraires qui vous donnera une idée exacte de ce que j'ai fait. C'est ça, un analytique.

Jill adressa à l'avocat un sourire rayonnant, enchantée qu'il se soit souvenu de son nom en entier.

— Vous êtes charmant, dit-elle, soudain parfaitement détendue.

Ils éclatèrent de rire tous les deux. Elle avait conscience qu'il suffisait de lever le petit doigt pour obtenir cet homme au physique extraordinaire. Elle se sentit inexplicablement très triste pour sa femme. Je ne voudrais pas être mariée à un homme pareil, se dit-elle... un homme que je devrais partager avec le monde entier.

— A quoi pensez-vous ? lui demanda-t-il.

Elle le regarda dans les yeux sans rien dire. Il le sait très bien, songea-t-elle.

— Oh ! ce que tu sens bon ! s'exclama-t-il en entrant dans la salle de bains. Tu as bientôt fini ?

Il l'embrassa sur la nuque et Jill se haussa instinctivement vers lui dans l'espoir qu'il recommencerait.

Elle reposa son mascara et regarda le reflet de David dans le miroir.

— Tu sais quelle est ma conception du luxe ? Deux salles de bains, ajouta-t-elle sans lui laisser le temps de répondre.

Il l'obligea à se retourner, l'embrassa sur la bouche et répéta en souriant :

— Tu as bientôt fini ?

Elle gémit pour rire :

— Je peux peut-être me brosser les cheveux dans la chambre.

— Tiens ? fit-il, narquois. J'avais l'impression que c'était déjà fait.

— Merci beaucoup.

Elle attrapa sa brosse et sortit.

— C'était un compliment, tu sais, lui lança-t-il.

— Comment donc !

Elle se laissa tomber sur le lit au format majestueux et s'examina dans la glace de la coiffeuse. Quelle idée d'avoir fait peindre les murs en jaune ! Cela ne convenait absolument pas à son teint — sans parler de ses cheveux. Elle passa négligemment la brosse dans ses mèches ébouriffées, puis, se levant, s'approcha de la glace et continua de les brosser avec davantage de concentration et de détermination. Une fois satisfaite du résultat, elle revint s'asseoir sur le lit pour réfléchir à ce qu'elle allait mettre. Au terme de ses méditations, elle hésitait entre une robe d'été rose et un pantalon blanc avec un haut décolleté tilleul. Elle se décida en fin de compte pour le pantalon : il aurait été idiot de froisser une robe neuve qui lui avait coûté les yeux de la tête pour passer trois heures à une table de bridge. Je suis devenue une ménagère à l'esprit pratique, se dit-elle en songeant que sa robe rose était déjà vieille d'un an.

David surgit dans la chambre, les cheveux en bataille. Comment faisait-il pour avoir toujours cet air resplendissant ? Et que diable lui trouvait-il, à elle ? Elle savait que c'était la question que se posaient tous ceux qui les voyaient ensemble, à l'exception de Beth. Les autres femmes n'avaient jamais réussi à comprendre pourquoi il avait laissé tomber Elaine (Jill n'est même pas jolie ! avait-elle entendu quelqu'un murmurer un jour). Nicole Clark s'était sans aucun doute posé la même question.

— Où est la brosse ?

— Sur la commode. Vas-y, prends-la.

— Ça ne fait rien. J'attendrai que tu n'en aies plus besoin, fit David avec bonne humeur.

— Ça, c'est la meilleure !

— Qu'est-ce qu'il y a ?

— J'ai fini, espèce de mufle ! s'écria-t-elle en sautant sur ses pieds.

Le cordon de son peignoir se détacha, dévoilant sa nudité. Prompt comme l'éclair, David la renversa sur le lit et se jucha sur elle. Ils riaient si fort qu'il leur était impossible de rien faire d'autre.

— C'était juste pour te taquiner, dit David en lui emprisonnant les bras sous la tête. Tu es admirable. Absolument sensationnelle.

Il se mit à l'embrasser, sérieusement cette fois, et leur rire mourut tandis que ses mains expertes glissaient le long du corps de Jill.

Le téléphone sonna.

— C'est pour toi, annonça-t-elle. Tu ne devines pas qui ?

— Elaine ? Pourquoi en es-tu si sûre ? demanda David en tendant le bras vers l'appareil sans bouger le reste du corps.

— Parce que c'est toujours dans ces moments-là qu'elle se manifeste. D'ailleurs, ce cher trésor a seulement téléphoné deux fois, aujourd'hui. Je parie que tu ne l'as pas rappelée.

— Je ne le fais jamais. Tu te trompes peut-être... Allô !

L'inévitable : « Oh oui, salut, Elaine », que Jill attendait, suivit immédiatement. Elle se perdit dans la contemplation des fissures du plafond tandis que son mari, toujours allongé sur elle, parlait à son ex-épouse avec une exaspération visible.

— Oui, j'ai eu tes messages. Non, je n'ai pas pris la peine de répondre à tes coups de téléphone. Je n'avais pas le temps de discuter à propos de rien. (Il regarda Jill et lui embrassa le bout du nez.) Et je n'ai pas le temps non plus maintenant.

Il se tut assez longtemps pour que Jill entende la voix plaintive d'Elaine. Son désir s'était envolé, ce qui ne l'étonna pas outre mesure. Cette femme devait avoir une caméra de télévision cachée quelque part dans sa chambre qui lui permettait de savoir exactement à quel moment téléphoner. Repoussant doucement David, elle se dégagea et alla décrocher dans la penderie son pantalon blanc et son corsage.

— Bien sûr que je sais que Jason va camper à la fin de la semaine ! Qui est-ce qui paie, tu veux me le dire ?

Jill sortit un slip blanc du tiroir de la commode.

— Comment ça, il lui faut un nouveau sac de couchage ? Le sien est en excellent état. Il l'a depuis cinq ans ? Et alors ? Ça ne l'empêche de remplir son office.

Jill, en slip, enfila son corsage et se regarda dans la glace. Qui essayait-elle de tromper ? Si l'on veut porter un haut décolleté, encore faut-il avoir de quoi le remplir. Nicole Clark, elle, n'aurait certainement pas de problème pour faire tenir ce satané machin! Jill jeta un coup d'œil à David. Elle ne lui avait pas soufflé mot de la conversation qu'elle avait eue avec la jeune femme. A quoi bon? Cela ne ferait, tout au plus, qu'éveiller son intérêt. Quel homme ne serait pas intrigué par l'audace et la brutalité d'une pareille déclaration? D'autant plus quand l'attaquant ressemblait à Nicole Clark... Et d'autant plus quand il s'agissait de lui, David.

Elle ôta son corsage et retourna à la penderie.

— Je me fous éperdument que son maudit truc soit déchiré de bout en bout, je ne lui en paierai pas un autre. Ce camp où tu l'envoies me coûte mille dollars pour un mois et ils n'ont même pas de lits?

Jill choisit un chemisier rose, trop chaud et beaucoup trop large pour elle.

— Écoute, Elaine, c'est un problème réglé, il n'y a pas à discuter davantage. Si tu penses que Jason a besoin d'un nouveau sac de couchage, achète-le-lui toi-même sur les sept mille cinq cents dollars que je te verse déjà tous les mois.

Jill s'étudia devant le miroir. On dirait que je suis enceinte. Brusquement, cette perspective la fit tressaillir d'espoir. Qui sait? Et elle se mit à calculer dans combien de jours elle aurait ses prochaines règles.

David hocha la tête et plaqua la main sur le récepteur.

— Tu as l'air d'être enceinte, murmura-t-il avec un mécontentement évident.

Depuis quelque temps, Jill avait remarqué sa répugnance grandissante à l'idée de fonder une nouvelle famille et même à aborder le sujet. Elle se hâta d'ôter son chemisier rose et de le raccrocher.

— Quoi? s'écria-t-il. (C'était la première fois qu'il élevait la voix depuis le début de la conversation.) Tu es folle, Elaine! Comme il te plaira! Tu veux retourner devant le tribunal? Très bien. Nous retournerons devant le tribunal!

Et il raccrocha brutalement.

— Elle a l'intention de t'intenter encore un procès?

— En tout cas, elle m'en menace.

— Mais pour quelle raison, cette fois? Tu ne vas pas

me dire qu'elle a appris que j'avais fait assez d'économies pour m'offrir un nouveau pull ?

Jill ne plaisantait qu'à moitié. La pension alimentaire d'Elaine, l'entretien des enfants et les impôts se taillaient la part du lion dans les revenus de David, et le poste qu'elle avait accepté à l'université devint un appoint de salaire indispensable. Parfois, en plaisantant, elle traitait David de radin, s'efforçant de rire de ce qui la rongeait, à savoir que tout ce que gagnait son mari semblait aller à son ex-épouse et à ses enfants, alors qu'ils vivaient tous les deux sur son salaire à elle. Depuis quatre ans, c'est-à-dire depuis leur mariage, c'était elle qui payait le loyer de l'appartement, arrangement considéré au départ comme provisoire. Ce n'était pas tout à fait le genre de vie qu'elle avait envisagé.

— Elle voudrait obtenir que sa pension soit indexée sur le coût de la vie, à cause de l'inflation, si tu veux savoir.

Jill ne broncha pas. Si elle ouvrait la bouche, elle serait capable de se mettre en colère. A quoi bon ? Cela n'arrangerait rien.

— C'est ça que tu mets ? (Jill jeta un coup d'œil à ses seins nus et à son pantalon blanc.) Mais qu'est-ce qu'elle attend pour se remarier, bon Dieu ! s'écria David en levant les bras au ciel.

— Tu veux rire ! Elle ne se remariera jamais. Elle a la vie trop belle comme ça !

— Il faudrait qu'elle tombe sur quelqu'un d'assez spécial, fit David, lugubre. Un type qui n'aurait envie de baiser que deux fois par an.

Jill examina rapidement ses chemisiers. Ceux qui auraient convenu étaient tous pleins de taches. Quant aux autres... qu'est-ce qui lui avait pris de les acheter ? Ils étaient affreux.

— Mets donc ton corsage vert, lui conseilla David en s'approchant pour prendre son costume. Tu étais mignonne comme tout avec.

Jill attrapa immédiatement l'immatériel corsage qui lui rappela aussitôt Nicole. Elle se tourna vers David.

— Tu crois que nous avons le temps de finir ce que nous avions commencé ?

David regarda l'heure.

— Nous devons être chez les Weatherby dans trente-cinq minutes et Lake Forest n'est pas exactement la porte à côté.

Jill enfila son corsage vert — après tout, quelle importance ? — et referma la penderie.

— Attends seulement qu'on soit rentrés, lui lança-t-il.

Elle hocha la tête. Pourquoi cette passion des gens pour la banlieue ? se demanda-t-elle en s'asseyant au bord du lit. Elle se sentait frustrée et considéra le téléphone. Elaine savait toujours trouver le bon moment pour appeler. Pour ça, oui, elle le savait !

3

— Un sans atout.
— Deux cœurs.
— Passe.
— Passe.
— Passe.

— Deux cœurs et c'est à ma ravissante partenaire de jouer, dit Al Weatherby en levant les yeux vers la femme qui était depuis vingt-sept ans son épouse. (David joua le roi de pique et étala son jeu.) Dix-huit points superbes. Dommage que tu n'aies rien pour accompagner, ma chérie.

Al se leva pour aller voir ce que Beth avait dans sa main.

— Oh, Al, je suis désolée, fit-elle en pâlissant visiblement. Je ne sais pas où j'avais la tête.

Elle pressa ses cartes contre sa poitrine dans l'espoir que son mari renoncerait à examiner son jeu. Mais comme il s'obstinait, elle le lui montra à contrecœur.

— J'avais oublié les annonces, gémit-elle.

— Bon Dieu, mais regarde ce que tu as ! s'exclama Al avec plus de consternation que de colère.

— Je sais, je sais.

La voix de Beth était à peine audible.

— Nous avions au moins un petit chelem à nous deux et nous demandons deux cœurs ! Mais qu'as-tu donc ce soir, mon chou ? Allons, ne pleure pas, je t'en supplie, ma colombe, ajouta-t-il vivement en voyant les yeux de

Beth se remplir de larmes. Après tout, ce n'est qu'une partie de cartes. Je ne suis pas du tout fâché. D'ailleurs, en voyant mieux ton jeu, je crois que j'aurais fait comme toi. Moi aussi j'aurais demandé deux cœurs.

David et Jill éclatèrent de rire. Beth essaya d'en faire autant mais en vain. Jill avait vraiment de la peine pour elle. Toute la soirée elle avait joué aussi mal, en dépit d'années et d'années de pratique. Heureusement qu'Al ne s'énervait jamais. Comme il le disait, ce n'était rien de plus qu'un jeu.

— Joue simplement ce que tu as en main, ma chérie, conclut-il en retournant à sa place. Tu ne peux pas te tromper.

Beth abattit ses cartes en silence. Elle ne manqua qu'une levée et réalisa sans difficulté le petit chelem qu'elle aurait dû annoncer. Elle adressa alors un sourire timide à Al.

— Tu aurais dû faire l'impasse sur le roi au troisième coup, lui expliqua-t-il gentiment, en rassemblant les cartes. De cette manière, tu ramassais tout. Tu n'avais rien à perdre.

— Allons prendre le café.

En se levant, Beth heurta la chaise de Jill et laissa échapper un petit cri involontaire.

— Vous ne vous êtes pas fait mal ? lui demanda Jill avec inquiétude.

Beth secoua la tête.

— C'est seulement que je me cogne sans arrêt au même endroit.

Elle refusa l'aide que lui proposait Jill et, tandis qu'elle se rendait à la cuisine, tout le monde quitta la salle de jeu pour s'installer dans un vaste et confortable salon rempli d'objets de prix et de meubles d'époque.

— Je vais aller donner un coup de main à Beth, dit Al. Joli morceau de littérature, cette chaîne d'amitié de Beth ! Dieu du ciel, ce que j'ai pu rire en lisant cette lettre ! A propos, Jill, poursuivit-il, l'œil soudain étincelant, qui sont les trois actrices qui jouent dans *A Letter to Three Wives* ?

— Jeanne Crain, Ann Sothern et Linda Darnell, répondit Jill sans une seconde d'hésitation. Vous voulez aussi que je vous donne le nom de leurs partenaires masculins ?

— Vous plaisantez ? Un avocat digne de ce nom doit savoir renoncer à temps. N'est-ce pas, David ?

— Jill est imbattable, approuva-t-il.

— Je pensais qu'elle était peut-être trop jeune.

— Je vois des quantités de vieux films.

Jill se rappelait le temps où il n'était pas rare qu'elle passât la nuit devant son récepteur. Après avoir dormi une heure, elle partait travailler comme une somnambule, la tête pleine de nouvelles images de Joan Crawford. Mais c'était fini, ces séances nocturnes. David se levait à 6 heures et quart. Il aimait se coucher tôt et prétendait qu'il était incapable de dormir si Jill n'était pas à côté de lui dans le lit.

— Que je ne me trompe pas... vous le prenez avec du lait et sans sucre, n'est-ce pas, David ? demanda Al.

David hocha la tête.

— Et vous, Jill, vous l'aimez noir.

C'était une affirmation, pas une question.

— S'il vous plaît.

— Je crois savoir que Beth a préparé une tarte aux myrtilles fantastique. Si vous voulez bien m'excuser, je vais l'aider. Je reviens tout de suite.

Jill le suivit des yeux. A peine plus grand qu'elle, c'était une sorte d'elfe débordant d'énergie et d'une patience sans borne. Son corps élancé était étonnamment musclé : il s'était pris, très jeune, de passion pour l'haltérophilie. On prétendait qu'il pouvait se contenter de deux heures de sommeil et David affirmait que depuis quinze ans qu'il travaillait avec lui, il ne l'avait jamais vu se mettre en colère. Par ailleurs, Al se faisait une règle de glaner le plus de renseignements possible sur les épouses de ses collaborateurs. Quand il avait appris que Jill était, comme lui, une fanatique de cinéma et des petites annonces, elle avait aussitôt acquis une place de choix dans son cœur. Cet engouement avait considérablement aidé David à le faire adopter par ses confrères et par leurs épouses — en particulier par celles qui avaient connu Elaine et sympathisé avec elle.

— De quelle lettre s'agit-il? demanda David en s'enfonçant dans les moelleuses profondeurs d'un fauteuil victorien en velours.

Jill crut un instant qu'il s'adressait à quelqu'un d'autre.

— Oh! la chaîne d'amitié pour les maris! Je ne te l'ai pas montrée? Eh bien... Je dois encore l'avoir quelque part... Beth me l'a donnée au cours du pique-nique, acheva-t-elle d'une voix de plus en plus faible.

— Le pique-nique, répéta son mari sur un ton menaçant. Me diras-tu, enfin, ce qui s'est passé ce jour-là?

— Mais de quoi parles-tu?

— Il s'est passé quelque chose dont tu ne m'as pas soufflé mot et à chaque fois que j'y fais allusion, tu prends une drôle de tête, ton regard devient bizarre... Tiens! Exactement comme maintenant. (Jill rougit.) Et tu rougis! Toi qui ne rougis jamais.

— Je ne rougis pas, s'exclama-t-elle en riant, comme s'il plaisantait. Tu es fou! (Elle regarda autour d'elle.) C'est gigantesque pour un couple seul, cette maison.

— Je ne trouve pas que ce soit un moyen très adroit de changer de conversation.

— Leurs gosses sont vraiment superbes, continua Jill, faisant la sourde oreille, plantée devant le portrait magnifiquement encadré des trois enfants Weatherby qui trônait au-dessus de la haute cheminée de marbre.

— Ce ne sont plus des gosses à proprement parler, rectifia David. Le plus jeune a dix-sept ans.

Il secoua la tête, visiblement mécontent. Puis il ouvrit de nouveau la bouche, mais Jill ne le laissa pas parler :

— Je sais. Si jamais Jason se met un jour à réciter l'alphabet Moon, avec ta permission, je l'abats de mes propres mains.

Un cri les fit bondir et ils se ruèrent vers la cuisine. Jill poussa la porte quelques secondes avant son mari et, à la vue du sang, ils se précipitèrent tous les deux sur Beth.

Al était encore plus livide que sa femme.

— Mais qu'est-il arrivé, Beth ? ne cessait-il de répéter avec un calme presque glacé. Au nom du ciel, je tourne le dos deux secondes et tu manques de te tuer!

Il la prit par le bras et lui passa sa main ensanglantée sous le robinet. Le contact de l'eau froide arracha à Beth un nouveau cri. Une coupure profonde, pareille à une seconde ligne de vie, lui entaillait la paume sur toute sa longueur, juste à la naissance des doigts.

— Je ne sais pas comment j'ai fait mon compte, murmura-t-elle en retenant ses larmes. J'étais en train de couper la tarte. Le dessus devait être trop dur parce que... aïe !... enfin, bref, la lame a glissé et elle m'est rentrée dans la main. Mon Dieu, ce que ça fait mal !

— Ne bouge pas, lui intima Al, toujours aussi calme et qui commençait à retrouver ses couleurs. Ça saigne beaucoup. Je ne sais pas... il vaudrait peut-être mieux t'emmener à l'hôpital.

— Non, non, je t'en prie... ça va s'arranger. Il y a des pansements en haut...

— J'y vais, fit David qui sortit en trombe.

— La première salle de bains à droite ! lui cria Al. C'est à cause de ce satané coup de téléphone de Lisa, n'est-ce pas ?

« Nous nous faisons du souci pour notre fille, expliqua-t-il à Jill, sans quitter sa femme des yeux. Elle s'est entichée d'une espèce de musicien... marié, naturellement.

Évidemment, pensa Jill.

— Petits enfants, petits problèmes. Grands enfants, grands problèmes, remarqua David sur le chemin du retour. Crois-moi, Jill, ça ne vaut vraiment pas le coup.

Ils roulaient déjà depuis vingt minutes.

— C'est juste au coin... là, la maison à gauche. Numéro 90.

David se gara dès qu'il réussit à trouver une place. C'était une rue étroite et sombre, flanquée de pavillons qui avaient sûrement été fort élégants jadis mais qui portaient maintenant les stigmates du manque d'entretien et des féroces intempéries propres à l'impitoyable climat de Chicago.

— Le quartier n'a pas l'air d'être sûr, fit David.

Jill sourit.

— Il n'y a aucun danger. J'habite au premier et ma propriétaire occupe le rez-de-chaussée avec ses deux compagnons favoris : un doberman et un fusil à canon scié.

David se mit à rire.

— Le mode de vie américain, quoi !

Au moment d'ouvrir la portière, Jill hésita. C'était à contrecœur qu'elle le quittait déjà.

— Je tiens à vous remercier... commença-t-elle.

Mais il l'interrompit :

— Ne me remerciez pas. C'était pur égoïsme de ma part. Mon seul regret est que vous n'habitiez pas plus loin, ce qui m'aurait permis de rester plus longtemps en votre compagnie.

Jill sourit en pensant à la façon dont s'était déroulée l'après-midi. Elle avait finalement renoncé à son attitude agressive et laissé l'humour et la personnalité de David Plumley avoir raison de son hostilité première. Cette hostilité, d'ailleurs, n'était née que parce qu'elle s'était sentie à la fois embarrassée et effrayée par l'attraction qu'il avait exercée sur elle. En fin de compte, elle avait accepté sa tasse de café et il lui en avait appris plus qu'elle n'espérait sur les hommes de loi et leur profession. Une heure passa très vite, puis une autre. David Plumley avait repoussé ou annulé ses autres rendez-vous.

Il n'était pas loin de 6 heures quand, à sa grande déception, elle s'aperçut que toutes les autres questions qu'elle aurait encore à lui poser n'avaient strictement rien à voir avec le droit, et tout à voir avec sa femme, sa famille et ses éventuelles maîtresses. Lorsqu'il lui avait proposé de la raccompagner, elle avait accepté d'emblée, bien que sa propre voiture fût rangée dans le parking souterrain. Tant pis ! Elle en serait quitte pour passer la prendre le lendemain.

Elle poussa la lourde portière.

— Eh bien, merci encore... pour tout. Je m'en veux un peu d'avoir abusé de votre temps, mentit-elle. (Au point où elle en était, autant profiter de son avantage :) Si vous n'étiez pas marié, je vous aurais invité à dîner.

— Nous sommes séparés, répondit-il, négligeant seulement de préciser que par « séparés » il entendait que sa femme était à la maison avec les enfants, tandis qu'il était, lui, dans sa voiture avec Jill.

Il se dressa brusquement sur son séant.

— Excuse-moi. Je sais bien que je t'empêche de dormir, mais je n'arrive pas à trouver une position confortable.

Jill s'assit à son tour sur le lit et jeta un coup d'œil à la pendulette. Il était près de 3 heures et demie du matin.

— Nous n'aurions pas dû boire tant de café, remarqua-t-elle en songeant à la grosse cafetière qu'ils avaient mise en route en rentrant et qu'ils avaient vidée jusqu'à la dernière goutte.

Ils avaient quitté les Weatherby lorsque, la main bandée, Beth avait cessé de saigner. Al lui avait suggéré de monter tout de suite se coucher et malgré leurs protestations, Jill et David avaient estimé préférable de prendre congé. La vue du sang avait laissé à Jill une impression de malaise, et la véhémente sortie de David à propos des enfants n'avait rien arrangé. Le café lui avait paru la seule solution. Après avoir vidé la cafetière, ils s'étaient déshabillés, mis au lit et avaient glissé dans un sommeil agité et superficiel. Oublié, le désir. Ils n'aspiraient plus qu'à s'enfoncer dans leurs oreillers jusqu'au matin.

— Tu veux manger quelque chose ?

— Qu'est-ce que tu me proposes ? demanda David en s'étirant.

— Du gâteau au fromage. Il reste aussi un peu de pudding au riz...

— Non.

— Veux-tu que je fasse monter une pizza ?

David se mit à rire.

— Non. Décidément, manger ne résoudra rien.

— Ginger ale ? Jus de fruits ?

— Non. Et puis, merde ! grommela-t-il, écœuré.

— Tu veux que je te masse le dos ?

— Voilà ! C'est exactement ce qu'il me faut ! fit-il en souriant.

Il se mit aussitôt à plat ventre. Jill s'installa sur lui à califourchon et entreprit de lui masser les épaules.

— Alors ? demanda-t-elle après quelques minutes.

— Affreux, fit-il doucement. Il n'y a pas plus mauvaise masseuse au monde que toi.

— Vraiment ? (Elle se mit à le bourrer de coups de poing.) Et ça, c'est mieux ?

— Beaucoup mieux, s'esclaffa-t-il. (Il la renversa, grimpa sur elle et la pénétra aussitôt.) Beaucoup, beaucoup mieux.

Maintenant, allongés côte à côte, immobiles, détendus, le souffle régulier et les yeux ouverts, ils n'avaient toujours pas la moindre envie de dormir.

— Alors, demanda soudain David, vas-tu me raconter enfin ce qui s'est passé pendant ce pique-nique ?

— Que veux-tu dire ? fit-elle, prise de court.

— Jill, reprit-il patiemment, depuis quelques jours je ne te reconnais plus. On dirait Beth : tu te cognes partout, tu te changes cinquante fois par jour...

— Pas du tout ! Je n'ai jamais...

— Combien de fois as-tu changé de tenue, ce soir ?

— Je ne sais pas où tu veux en venir. Il a été parfait, ce pique-nique. Sans rien de spécial. (Elle rougit.) Oh ! Je sens que si je dis un mensonge de plus mon nez va rallonger de dix centimètres...

David éclata de rire.

— Tu es aussi transparente que Pinocchio ! Maintenant, raconte-moi tout.

Jill s'assit, les jambes repliées et le front sur les genoux.

— D'où vient que tu sais toujours ce que je pense ?

— Je ne sais pas ce que tu penses — je sais seulement que tu penses à quelque chose. Allez, tu sais très bien que tu ne peux rien me cacher. Vas-tu te décider à parler ?

Il attendit, résolu à ne pas lâcher prise.

Jill essaya de choisir ses mots avec soin. Que pouvait-elle dire ? Comment éviter que son récit ne suscite chez lui un trop grand intérêt? Écoute, David... tu connais cette étudiante en droit qui fait un stage chez vous, cette fille brillante, superbe... celle qui a de gros seins et un teint sans défaut... eh bien, elle a décidé de t'épouser.

Elle tourna plusieurs fois la phrase dans sa tête, s'efforçant de lui donner un tour plus drôle, plus anodin. Par exemple : Tu ne sais pas? Il y a une autre femme qui est amoureuse de toi...

— Et alors?

— Cela va gonfler démesurément ton ego, commença-t-elle avec nervosité tout en se demandant pourquoi elle appréhendait tellement de lui dire la vérité. Si je te le raconte, c'est seulement parce que j'ai une confiance totale en toi...

David se mit à rire.

— C'est ça! Place-moi en position de me sentir si coupable que je ne puisse plus me réjouir de ce que je vais entendre. Alors, tu vas le dire, oui ou non?

Jill se lança à l'eau :

— C'est à propos de Nicole Clark.

— Qui?

— Nicole Clark.

David avait l'air sincèrement stupéfait.

— Mais qui est Nicole Clark?

Un sourire radieux éclaira le visage de Jill. Elle se sentit aussitôt beaucoup mieux.

— Tu ne la connais vraiment pas? Elle travaille chez vous. En ce moment, tout au moins. C'est une étudiante. Brune, jeune... Jolie si l'on aime ce genre de perfection. Vous avez eu une longue conversation tous les deux au cours du pique-nique.

David était manifestement dérouté. Jill voyait bien qu'il essayait d'ajuster les pièces du puzzle, de mettre un visage sur ce nom... Nicole Clark. Jolie... brune... étudiante.

— Oh! Seigneur! Tu veux parler de Nicki? Nicole Clark! Je te demande un peu! Ça faisait tellement protocolaire. Jolie? Mais elle est superbe!

A l'évidence, il avait un faible pour ce genre de perfection. Les traits de Jill se crispèrent.

— Alors, tu vois de qui je veux parler, dit-elle sans nécessité.
— Bien sûr. Une fille intelligente, très intelligente. Sympathique, sensible...
— Je n'en doute pas.
Jill se laissa retomber sur son oreiller, le dos raide.
— Qu'est-ce que tu as ?
— Oh, rien. Simplement, cette fille splendide, intelligente, sympathique et sensible m'a annoncé qu'elle avait l'intention de t'épouser.
David resta muet quelques secondes. Puis il se mit à rire.
— Je ne vois pas ce que cela a de si drôle, fit Jill sur un ton posé, en se surveillant pour rester impassible.
David rit de plus belle.
— Mais c'était une blague, voyons ! C'est plutôt amusant. Je ne savais pas qu'elle avait un tel sens de l'humour !
— Et en plus, elle a le sens de l'humour ! C'est complet.
— Allons, Jill, tu ne vas pas me dire que c'est ça qui t'inquiète ?
— Et pourquoi pas ? (Elle avait involontairement haussé le ton.) Une fille vient me dire qu'elle va épouser mon mari, et mon mari me console en m'expliquant que, petit a : elle est splendide ; petit b : elle est surdouée ; petit c : elle est adorable ; et, petit d : elle est d'une sensibilité rare. Oh ! J'ai failli oublier le petit e : elle possède un merveilleux sens de l'humour.
David se laissa soudain tomber sur elle et l'embrassa sur la figure, dans le cou, tout en lui chatouillant les côtes.
— Allons, espèce de gourde ! De quoi t'inquiètes-tu ? Tu sais que je t'aime, non ? (Jill hocha la tête avec réticence.) Alors, pourquoi attacher tant d'importance à cette stupide plaisanterie ?
— Parce que ce n'était pas une plaisanterie. Elle me l'a très clairement précisé.
David se rassit.
— Répète-moi exactement ce qu'elle t'a dit.

Jill lui rapporta leur conversation aussi fidèlement qu'elle put, en faisant de son mieux pour contrôler sa voix.

— Tu penses toujours qu'il s'agit d'une blague ?

David la regarda bien en face.

— Je t'aime, commença-t-il, brusquement sérieux. Je t'aime énormément. C'est pourquoi je t'ai épousée. Et je n'ai pas l'intention d'épouser quelqu'un d'autre. Tu saisis ? Ni même de poser les yeux sur quelqu'un d'autre. C'est toi que je veux, c'est toi dont j'ai besoin, qui m'es nécessaire et le seras toujours. En d'autres termes, chère madame, vous êtes liée à moi pour la vie. Si Nicole Clark ne plaisantait pas, c'est qu'elle est complètement zinzin et elle me déçoit profondément.

Jill avait les yeux embués de larmes d'amour et de gratitude. Elle se répéta ses paroles encore et encore, sans chercher à savoir s'il avait jamais rien dit de pareil à Elaine et en faisant la sourde oreille à l'avertissement que lui avait lancé sa mère quand elle lui avait annoncé qu'elle avait une liaison avec un homme marié : « S'il a pu le faire à l'une, il te le fera à toi aussi », lui avait-elle dit sans détour.

— Va-t-en, mère ! marmonna-t-elle.

— Quoi ?

— Rien, répondit Jill en riant.

— Pourquoi pleures-tu ?

Elle secoua la tête.

— Je t'aime, murmura-t-elle tandis que David lui séchait ses larmes sous ses baisers.

— Alors, accorde-moi une faveur : n'oublie pas que moi aussi je t'aime, et que je n'ai jamais connu de femme plus belle que toi. Et maintenant, serre-moi fort, lui ordonna-t-il en l'embrassant sur la bouche.

Il se retourna et Jill se pelotonna contre lui.

Elle était déjà presque assoupie quand il se remit à rire.

— Je n'arrive pas à croire que Nicki ait vraiment dit ça !

Jill, faisant semblant de dormir, ne répondit pas. Instinctivement, elle se rapprocha et se serra encore plus fort contre lui, tout espoir de sommeil à présent envolé. Ô l'affreuse! pensait-elle tristement. Et voilà. Son intérêt est éveillé.

4

Jill se tournait et se retournait dans son lit, vaguement consciente qu'il était probablement temps de se lever. Mais elle n'y était pas encore prête. Ses yeux refusaient de s'ouvrir à la lumière qu'elle sentait filtrer par les rideaux de la chambre. Elle était raide et courbatue à force d'avoir pris toutes sortes de mauvaises positions. Si seulement elle pouvait encore dormir quelques heures ! Luttant contre la nausée qui s'emparait d'elle chaque fois qu'elle n'avait pas eu son compte de sommeil, elle se força à soulever les paupières et se tourna vers le radio-réveil qui, par Dieu sait quel mystère, se trouvait de son côté. Qu'est-ce qu'il faisait là, sur sa table de nuit ? D'habitude, il était toujours du côté de David. A 6 heures pile, tous les jours de la semaine, il tendait la main à l'aveuglette vers le bouton, la tête enfouie sous les couvertures, et le réduisait brutalement au silence. Pas besoin d'un second coup de semonce. Quinze minutes plus tard, il se levait et allait s'enfermer dans la salle de bains. Ce qu'il y faisait prenait exactement une heure. (Jill avait tenté une fois de chronométrer ses activités : cinq minutes pour la douche, dix pour se raser, trente secondes pour se brosser les dents, encore cinq minutes pour se sécher les cheveux. Restait un trou de trente-neuf minutes et soixante-dix secondes. Elle lui avait demandé un jour ce qu'il pouvait bien faire pendant tout ce temps. Il lui avait répondu avec un clin d'œil : « Demande à ma mère. Je suis les préceptes qu'elle m'a inculqués. ») Jill referma les yeux. Les hommes attachaient une telle importance à leurs précieux intestins ! Tous les matins — c'était réglé comme du papier à musique. Sinon, c'était la fin du monde. Il y avait toujours une grosse boîte de Métamucil dans l'armoire à pharmacie. En cas d'urgence. Jill eut envie de rire. C'était plutôt elle qui aurait dû en prendre, étant donné sa très régulière irrégularité. Il lui arrivait souvent de ne pas y aller pendant trois ou quatre jours d'affilée.

Elle rouvrit brusquement les yeux et regarda de nouveau la pendule. Il était plus de 8 heures ! D'habitude, David était déjà loin à cette heure-là. Il était sans doute parti après avoir accompli ses rites matinaux dans un silence total. Était-il venu la réveiller à 7 heures et demie comme de coutume ? Elle ne se rappelait pas avoir senti sa bouche se promener sur sa joue — sa façon de lui dire bonjour et de lui souhaiter une bonne journée. Non, elle ne se rappelait rien du tout.

Et s'il ne l'avait pas embrassée ? Et si le réveil n'avait pas fonctionné pour la première fois depuis quatre ans ? (Sans doute avait on cassé quelque chose en le déplaçant.) David allait arriver en retard au tribunal. Il devait y être à 9 heures ce matin. Affolée, elle se tourna vers son mari.

— David...

Elle s'arrêta net.

Couchés à côté d'elle, enlacés, les jambes passées autour des reins l'un de l'autre, ils s'agitaient de façon grotesque, les cheveux dans la figure, ce qui fit qu'elle ne les reconnut pas tout de suite. Elle s'assit dans le lit et se rapprocha d'eux. Ou le couple ne la voyait pas ou sa présence lui était totalement indifférente. Jill repoussa la couverture et contempla, ébahie, les deux corps qui se heurtaient, gigotant comme des poissons au fond d'une barque, qui entraient en collision et battaient en retraite, sans fin. La femme écrasait sa généreuse poitrine sur les poils blonds du torse de David et Jill l'entendit qui lui murmurait quelque chose à l'oreille : « Elle nous regarde. » Comment avait-elle pu saisir les mots aussi clairement ? David s'esclaffa et fit passer la fille par-dessus lui. Il la souleva, de sorte qu'elle se retrouva les reins cambrés vers le plafond et ses seins volumineux pointés vers le bas. Sa chevelure noire retomba en arrière. Elle riait. Lentement, elle tourna la tête vers Jill. C'était sa mère !

Les yeux grands ouverts, Jill se redressa d'un bond en poussant un cri étouffé. David se réveilla instantanément.

— Bon Dieu, Jill, qu'est-ce qui t'arrive ? Tu es malade ?

Il avait l'air terrifié.

— Jill... réponds-moi ! Tu n'es pas malade ?

Il lui fallut une bonne minute pour comprendre qu'elle était seule avec David dans le lit. Elle avait été le jouet d'un rêve étrange. Mais chargé d'une telle réalité...

— J'ai fait le plus ridicule des rêves, murmura-t-elle, encore étonnée.

— Ô Seigneur ! Seigneur ! grommela David en retombant sur l'oreiller.

— Mais je ne l'ai pas fait exprès ! se défendit Jill.

Oh la la ! Tellement bizarre... Et tellement précis !

— Quelle heure est-il ? demanda-t-il en s'enfonçant sous les couvertures.

Jill se tourna vers sa table de nuit. Le radio-réveil n'y était plus.

— Où est le réveil ? demanda-t-elle avec inquiétude.

David se rassit et jeta un coup d'œil de son côté.

— Mais qu'est-ce qui te prend ? Il est là. A sa place. Il est 6 heures moins 5, sacré nom d'une pipe ! J'aurais pu dormir cinq minutes de plus.

— J'aurais dû comprendre que c'était un rêve en le voyant du mauvais côté, murmura-t-elle tandis que David s'allongeait de nouveau. Sans parler de ma mère.

Elle se coucha aussi, le dos contre le ventre de David.

— Qu'est-ce que tu marmonnes ? demanda-t-il, la voix étouffée par l'oreiller.

La question n'exigeait pas de réponse. Elle mettait même Jill au défi d'en formuler une. Elle connaissait ce ton qui signifiait : Tais-toi et laisse-moi dormir.

Elle essaya de se remémorer son rêve mais il fuyait hors de sa conscience, et quand David arrêta le réveil musical (Barbra Streisand et Barry Gibb dans *Guilty*), tout s'était effacé à l'exception du visage de sa mère sur le corps de Nicole — car le corps lié à David était bien celui de Nicole, elle en était sûre.

David s'assit et s'étira. Puis il se leva vivement et au lieu d'une impression de vide, Jill ressentit soudain un grand froid ; un courant d'air glacé l'enveloppa comme une couverture des pieds aux épaules.

— Debout ! s'écria gaiement David en la prenant par les bras. Tu m'as coûté cinq minutes de sommeil. C'est le moment de payer !

Il lui lâcha les mains et se mit à la tirer par les pieds.

— Qu'est-ce que tu fais ? demanda-t-elle en riant et en lui envoyant des ruades. Laisse-moi ! Tu sais bien que j'ai encore droit à une heure et demie.

Riant et poussant des cris, elle se retrouva par terre. David la saisit par les chevilles.

— Mais qu'est-ce que tu fais ? Où m'emmènes-tu ?

Elle ouvrit les yeux, pleurant de rire, et contempla son corps nu (splendide, même à 6 heures du matin) traînant le sien (rien moins que splendide, lui, pensa-t-elle en s'efforçant de rentrer son ventre) sur le tapis.

— Attention à ma tête ! s'écria-t-elle quand il tourna dans le couloir. Où vas-tu ?

— Tu as besoin d'une douche.

— Oh non ! protesta-t-elle en se débattant de toutes ses forces. Pas à 6 heures du matin ! Pas de douche. Non !

Elle se remit à crier quand David la propulsa dans la petite salle de bains.

— Une veine pour toi qu'il y ait du tapis sur le sol.

Il se redressa tout en la maintenant fermement par un pied et, se penchant sur la baignoire, ouvrit le robinet de la douche, sans se soucier des coups de pied frénétiques qu'elle lui envoyait de sa jambe libre. Cela fait, il la souleva à bras-le-corps et, sans effort apparent, la déposa sous le torrent d'eau.

— Merde ! Elle est glacée !

— Mille excuses ! fit-il en s'empressant de régler les robinets et de la rejoindre dans la baignoire.

— Je vais avoir les cheveux trempés! cria-t-elle en se remettant à rire aux éclats.

— Comme ça, au moins, ils seront propres!

— Mais je viens de les laver!

Comme à chacune de ses protestations sa bouche se remplissait d'eau, elle finit par se taire et même à éprouver du plaisir à se laisser fouetter par ce jet puissant. Puis David se mit à lui savonner les seins, à la masser doucement, et ses mains glissèrent peu à peu le long de son ventre. L'instant d'après il s'enfonçait en elle et, la poussant contre le carrelage, la faisait monter et descendre le long des robinets. Si c'est encore un rêve, se dit-elle, il bat de loin le premier.

Un souvenir vieux de près de cinq ans surgit dans sa mémoire. David avait frappé à sa porte à 2 heures du matin, ivre comme il n'était pas permis, la seule fois depuis le début de leur liaison clandestine où il ne l'avait quittée qu'au matin.

Elle revint brutalement au présent lorsque l'eau cessa de couler et que David s'arracha à elle. Il l'embrassa tendrement sur la bouche.

— Allez, file, murmura-t-il. J'ai du travail.

Elle s'esclaffa.

— Tu as toujours été formidable sous l'eau, lui lança-t-elle, sachant qu'il comprendrait à quoi elle faisait allusion.

David lui flanqua une petite tape amicale sur les fesses tandis qu'elle se hissait tant bien que mal hors de la baignoire. Elle s'enveloppa dans une serviette.

— Je vais préparer le petit déjeuner.

— J'en ai encore pour un moment.

— Oui, je sais, dit-elle en sortant et en refermant la porte derrière elle.

6 heures 35. David en avait encore pour quarante minutes. Elle pouvait se coucher et essayer de se rendormir. Ou faire de la culture physique. Elle laissa tomber sa serviette et s'examina dans la glace. Oui, un peu d'exercice ne lui ferait pas de mal. Elle s'allongea par terre et effectua quelques ciseaux. Beth lui avait suggéré de s'inscrire avec elle à un club de gymnastique. Il faudrait lui téléphoner pour lui demander des précisions.

Tout compte fait, c'était une excellente idée. Son corps était en pleine décomposition. David l'avait-il remarqué ?

Genoux pliés, talons à terre, elle croisa les mains derrière la nuque et essaya de se lever. Elle finit par y parvenir. « Oh ! Mon Dieu ! c'est ridicule ! » maugréa-t-elle en s'asseyant. Beth... Sa main ensanglantée... Comment allait-elle ce matin ? La coupure était profonde, vraiment pas belle à voir. Elle lui passerait un coup de fil après son premier cours.

En pensant à ses étudiants elle se sentit aussitôt déprimée.

Tous ces visages intenses et juvéniles braqués sur elle, attendant avec impatience qu'elle leur révèle les secrets de son art... Elle n'avait même pas encore réfléchi à ce qu'elle allait leur raconter tout à l'heure, à ces jeunes gens persuadés qu'un diplôme et l'amour du cinéma suffisaient pour se retrouver sous les projecteurs et recevoir un Oscar. Quand la cloche sonnerait, ils seraient tous à leurs places, avides de boire la science qui tomberait de sa bouche. Que pouvait-elle leur dire ? Qu'elle s'ennuyait à mourir et que son plus cher désir était d'être ailleurs ? Pas dans une salle de cours mais quelque part, dans le monde réel, occupée à enregistrer et à mettre en scène l'histoire, dans toute sa violence et dans ses manifestations les plus ordinaires. Elle avait besoin de mouvement.

Qu'est-ce que je fabrique par terre ? se demanda-t-elle en s'appuyant sur ses coudes. Elle se leva. Non, ça ne marcherait jamais comme ça. Si elle voulait retrouver la forme, il lui faudrait se plier à cette discipline qu'elle détestait, suivre de vrais cours. Elle sortit une robe de coton mauve de la penderie, l'enfila, se fit un turban de sa serviette et se dirigea vers la porte de l'entrée.

Le journal était arrivé. Elle se rendit dans la cuisine, le posa sur le plan de travail et se mit en devoir de préparer le café. Les gros titres étaient déprimants, comme toujours : l'économie allait à vau-l'eau, la récession déboucherait selon toute probabilité sur une crise, la course aux armements battait son plein, l'I.R.A. et l'O.L.P. continuaient leur ouvrage comme devant... Merveilleux !

— Tu veux des œufs ? cria-t-elle à travers la porte de la salle de bains.

— Non, merci ! lui cria David en retour. Juste des toasts et du café.

Jill sortit quelques tranches de pain de mie du paquet et, laissant passer le café, alla se réfugier dans le bureau avec son journal.

Installée dans le fauteuil le plus gros et le plus confortable, elle se mit à feuilleter rapidement le quotidien, sûre à l'avance d'y trouver, outre les incendies, inondations et autres catastrophes naturelles, tout ce que Chicago pouvait offrir en fait de meurtres, viols et hold-up journaliers. Elle passa directement aux pages des petites annonces et l'une d'elles lui sauta immédiatement aux yeux :

> *H., race noire, séduisant, 1,84 m, boulanger prof., div., s. attaches, moyenne bourgeoisie, envisageant retourner Antilles décembre, cherche f. type caucasien, attirante, dynamique, intelligente, bien en chair, sensuelle, prof. comptable.*

Jill rit tout haut. Aucun risque d'erreur. C'était clair, net et précis. Ce garçon savait exactement ce qu'il voulait. Elle jeta un coup d'œil rapide sur le reste de la rubrique « Rencontres ». Apparemment, toutes sortes de gens merveilleusement beaux, intelligents et parvenus au sommet de la réussite sociale cherchaient à se faire des amis. Des amis. Le choix du mot était intéressant.

> *Sensuel, affectueux, expérimenté, désire rencontrer jolie sylphide possédant rondeurs, ardeur et sens du rythme.*

Celui-là, c'était du rythme qu'il voulait, pas de l'amitié. Qu'est-ce qui faisait courir tous ces gens ? Quels visages se cachaient derrière ces étranges exigences ? Et surtout, trouvaient-ils ce qu'ils cherchaient ? Mais qui trouve ce qu'il cherche? songea-t-elle avec scepticisme en passant à la rubrique « Naissances ». Tout ce qu'elle demandait pour éclairer sa journée, c'était de trouver une annonce vraiment énorme. Elle fut exaucée :

Frey, Joel et Joan (née Sampson), ont la joie de vous faire savoir que Joel n'a pas tiré seulement des coups à blanc pendant toutes ces nuits d'hiver glaciales. Les jumeaux Gordon et Marsha, respectivement 2,7 et 2,25 kg, poids respectable, ont justifié par le cri qu'ils ont poussé en voyant le jour le mal que se sont donné leurs parents (surtout maman !). Nos remerciements au Dr Pearlman et à toute l'équipe du Women's College Hospital.

Jill replia son journal et regagna la cuisine. Le café devait être prêt.

Le téléphone sonna au moment précis où elle venait de s'en verser une tasse. Elle jeta machinalement un coup d'œil à la pendule : à peine 7 heures. Même Elaine ne se permettrait pas d'appeler si tôt. A moins d'une urgence.

Jill décrocha avec un pincement au cœur.

— Allô !

— David est-il là, je vous prie ?

Cette voix sourde et rauque n'était décidément pas celle d'Elaine. Jill la reconnut immédiatement.

— Qui est à l'appareil ? demanda-t-elle néanmoins.

— Nicole Clark. J'espère que je ne vous dérange pas.

Comment donc !

— Quelque chose ne va pas ?

— Non, répondit Nicole avec sérénité. Je voulais seulement dire un mot à David avant qu'il ne quitte la maison. Je sais qu'il s'en va très tôt le matin.

— Il est dans la salle de bains, répondit Jill de sa voix la plus impersonnelle. Il ne peut pas venir au téléphone pour l'instant. (« Votre fiancé est en train de chier ! » avait-elle envie de hurler.) Voulez-vous lui laisser un message ?

— Ce serait un peu compliqué, fit Nicole après un instant d'hésitation. Il vaudrait mieux qu'il me rappelle. Je ne suis pas totalement idiote. Je suis encore capable de prendre un message...

— Comme vous voudrez, fit-elle à haute voix. Quel est votre numéro ?

Nicole commença à le lui dicter mais Jill cherchait frénétiquement de quoi écrire.

— Une seconde... je n'ai pas de crayon.

— Qui est-ce ? cria David de la salle de bains.

Jill ménagea une pause.

— Nicole Clark.

Elle aurait payé cher pour voir son expression.

Ce fut au tour de David d'observer un temps de silence.

— Qu'est-ce qu'elle veut ?

— Que tu la rappelles.

— O.K. ! Note son numéro.

Quelle bonne idée, se dit Jill, en fourrageant dans un tiroir dont elle finit par extraire un crayon en état de marche.

— Ça y est, j'ai ce qu'il faut. 531...

— 1-7-41, compléta Nicole.

— Il vous rappellera.

— Je vous remercie.

Jill raccrocha.

Pourquoi Nicole avait-elle téléphoné ? Avait-elle vraiment besoin d'un renseignement à une heure aussi matinale ou n'était-ce qu'une tactique, un élément du plan destiné à ferrer David ? Et à jouer sur les nerfs de sa gentille petite épouse ?

Elle but une gorgée de café et ouvrit le garde-manger où au moins une demi-douzaine de *donuts* étaient en train de rassir. Elle en prit deux. C'est exactement ce qu'il me faut, pensa-t-elle, tout en cherchant à deviner ce que Nicole mijotait au juste.

— Ça suffit comme ça ! dit-elle tout haut.

Si elle commençait à s'inquiéter de toutes les minettes qui s'intéressaient à son mari, elle finirait par devenir chèvre. C'était probablement ce que l'autre attendait. Jill mordit dans son *donut.* Et puis qu'elle aille au diable ! C'est son problème, pas le mien. Il faut absolument que je téléphone à Beth pour ce cours de gymnastique.

Elle entendit s'ouvrir la porte de la salle de bains. Jill regarda l'heure de nouveau. David ne pouvait pas avoir déjà terminé — c'était trop tôt. Il apparut, enveloppé dans une serviette.

— Elle n'a pas dit ce qu'elle voulait ? demanda-t-il en évitant délibérément de prononcer le nom de Nicole.

— Elle n'a pas l'air de me faire confiance, fit Jill en lui remplissant sa tasse. Voilà son numéro. Tu as fait vite, aujourd'hui, remarqua-t-elle.

— Elle veut probablement savoir devant quelle chambre je plaide, dit David, l'air absent. Elle m'a demandé hier si elle pouvait assister à l'audience.

— Bien sûr. Je vous laisse seuls tous les deux.

Jill avala la dernière bouchée de son *donut* et battit en retraite en direction du bureau.

David se mit à rire et décrocha le téléphone. Jill l'entendit composer le numéro tandis qu'elle s'installait dans son fauteuil de cuir. Le journal était là où elle l'avait laissé. Elle s'en empara et commença à lire les annonces immobilières. La voix de David lui parvint.

— Allô ! Nicki ? Ici David Plumley. (Le nom et le prénom... on ne peut plus protocolaire.) Que puis-je faire pour vous ?

Je vais te dire ce que tu peux faire pour moi... Elle se secoua aussitôt pour chasser ses pensées et la serviette qu'elle avait sur la tête se retrouva par terre.

— Bravo, grommela-t-elle.

En se baissant pour la ramasser, c'est son journal qu'elle laissa tomber.

— Décidément, on dirait un mauvais vaudeville, marmonna-t-elle en essayant de rattraper le journal dont toutes les feuilles se détachèrent et allèrent s'éparpiller sur le sol.

A quatre pattes, elle se mit à les rassembler dans un grand bruit de papier qui l'empêchait d'entendre David. D'ailleurs, c'était sans doute pour cela qu'elle se livrait à cet exercice. Pour ne pas l'entendre.

Il apparut dans l'encadrement de la porte.

— Qu'est-ce que c'est que tout ce raffut ?

— J'ai fait tomber mon journal.
— C'est ce que je vois.
— Que voulait Blanche-Neige? demanda-t-elle en se relevant maladroitement.
— Ce que je pensais. Savoir devant quelle chambre je plaide pour m'y retrouver.
— Et, naturellement, tu le lui as dit?
David eut un sourire indulgent et s'approcha de Jill.
— Comment faire autrement? Si j'avais été au courant hier de ce qu'elle t'a raconté, j'aurais trouvé une excuse quelconque pour l'empêcher de venir. Mais maintenant, c'est trop tard. (Il l'embrassa.) Cela t'apprendra à me faire des cachotteries. (Il se dirigea vers la chambre et s'arrêta en chemin.) Tu veux que je lui parle?
Jill secoua la tête.
— Pour lui dire quoi? Non, fais comme si de rien n'était. (Elle sourit.) N'importe comment, elle n'est là que jusqu'à la fin de l'été. Je me trompe? ajouta-t-elle comme David gardait le silence. Je le tiens de Beth.
David baissa la tête.
— Il y a de fortes chances pour qu'on l'engage au cabinet quand elle sera inscrite au barreau en septembre. Ils sont plusieurs à y avoir pensé.
Jill opina.
— J'ai cru comprendre qu'Al Weatherby la trouvait sensationnelle.
— Elle l'est. Professionnellement parlant, je veux dire.
— Je me place toujours sur le plan professionnel, plaisanta Jill en se jetant dans les bras que David lui ouvrait.
— Je t'aime.
— Je sais.
— Tu ne veux vraiment pas que je lui en touche un mot? Je peux le faire.
— Les actes parlent plus fort que les mots.
— Tu as raison, dit-il en souriant.
Et il l'embrassa sur le bout du nez, lui signifiant ainsi que la discussion était close.
Jill le suivit un instant des yeux puis se précipita dans

la salle de bains pour se sécher les cheveux et se laver les dents. Elle rouvrit la porte en l'entendant parler.

— Qu'est-ce que tu disais ?

— Pourquoi ne viendrais-tu pas au tribunal m'écouter plaider, toi aussi ?

— J'ai un cours.

— A 9 heures. Ensuite, tu es libre jusqu'à 2 heures. C'est bien ton horaire du jeudi ?

— Oui, répondit Jill, réfléchissant à cette suggestion.

— Eh bien, viens après 10 heures et ensuite nous irons déjeuner au *Winston's.* Qu'est-ce que tu en penses ?

— J'en pense le plus grand bien. Affaire conclue.

Elle rentra dans la salle de bains et brancha son séchoir. Quelle serait la réaction de Nicole en la voyant soudain dans le prétoire ? Interpréterait-elle sa présence comme un signe d'inquiétude ? Comme une preuve de faiblesse ? La mère poule qui protège son poussin et veille à ce qu'il ne s'écarte pas trop du poulailler ?

Et puis, au diable Nicole ! Qu'elle pense ce qu'elle voudra, se dit Jill en contemplant ses cheveux qui refusaient obstinément de prendre le pli qu'elle souhaitait. Les pensées de Nicole Clark ne m'intéressent tout simplement pas.

Jill jeta un coup d'œil sur sa robe. Après tout, elle ferait peut-être aussi bien de se changer.

5

— Quand avez-vous découvert que votre ex-épouse avait un amant ?

— Il y a six mois... peut-être huit.

— Peut-être ? Vous n'en êtes pas sûr ?

Le demandeur — un homme bien de sa personne, à peu près du même âge que David Plumley qui menait le contre-interrogatoire — s'agita avec embarras sur son siège.

— Je suis certain qu'elle a un amant, répondit-il d'un ton sans réplique. Si vous y tenez, je pense que je peux retrouver la date.

— Ce serait très bien, fit David avec obligeance.

S'éloignant de la barre, il se rapprocha de sa place. Jill l'observait. Contrairement au demandeur, elle se rendait bien compte qu'en vérité, feignant de battre en retraite, David ne faisait que jouer avec sa proie, comme la panthère qui cherche la meilleure position pour bondir sur elle et lui porter le coup fatal...

L'homme resta silencieux quelques instants, essayant visiblement de remonter le temps, et trouva enfin ce qu'il cherchait :

— Le 17 octobre, annonça-t-il, non sans une certaine satisfaction. Je m'en souviens à cause de la soirée donnée pour l'anniversaire d'un de mes amis.

— Le 17 octobre ? Il y a neuf mois de cela, presque dix.

— Oui, reconnut-il. Je ne m'étais pas du tout aperçu

que cela durait depuis si longtemps, ajouta-t-il en souriant.

David lui retourna son sourire.

— Vous ne pensez pas que votre ex-épouse a le droit d'avoir un amant ?

— Pas si je dois l'entretenir, répliqua-t-il sèchement.

— Dites-moi... simple curiosité de ma part, poursuivit David sans avoir l'air d'y attacher d'importance, êtes-vous allé à cette soirée accompagné ?

— Oui. Est-ce que par hasard je n'en aurais pas le droit ?

— Peut-on, sans entorse à la vérité, affirmer que depuis cinq ans, depuis votre divorce d'avec Patty Arnold, vous avez eu un nombre substantiel de « compagnes » ? demanda David, sans répondre à la question du demandeur et en insistant lourdement sur le mot « compagnes ».

— Comme vous venez de le souligner, je suis divorcé depuis cinq ans. Je pense que cela me donne légitimement le droit de sortir avec qui je veux.

— Absolument, approuva David en se rapprochant de son siège vide, à côté duquel Nicole Clark, qui ne le quittait pas des yeux, était assise. Et vous ne pensez pas que votre femme est en droit de jouir des mêmes prérogatives ?

Il avança de nouveau vers le demandeur. Nicole avait les yeux rivés sur son dos. Il doit avoir le sentiment de se retrouver à l'école, cherchant à impressionner la fille du dernier rang, pensa Jill. Est-ce pour cette raison qu'il s'acharne sur le pauvre homme qui, d'ailleurs, lui ressemble sur beaucoup de points ? Et qui est la fille qu'il essaie si fort d'impressionner ?

— Mon ex-femme, rectifia-t-il sur un ton de défi. Et elle a le droit de faire toutes les conneries qu'elle veut dans la mesure où ce n'est pas moi qui paie !

Le juge frappa la table de son marteau pour rappeler au demandeur que la cour ne tolérerait pas pareil langage et l'inviter à se dominer. Pour Jill, il était clair qu'il avait d'ores et déjà perdu la partie. Si ce genre d'éclat remporte son petit succès au cinéma, devant un magistrat il est du plus mauvais effet. Un bon avocat, lui avait expliqué un jour David, doit faire comprendre à ses témoins qu'ils doivent à tout prix garder leur sang-froid. En revanche, si l'on arrive à mettre hors de ses gonds la partie adverse, on augmente d'autant ses chances.

Désarçonné, l'homme qui se trouvait au banc des témoins regarda autour de lui, puis fixa Nicole et continua à parler comme si son discours lui était adressé, à elle et à elle seule.

— Écoutez, je ne prétends pas lui interdire d'avoir des amis ou des amants. Je dis simplement que depuis cinq ans, je me casse le... je me tue au travail pour essayer de mener une existence à peu près décente, tout en payant la pension alimentaire. Elle a la maison, les meubles, la voiture, les gosses, tout. Je suis parti avec le costume que j'avais sur le dos et ma valise. Depuis cinq ans, je lui verse mille dollars par mois, et mille dollars encore pour l'entretien des enfants. Je n'ai rien contre le fait de subvenir aux besoins de mes enfants et je suis prêt à continuer aussi longtemps qu'il le faudra. Mais pourquoi est-ce moi qui devrais aider ma femme à s'installer avec un autre et donner à ce gugusse l'argent que j'ai durement gagné pour qu'il puisse lancer une nouvelle affaire ?

Cette fois encore, David fit la sourde oreille et ne répondit pas à la question.

— Combien de temps a duré votre mariage, monsieur Arnold ?

— Douze ans.

— Vous avez deux enfants ?

— Oui, deux garçons.

— Si je comprends bien, vous avez décidé un beau jour d'abandonner derrière vous douze ans de vie conjugale et deux fils. (L'avocat ménagea une pause.) Avec le costume que vous aviez sur le dos et une valise, bien entendu.

Pas très sûr d'apprécier cette manière de présenter les choses, le demandeur répondit néanmoins par l'affirmative.

— Qu'y avait-il dans cette valise ? lui demanda brusquement David. Des valeurs, si je me rappelle bien ? Quelques hypothèques, c'est bien ça ? Des droits sur une propriété au Canada ? (Le témoin demeurait muet.) Donc, vous ne partiez pas les mains aussi vides que vous cherchiez à le faire croire à la cour.

L'homme se remit à s'agiter.

— C'était il y a cinq ans. Je parle de la situation telle qu'elle est aujourd'hui.

David hocha la tête.

— Et, aujourd'hui, vous prétendez que votre ex-épouse vit avec un autre homme depuis dix mois...

— C'est-à-dire que j'ai appris leur liaison il y a dix mois lors de cette soirée...

— Le 17 octobre...

— Oui... le 17 octobre. (Il s'interrompit.) Je ne sais pas exactement depuis quand ils vivent ensemble.

David retourna à sa place.

— Qu'est-ce qui vous fait penser que votre ex-femme vit avec lui ?

— Je les ai filés bien des fois. Sa voiture était là jour et nuit.

Jill suivait avec autant d'attention que Nicole le duel qui se livrait sous ses yeux — les estocades de l'avocat et les parades du demandeur —, David démontrant, preuves à l'appui, que l'amant présumé continuait de payer le loyer de son propre appartement — où il se rendait, d'ailleurs, quotidiennement —, soutenant que Mme Arnold était libre, au même titre que lui, de dépenser son argent comme bon lui semblait, et que si elle décidait de l'investir dans les entreprises d'un amant dans l'espoir de faire prospérer son capital, rien ne s'y opposait.

Jill cessa d'écouter. L'affaire était gagnée. L'homme qui s'agitait sur sa chaise n'obtiendrait pas la réduction de pension qu'il sollicitait et il était peu probable que la menace plane encore une fois sur la tête de Mme Patty Arnold. Les ex-épouses et leurs amants pouvaient de nouveau vivre en paix.

David est vraiment un brillant avocat, songea-t-elle. Il savait toujours jusqu'où il pouvait aller, quand il fallait faire marche arrière et quand il devait foncer. Elle avait oublié à quel point il pouvait être impressionnant dans un prétoire. Non seulement en raison de son physique exceptionnel, mais de ses gestes, de sa manière de parler, de l'art avec lequel il choisissait ses mots. Dans les premiers temps de leur liaison, elle venait souvent assister à ses plaidoiries. Il était visible qu'il aimait son métier. Ses yeux brillaient d'excitation devant le défi à relever et la perspective de la victoire finale. Étant donné les horaires absolument fantaisistes qui étaient les siens à l'époque, elle profitait de tous ses moments de liberté pour venir le voir. Tout prétexte était bon pour se retrouver près de lui.

Passant devant Nicole, David lui fit un clin d'œil — le clin d'œil de la victoire, avait-il dit un jour. Sauf qu'aujourd'hui c'était à Nicole qu'il l'adressait. David se rappelait-il même, en cet instant, qu'elle était là ? Jill se trouva soudain exclue. Si proche qu'elle se sentît habituellement de lui et si proche d'elle qu'il affirmait être, elle n'avait jamais vraiment compris le sentiment de triomphe qu'il éprouvait dans ces moments-là. Ce qui n'était certainement pas le cas de Nicole.

Svelte, bien pris dans son costume bleu marine, David allait et venait. De sa voix profonde, il remercia et libéra l'homme qui se tenait à la barre. Soudain, il surprit le regard de Jill et lui adressa un large sourire avant de retourner à sa place et de se rasseoir à côté de Nicole. Celle-ci se pencha vers lui et lui murmura quelque chose à l'oreille. Des félicitations, sans doute. Vous avez été merveilleux, David. Absolument merveilleux. David l'écoutait avec un sourire contraint, probablement parce qu'il se rendait compte que sa femme le regardait.

En toute objectivité, comme elle l'avait déjà pensé lors du pique-nique, Jill ne pouvait pas lui en vouloir de se trouver attiré par Nicole. Elle était non seulement belle mais intelligente, très intelligente comme l'avait souligné David, avec de la classe et bientôt un métier passionnant. Et ils avaient en commun leur profession. Ils pouvaient passer des heures à parler de leurs affaires respectives. Les cours de Jill à l'université fournissaient rarement matière à discussion et ils avaient tous les deux renoncé à faire semblant de s'y intéresser.

Les débuts, pourtant, n'avaient pas été sans charme.

C'était nouveau, différent, et l'idée de former de jeunes esprits lui avait paru excitante. Mais elle s'était aperçue bien vite, trop vite, qu'elle détestait enseigner. Beth Weatherby avait raison : elle regrettait la télévision, son effervescence, ses exigences et ses risques.

Mais elle ne regrettait pas d'avoir mis fin aux difficultés que ce métier avait soulevées quand elle s'était mariée. Au moins avait-elle réglé la plupart d'entre elles en donnant sa démission. C'était la voix du bon sens qui avait parlé par la bouche de David : passer son temps à jouer avec sa vie, courir d'un hémisphère à l'autre au risque de s'exposer aux balles ou d'attraper Dieu sait quelles maladies, c'était de la démence. De plus, elle lui manquait, et le souci qu'il se faisait à son sujet nuisait à son travail. Il avait besoin de son soutien, et quel soutien pouvait-elle lui apporter quand elle se trouvait à l'autre bout du globe ? Ne pourrait-elle pas essayer de trouver un emploi plus sédentaire, plus près de chez eux ? N'avait-elle pas envie de fonder une famille ? Si, bien sûr. D'ailleurs, ces séparations lui étaient aussi pénibles qu'à lui. David lui manquait terriblement. Et un homme comme lui a besoin qu'on flatte son ego. Si elle n'était pas là pour le faire, il n'en manquait pas d'autres qui seraient trop heureuses de s'en acquitter à sa place.

Malgré tout, ce n'était pas juste. S'il avait changé de femme et voyait moins souvent ses enfants, sa vie n'avait quand même pas été profondément modifiée. Certes, il avait troqué une vaste maison contre un petit appartement en ville, mais dans un immeuble de luxe admirablement situé, et quand il rentrait le soir, parfois après 10 heures, il trouvait comme avant quelqu'un pour l'attendre avec un plat au chaud. Et, plus important encore, il continuait à exercer le métier qu'il aimait.

Sa vie à elle, en revanche — son environnement, sa situation de famille, son métier —, avait subi une transformation radicale. Au lieu de faire le travail qu'elle aimait, elle apprenait aux autres à le faire. Le journalisme audiovisuel : cours du professeur Jill Plumley. Son univers était maintenant réduit à une salle de cours et elle pouvait toujours être rentrée à temps pour préparer le dîner. La vraie et bonne petite ménagère. Comment en était-elle arrivée là ? Elle revit soudain David — la scène remontait à cinq ans à peu près —, tournant rageusement en rond dans la pièce. C'était loin, et pourtant son image se faisait de plus en plus nette, sa voix de plus en plus sonore et convaincante. La salle du tribunal s'évanouit et le présent céda la place au passé.

Elle était visiblement surexcitée et David tout aussi énervé.

— Et pourquoi ne serais-je pas contente ? Je ne suis encore jamais allée en Irlande.

— Il ne s'agit pas de vacances enchanteresses à Dublin, mais de Belfast, avec ses bombes et ses terroristes.

— J'ai bien survécu à la guerre du Viêt-nam.

— Je ne vois pas pourquoi c'est toi qu'on éprouve le besoin d'expédier là-bas !

— Parce que je suis une journaliste de talent, voilà pourquoi. Et parce que je l'ai demandé.

— Quoi ?

— J'aime voyager, tu ne l'ignores pas. Et c'est le genre de reportage que je réussis très bien. Et puis, ajouta-t-elle d'une voix plus douce, un petit intermède de quinze jours, ce n'est pas la catastrophe.

— Que veux-tu dire par là ?

— Tu le sais parfaitement.

C'était, depuis quelque temps, la conclusion de toutes leurs conversations. Que veux-tu dire ? Tu le sais parfaitement. Tu sais parfaitement bien que tu es un homme marié.

— Bon, tu as envie de partir quelques semaines. D'accord. Va à Los Angeles ! Va aux Bermudes, pour l'amour du ciel ! Il n'y a pas de guerre civile aux Bermudes !

— Aux Bermudes, il n'y a rien.

— Et si tu te fais tuer ?

— Je ne me ferai pas tuer.

— Ah bon ? Tu en as la garantie écrite ?

Jill sourit et l'embrassa.

— Il n'y a qu'un avocat pour poser une question pareille !

— Eh bien, alors, fais une émission sur les avocats.

— C'est déjà fait. C'est même à cause d'elle que je suis dans ce pétrin. Ça ne te rappelle rien ?

David s'assit sur le lit et la regarda préparer sa valise.

— C'est ton quatrième voyage en six mois.

— Un passage éclair de deux jours à Buffalo, tu appelles ça un voyage ?

— Tu n'étais pas ici.

Elle jeta quelques chemisiers en coton et des jeans dans sa valise.

— Tu aimes me voir partir ! dit-elle, frappée brusquement de ce que sa plaisanterie n'en était pas vraiment une.

— Qu'est-ce que tu racontes ?

— Cela fait partie de mon charme. C'est ce qui fait la différence.

— La différence avec quoi ?

— Avec les autres. Avec ta femme.

David se mit à rire.

— L'idée que ma femme se fait des vacances idéales, c'est quinze jours à Las Vegas passés à jouer aux machines à sous et à écouter Robert Goulet.

— Je suis allée à Las Vegas il y a quelques années. Nous avons fait un reportage sur ces chapelles où l'on peut se marier à n'importe quelle heure du jour ou de la nuit.

— Existe-t-il un endroit au monde où tu ne sois pas allée ? En dehors de l'Irlande, bien entendu.

Elle eut un grand sourire.

— En Chine. Et dans quelques pays d'Afrique. Mais j'y travaille.

— La Chine ? Ma foi, cela m'intéresserait aussi.

— Eh bien, tu n'auras qu'à venir avec moi.

— Je t'aime, tu sais, dit-il soudain avec douceur et sérieux.

Jill s'assit sur ses genoux et le prit par le cou.

— Et pourquoi ça ? lui demanda-t-elle avec une curiosité qui n'était pas feinte. Comment un type comme toi peut-il tomber amoureux d'une femme comme moi ?

— D'abord et avant tout, parce que tu es intelligente.

— Oh ! merci. Tu étais censé répondre qu'il n'y a absolument rien à reprocher à mon physique, que tu me trouves belle à ravir.

— C'est tout à fait vrai et je t'aime parce que tu es assez intelligente pour le savoir.

Elle se mit à rire.

— Bon, d'accord. Et à part ça ?

Il haussa les épaules.

— Je ne sais pas. Tu es brillante, sensible, tu te tiens au courant de ce qui se passe dans le monde, tu fais des choses intéressantes. Tu es intelligente.

— Tu te répètes, on dirait. Mais je ne l'ai pas été suffisamment pour t'envoyer sur les roses le jour où j'ai compris quelle était ta conception de la séparation conjugale.

— Je ne pouvais tout simplement pas te laisser descendre de la voiture, dit-il à l'évocation de ce souvenir.

Jill se remit debout.

— Je déteste cette situation. Je déteste tout ça. Les femmes m'inspirent trop de sympathie pour que j'accepte d'avoir une liaison avec un homme marié. Je ne tiens pas à faire souffrir la tienne et encore moins à souffrir moi-même.

— Et moi ? Qu'est-ce que tu crois ?

— Je ne sais pas.

David exhala un profond soupir.

— Je n'y tiens pas non plus. J'espérais que tu pourrais m'éclairer. (Il jeta un coup d'œil sur sa valise.) C'est tout ce que tu emportes ?

Jill passa dans la salle de bains et sortit quelques boîtes de l'armoire à pharmacie, qu'elle rangea dans une petite trousse.

— Tu emportes tes pilules ? lui demanda David qui la regardait faire.

Il vit se refléter dans la glace du lavabo le sourire indulgent de Jill.

— Il ne faut pas arrêter de les prendre sous prétexte

qu'on n'en aura pas besoin pendant quelques semaines, tu sais.

— Depuis combien de temps les utilises-tu ?

— Huit ans, répondit-elle en rentrant dans la chambre.

— Ça ne fait pas un peu beaucoup ?

— Huit ans, c'est huit ans.

— Tu n'as jamais songé à interrompre ?

— Souvent. Mais je ne pense pas que le moment soit particulièrement bien choisi. Quelle que soit mon envie d'avoir un enfant.

— Tu devrais. Tu ferais une excellente mère.

— Oui, je crois.

La conversation prit brutalement fin. Ils étaient revenus à leur point de départ : elle allait en Irlande et il était marié.

— Tu me feras signe dès ton retour ?

(Une liaison avec un homme marié... Qu'est-ce que tu veux dire ? Comment as-tu pu te laisser aller à faire une chose aussi stupide ? Intelligente comme tu es, te conduire comme une idiote ? Tu penses qu'il t'aime ? Après tout, peut-être. Tu penses que sa femme ne le comprend pas ? Après tout, c'est possible. Tu te figures qu'il la quittera pour t'épouser ? Ne rêve pas, ma petite fille, cela n'arrivera jamais. Et à supposer même qu'il la quitte et qu'il t'épouse... Réfléchis une minute. Qu'est-ce que tu auras gagné ? Un homme qui abandonne une femme quand il en rencontre une autre qui lui plaît davantage, un homme qui échange une famille un peu usée contre un foyer tout neuf, peut-on faire confiance à un homme de ce genre ? Crois-moi, Jill. S'il le fait une fois, il le fera encore. Réfléchis, ma chérie. Tu as vraiment besoin de ça ?)

— Tu me feras signe dès ton retour ? répéta-t-il.

— Oui, répondit Jill.

Une soudaine agitation la ramena au présent. Quelqu'un la bouscula.

— Excusez-moi, fit une femme qui se frayait un chemin vers l'allée centrale.

Jill jeta les yeux vers la pendule murale. Il était midi. Elle finit par repérer David en train de discuter au milieu d'un groupe. Le juge avait disparu. Selon toute évidence, la séance était levée et elle avait raté le verdict, encore qu'il ne fît pas de doute pour elle. Mais si David l'interrogeait...

— Il a été merveilleux, non ?

Jill se retourna. Nicole Clark, les cheveux relevés en chignon, lui souriait avec le plus grand naturel. Après tout, c'était sans doute normal. Peut-être plaisantait-elle vraiment l'autre jour, au pique-nique ?

— Oui, merveilleux, répondit Jill, décidée à se montrer aimable. Cela faisait longtemps que je n'avais pas eu l'occasion de le voir plaider. J'avais oublié à quel point il peut être impressionnant.

— Ce n'est pas une preuve d'intelligence de votre part, répliqua Nicole sans se départir de son sourire éclatant. Moi, c'est quelque chose que je n'oublierai jamais.

Elle fit demi-tour et gagna la sortie. Jill faillit se lancer à sa poursuite et mettre fin une fois pour toutes à cette plaisanterie cruelle grâce à un bon coup sur la tête. Qui oserait porter plainte contre elle ?

— Prête pour le déjeuner ?

Avant que Jill ait eu le temps de répondre, David la serra contre lui et l'entraîna hors de la salle d'audience.

6

Jill trempa sa crevette dans la sauce et la porta à sa bouche.

— Il me faisait un peu pitié, ce type, dit-elle.

— Tu as tort, répliqua David. C'est un imbécile. Il se fait trois fois plus d'argent qu'il y a cinq ans, ce qui ne l'empêche pas d'essayer de gratter tout ce qu'il peut. Il n'est pas à plaindre, crois-moi. (Il secoua la tête.) Un imbécile, je te dis. Tellement rapiat qu'il n'a même pas engagé de détective privé. Il les a suivis lui-même dans sa voiture pendant des semaines. C'est ce qu'il appelle une preuve ! Il a encore de la chance que le juge n'ait pas augmenté la pension alimentaire ! Alors, tu t'es bien amusée, ce matin ?

Elle lui fit un grand sourire.

— C'était formidable. J'avais oublié de quoi tu as l'air dans le prétoire. (Elle s'arrêta, pensant à Nicole, mais se ressaisit aussitôt.) Merci de m'avoir proposé de venir. C'était une bonne idée. Tu étais vraiment épatant.

Ce fut au tour de David de lui sourire.

— J'en suis ravi. Pure routine, en vérité.

— Ma foi, tu t'arranges pour donner l'impression que rien n'est plus simple mais je vois bien le mal que tu te donnes, fit-elle d'un air innocent, sachant que l'ego de David réclamait encore quelques coups d'encensoir. Derrière cette façade désinvolte, il y a un homme qui médite chacun de ses pas. Tu es sensationnel, je ne peux pas mieux dire.

— Alors répète-toi, dit-il en souriant.

— Tu as été absolument fantastique, poursuivit-elle sans lui ménager les compliments. La façon dont tu as laissé ce pauvre jobard se détendre pour fondre ensuite sur lui, c'était très passionnant. Très excitant.

— Je suis content que le spectacle t'ait plu.

— C'est toi qui m'a plu.

Elle fit un sort à sa dernière crevette et eut un large sourire.

— Tu as de la sauce sur les dents.

Jill s'empressa de refermer la bouche.

— Je finirai bien un jour par savoir manger ces machins-là. (Elle passa la langue sur ses dents sans ouvrir les lèvres.) C'est parti ? demanda-t-elle timidement ? (David fit signe que oui.) Que peut-on attendre d'une fille qui a été élevée au rosbif bien cuit et à la purée de pommes de terre ? Et... qu'est-ce que Nicole a pensé de ta performance ? demanda-t-elle en prenant le ton le plus dégagé possible.

— Elle ne m'a pas dit grand-chose. Elle m'a félicité : du bon travail, ce genre de trucs. Et elle m'a remercié, bien sûr.

— Bien sûr.

— J'ai remarqué que vous vous êtes parlé. Intéressante, la conversation ?

— Très intéressante.

— Elle s'est excusée de ce qu'elle t'a dit au pique-nique ?

— Pas exactement.

— Quoi alors ? Elle t'a expliqué qu'elle plaisantait ?

— Pas tout à fait.

— Jill... commença-t-il, exaspéré.

— Elle m'a dit qu'elle te trouvait merveilleux. Ou, plus précisément : « Il a été merveilleux, non ? ».

David se balança avec embarras sur sa chaise.

— Elle faisait allusion à la manière dont j'ai procédé au contre-interrogatoire de ce pauvre bougre...

— Je lui ai répondu que j'étais de son avis, poursuivit Jill. J'ai ajouté que j'avais oublié à quel point tu pouvais être impressionnant et elle a dit... (Elle s'arrêta et reprit d'une voix plus basse, essayant de retrouver l'intonation de Nicole :) « Ce n'est pas une preuve d'intelligence de votre part. Moi, c'est quelque chose que je n'oublierai jamais. »

Elle regardait David dans le blanc des yeux. Après une seconde de silence, il éclata de rire.

— Ça t'amuse follement, tout ça, remarqua-t-elle d'un ton accusateur en s'efforçant de garder son sérieux.

— Mais non, bien sûr que non, fit-il entre deux hoquets.

— Tiens donc ! Tu as tout du chat qui vient d'avaler le poisson rouge.

David secoua la tête.

— Avoue quand même que c'est drôle !

— Pour toi, peut-être.

— Il n'y a pas tellement d'hommes qui peuvent se vanter d'avoir deux jolies femmes qui se battent pour lui.

— Oh, toi, tu as connu ça toute ta vie ! Et je ne sais pas trop si je suis flattée ou furieuse. Flattée que tu me trouves belle, furieuse que tu en penses autant d'elle. (David ouvrit la bouche mais ne dit rien.) Bon... si nous parlions d'autre chose ? J'ai eu Beth au téléphone, ce matin.

— Ah oui ? Comment va-t-elle ?

— Elle n'a fait que s'excuser d'avoir gâché notre soirée, évidemment.

— C'est ridicule.

— Exactement ce que je lui ai répondu... Ce qui ne l'a pas empêchée de continuer à se répandre en excuses. Sa main a cessé de saigner seulement vers 3 heures du matin, ce qui fait qu'elle n'a pas beaucoup dormi.

— La pauvre ! Et maintenant, ça va mieux ?

— Il semble. Je lui ai conseillé de se faire examiner par un médecin mais elle prétend que c'est inutile. Je dois la voir la semaine prochaine. Nous avons décidé de suivre ensemble un cours de gymnastique tous les mercredis.

— Excellente idée.

— Est-ce que tu n'aurais pas dû me demander pourquoi j'éprouve, moi, le besoin de faire de la gymnastique ?

— Tout le monde a besoin d'exercice.
— Et toi, alors ?
— Je devrais.
— A quand remonte ta dernière partie de squash ?
— A février. Et je te signale que c'est du tennis en salle, pas du squash.
— Quelle différence cela fait, puisque tu ne joues plus ?
— Je comptais justement m'y remettre.
— Ce serait une bonne chose. Le club est dans ton immeuble. Tu en es toujours membre ?
— Oui. A raison de mille sept cents dollars par an, c'est probablement la partie de tennis la plus chère de toute l'histoire.
— Mille sept cents dollars par an ? répéta Jill. David, est-ce que tu te rends compte de ce qu'on pourrait faire avec cet argent ?
— Je vais rentabiliser mon investissement. Promis. Comment s'est passé ton cours, ce matin ?
— Tu détournes la conversation.
— Un bon avocat sait toujours quand le moment est venu de changer de sujet.
— Et un bon mari ?
— Encore plus. (Il lui prit la main.) Alors, raconte. Tu as été aussi brillante que d'habitude ?
— Horrible, oui, comme d'habitude. En tant que professeur, je suis au-dessous de tout. Je le sais, tout le monde le sait. Je m'ennuie à pleurer et mes étudiants aussi. Tiens ! Il y en a même un qui s'est plongé dans son journal pendant que je parlais.
— Et de quoi parlais-tu ?
— De l'art et de la manière de conduire une interview.
— Ça a pourtant l'air intéressant.
— Absolument pas. Ce qui est intéressant, c'est de le faire, pas d'en parler.
— Il faut d'abord savoir comment s'y prendre.
— Mais je le sais ! s'exclama-t-elle avec une véhémence qui les surprit autant l'un que l'autre. Et c'est tout le problème, justement. Je devrais être sur le terrain et non pas claquemurée dans une salle de cours.

J'ai parfois l'impression que je vais brusquement éclater et lâcher...

— Quoi donc ?

— Tout ce que j'ai sur le cœur, dit-elle tranquillement. J'en veux réellement à ces gosses de souhaiter devenir ce que j'ai été sachant que quelques-uns d'entre eux réussiront, qu'ils seront réalisateurs, metteurs en scène... Et sachant ce qu'ils pensent, c'est-à-dire que si je suis professeur, c'est parce que, moi, je n'ai pas réussi.

— Ce n'est pas vrai, tu le sais très bien.

— Oui, mais eux ne le savent pas ! Ils croient dur comme fer au vieil adage : celui qui peut le fait, celui qui ne peut pas l'enseigne.

— Et moi ? demanda David après un bref silence. Tu m'en veux aussi ?

Jill baissa la tête, prête à mentir, mais la franchise l'emporta.

— Parfois, reconnut-elle finalement. Je sais que ce n'est pas ta faute, David. Je parle sincèrement. La situation était impossible. J'étais trop souvent par monts et par vaux, nous avions toutes les peines du monde à nous voir. D'ailleurs, nous ne nous voyons pas non plus très souvent ces temps-ci.

— Cela ne va pas durer, Jill. Il y a eu brusquement un travail fou.

— Pourtant, l'été est en général plutôt calme.

— Il y en a encore pour quelques semaines et tout rentrera dans l'ordre. (David jeta un coup d'œil autour de lui. Visiblement, les choses ne prenaient pas exactement la tournure qu'il avait espérée. Ce n'était pas le déjeuner de la victoire.) Qu'est-ce que tu veux au juste ? Quitter l'enseignement ? Refaire de la télévision ?

Elle se remémora les disputes des premiers temps de leur mariage qui tournaient autour de son métier.

— Je ne sais pas ce que je veux, dit-elle enfin.

— Je n'ai pas une vocation d'empêcheur de danser en rond, Jill. Dieu m'est témoin que je ne m'oppose nullement à ce que tu travailles. Même pour la télévision. Après tout, c'est grâce à elle que je t'ai rencontrée ! Tu étais merveilleuse. Avec un tel feu intérieur !

— Justement, David. Le feu s'éteint.

— Allons donc ! Il couve, provisoirement. (Il lui sourit et elle lui retourna un sourire contraint.) Écoute... Et si tu reprenais contact avec eux ? Tu n'as qu'à appeler... je ne me souviens plus de son nom... Ernie quelque chose.

— Irving. Irving Saunders.

— Appelle-le et vois s'il peut te proposer quelque chose qui ne t'obligerait pas à te déplacer...

— Je le lui ai déjà demandé il y a deux ans, avant de démissionner. Dans mon domaine, c'est sans espoir. Je pourrais à la rigueur obtenir quelques tournages autour de Chicago, mais personne ne peut me garantir que je n'aurai plus jamais à me déplacer et que je serai rentrée chez moi tous les jours à 5 heures. Ni m'assurer que je ne travaillerai pas pendant les week-ends ou pendant la nuit.

— Et qu'est-ce que tu en penses ?

— Je n'en pense rien.

— Tu ne crois pas que ça vaut la peine d'essayer ?

— David, si une avocate en puissance, Nicole Clark par exemple (elle regretta aussitôt d'avoir prononcé ce nom), te proposait de mettre ses talents au service de Weatherby & Ross, à condition qu'il soit bien entendu qu'elle ne travaillera pas après 5 heures ni pendant les week-ends, que lui répondrais-tu ?

— De s'adresser à quelqu'un d'autre.

— Exactement.

— Que veux-tu que je te dise, Jill ? Je ne peux pas prendre une décision à ta place.

— Je sais.

— Ce sont peut-être tes règles.

— Qu'est-ce que mes règles viennent faire là-dedans ?

— Eh bien, il t'arrive parfois d'être déprimée quand...

— Il arrive à tout le monde d'être déprimé de temps en temps ! Ne commence pas avec mes hormones !

— Je ne veux pas me disputer avec toi. Je t'ai fait une suggestion. A toi de la mettre ou non en application.

— Tu ne verrais pas d'inconvénient à ce que je reprenne mon ancien job ? demanda Jill timidement.

— Je n'ai pas dit ça. Cela me contrarierait sans doute beaucoup. Mes objections sont toujours valables. Mais c'est de ta vie à toi qu'il s'agit, c'est donc à toi de décider. Mais il me semble que tu es injuste envers l'enseignement. Dès le début, tu t'es mis dans la tête que tu détestais ça. A mon avis, c'est l'idée que tu détestes plus que l'enseignement lui-même et tu te refuses à y trouver le moindre sujet de satisfaction. A tes yeux, ce serait une sorte de trahison. Trahison de quoi ? Je me le demande.

— Vous fantasmez, monsieur l'avocat.

— C'est possible. Si je me trompe, je te présente toutes mes excuses. J'essayais seulement de te donner mon opinion.

— Tu ne me donnes pas ton opinion, riposta-t-elle tristement, tu me fais une conférence.

David sourit et lui prit de nouveau la main.

— C'est peut-être moi qui suis doué pour l'enseignement ?

Jill ne put s'empêcher de sourire.

— Au diable ! Quel malheur que tu sois aussi séduisant ! Pardonne-moi, David. Je me conduis en enfant gâtée.

— Et moi, en vieux professeur. Tu as raison. Je me laisse quelquefois terriblement impressionner par le son de ma propre voix.

— Je t'aime.

David fit signe au garçon d'apporter l'addition.

— Qu'est-ce qu'on pourrait faire avec les gosses, ce week-end ?

— Je n'en sais rien. Aller au cinéma ?

— Penses-y. Jason part pour son camp dans moins d'une semaine. Tu pourrais peut-être faire un dîner spécial en son honneur ? (Jill haussa les épaules. Jason n'aimait que les hamburgers et Laurie ne mangeait pratiquement rien. David tendit au garçon sa carte de l'American Express.) Accompagne-moi au bureau. Tu as le temps. Nous avons fait quelques changements. Allez, viens. Ça te fera du bien.

— D'accord.

David avait peut-être raison. Elle était sans doute injuste envers l'enseignement. Elle n'avait jamais vraiment essayé. Elle se promit de faire un effort particulier pour son cours de 2 heures. N'importe quoi plutôt que de le perdre, songeait-elle en regardant son mari signer la note. Elle ne pouvait envisager la vie sans lui, c'était aussi simple que cela.

— Bonjour, madame Plumley. Comment allez-vous ? fit Diane aimablement.

— Très bien, je vous remercie.

— Vous êtes venue nous faire une petite visite ? Le cadre a été transformé, poursuivit la secrétaire. Et c'est votre mari qui a choisi les couleurs.

— C'est ce qu'il m'a dit. C'est ravissant.

Diane sourit et arrêta David au passage.

— Mme Whittaker a cherché à vous joindre toute la matinée. Et Julie Rickerd a appelé deux fois. Il paraît que c'est très important. Oh ! Un certain M. Powadicuc — je ne sais pas comment ça se prononce — demande que vous le rappeliez. Hier, en rentrant d'une partie de pêche, il a trouvé la maison vide. Sa femme est partie en emportant tout. Jusqu'aux assiettes en carton !

David la remercia, prit les messages qu'elle lui tendait et fit signe à Jill de le suivre. La porte fermée, il s'installa immédiatement derrière son bureau jonché de papiers tandis que Jill s'approchait de la fenêtre.

— Quelle vue ! murmura-t-elle en laissant son regard errer sur les toits de la ville. D'ici, on a l'impression de se trouver dans un autre monde.

David approuva d'un sourire et appela par l'interphone.

— Diane, apportez-moi les dossiers Julie Rickerd et Sheila Whittaker. Et appelez-moi ce M. Powa... je ne sais quoi. Mais qu'est-ce que c'est que ça ? s'exclama-t-il en interrompant la communication.

Au milieu du fouillis encombrant son bureau, il avait aperçu un tout petit vase contenant une rose rouge.

Diane entra avec les dossiers et réussit à leur trouver une place au milieu du fatras de paperasses.

— Je téléphone tout de suite à M. Powa... chose.

David feuilleta distraitement les dossiers puis regarda de nouveau la rose.

— Il n'y a pas de carte ? demanda Jill, avec une curieuse sensation au creux de l'estomac.

David fouilla encore ses papiers.

— Je n'en vois pas. C'est probablement Diane.

Jill s'approcha du bureau, déplaça quelques chemises et lui brandit sous le nez une petite enveloppe bleu lavande.

— Je ne l'avais pas vue.

Il la saisit à contrecœur, en sortit une carte qu'il lut rapidement et lui tendit :

— Je vais lui dire deux mots.

Jill lut à son tour à voix haute : « Merci encore pour cette matinée passionnante. Nicki. »

Elle reposa le bristol sur le bureau.

— Si tu veux, je l'appelle tout de suite. Je pourrais lui parler en ta présence.

— Non, non, protesta Jill. Laisse tomber. Ça serait gênant pour tout le monde. Après tout, ce n'est jamais qu'un mot de remerciement. Un geste très gentil, en réalité. Fais comme si de rien n'était. Si elle voit qu'elle est seule à jouer ce petit jeu stupide, elle s'en lassera peut-être.

— Comme tu voudras. C'est pour toi que je le fais. Je ne veux pas que tu sois inquiète.

— Je ne le suis pas, mentit-elle. J'ai survécu à Elaine, je peux survivre à Nicole. A Nicki, rectifia-t-elle en minaudant.

— Nous faisons peut-être une montagne d'une taupinière. Si nous n'y prenons garde, nous allons sombrer dans la paranoïa. C'est vraiment une professionnelle de grande classe.

L'interphone grésilla.

— J'ai M. Powa... en ligne, annonça Diane.

— Je me sauve, murmura Jill tandis que David décrochait.

Comme elle lui déposait un baiser sur le front, le parfum délicat de la rose monta à ses narines. Il lui fit un petit signe d'adieu au moment où elle sortait.

Elle resta un instant adossée à la porte pour reprendre son souffle. Son cœur battait à tout rompre.

— Ça ne va pas, madame Plumley ? lui demanda la secrétaire.

Diane était très jolie, avec des cheveux châtain foncé

et de grands yeux bleus. David était toujours entouré de jolies femmes. Du temps d'Elaine, il avait souvent succombé à la tentation. Il mentait avec aisance et conviction, lui avait-il expliqué un jour. Lui avait-il déjà menti, à elle ? Elle secoua la tête. C'était une question qu'elle préférait ne pas se poser.

— Non, tout va bien, Diane. A bientôt.

Et elle s'éloigna.

Il fallait en tout cas reconnaître une vertu à Nicole : elle était obstinée. Et très astucieuse. Nul doute qu'elle fasse une excellente avocate. On ne pouvait pas dire qu'elle avait froid aux yeux ! Quelle impudence ! Quel cynisme ! Commencer par annoncer froidement la couleur, mettre immédiatement l'épouse légitime en garde, la tenir constamment en éveil. L'obliger à imaginer des desseins cachés là où il n'y avait sans doute rien, créer des frictions au sein du couple, préparer le terrain pour que le doute germe et s'épanouisse. S'épanouisse. Comme une rose...

Si l'on excluait le meurtre, il n'y avait qu'une solution : l'indifférence pure et simple. Elle ne se laisserait pas ébranler. Elle ne se permettrait même pas le moindre sarcasme. Pas devant David. Elle ne se disputerait pas avec lui à cause de cette fille.

— Mais c'est Jilly, ma parole !

Jill s'arrêta net et se retourna. Il n'y avait que deux hommes au monde qui l'appelaient Jilly : son gynécologue et Don Eliot, un confrère de David, criminaliste réputé qui avait un faible pour les tenues excentriques et inventait des surnoms exaspérants.

Il portait ce jour-là un jean bleu et un blouson de velours marron. Jill fut d'abord étonnée de voir qu'il avait une cravate mais, bien sûr, elle était brodée à l'effigie de Mickey.

— Hello, Don ! Comment allez-vous ?

— Merveilleusement bien, dit-il en lui prenant les deux mains.

— Et Adeline ?

— Oh ! Elle aussi. Épatant. Les mômes la font tourner en bourrique, bien sûr, mais c'est normal. Vous n'êtes pas mal du tout, poursuivit-il comme s'il était en train d'apprécier un pull-over. Un peu fatiguée, peut-être. Vous dormez suffisamment, Jilly ?

Merci pour le compliment ! Elle avait bien besoin de remarques de ce genre.

— Qui a jamais son compte de sommeil ? répondit-elle.

— Pas nous, en tout cas. Me croirez-vous si je vous dis que deux de nos gosses se sont mis à faire du rodéo dans notre chambre sur le coup de 4 heures du matin ? Le petit dernier qui a deux ans et qui vient juste d'apprendre à se hisser hors de son berceau, et son frère de quatre ans qui voulait savoir le pourquoi de tout ce ramdam. Vous avez bien raison, David et vous, de ne pas vouloir d'enfants, ça change la vie du tout au tout, c'est moi qui vous le dis. David en a déjà deux, c'est largement suffisant. Nous aussi nous aurions dû nous arrêter à deux. Cinq, c'est de la folie !

Jill fit de son mieux pour sourire. Heureusement que Don Eliot n'attendait pas de commentaires. Elle avait peur, si elle ouvrait la bouche, de se mettre à pleurer. Ainsi, David tenait les autres au courant de ses intentions en matière de paternité ! Il allait même jusqu'à prétendre qu'ils avaient pris une décision !

— Oh ! Puisque je vous ai sous la main, je vais en profiter. Adeline me harcèle depuis des semaines pour que je vous invite à dîner tous les deux. Que pensez-vous de samedi en huit ?

Prise de court, Jill hocha la tête.

— Eh bien, c'est entendu. Je dirai à Adeline de vous passer un coup de fil pour fixer l'heure.

— C'est une très bonne idée, mentit Jill.

— A très bientôt, donc. Ciao !

Don Eliot disparut à l'angle du couloir. Jill resta plantée là quelques secondes, essayant de rassembler ses idées.

— Vous cherchez la sortie ? fit une voix rauque, légèrement amusée.

Nicole Clark. Jill lui lança un regard qu'elle espérait empreint d'une sereine supériorité.

— Merci. Je connais le chemin.

Et se redressant de toute sa taille, elle s'éloigna d'un pas vif, priant le ciel de ne pas s'emmêler les pieds.

7

L'aire de pique-nique était pleine à craquer et ils durent tourner près d'une demi-heure avant de pouvoir enfin se garer. Ce qui ne fit qu'accentuer la mauvaise humeur de David, la moue dégoûtée de Laurie et le bégaiement de Jason. Jill attrapa le panier à provisions en faisant des vœux pour que personne n'ait l'idée de lui rappeler qu'elle était responsable de cette sortie.

— On t-t-ttrouvera jamais un b-b-barbecue de libre, fit Jason tandis qu'ils descendaient tous, l'air maussade. Y a au moins un m-m-million de gens. Y aura pas un seul b-b-barbecue de libre.

— Eh bien, on en partagera un avec quelqu'un, lui répondit Jill, les yeux fixés sur David qui sortait la bouteille thermos du coffre. Allons par là, ajouta-t-elle en pointant le doigt droit devant elle. On dirait que toute la population de Chicago s'est donné rendez-vous ici aujourd'hui. (Elle hâta le pas pour rattraper David.) Tu crois qu'on réussira à dénicher un barbecue disponible ? lui souffla-t-elle à l'oreille après s'être assurée que Jason, qui lambinait derrière avec sa sœur, ne pouvait pas l'entendre.

— Bien sûr, répondit-il avec un optimisme visiblement forcé.

Ils en trouvèrent un. Ça leur avait pris vingt minutes et encore fallait-il le partager avec d'autres, mais au moins il était déjà allumé et, entre-temps, leur appétit s'était aiguisé.

— Il fait trop chaud, dit Jason comme Jill lui tendait un second hamburger.

— Qu'est-ce qui est trop chaud ? Le soleil ou le barbecue ?

Tout compte fait, la journée s'annonçait moins mal que prévu. Ils avaient déniché un coin tranquille qui bénéficiait d'un semblant d'ombre et leurs copiqueniqueurs paraissaient gentils et serviables. Seul leur enfant de trois ans n'avait pas l'air heureux, visiblement mécontent de la présence du dernier rejeton de la famille, un bébé de quelques mois qui gazouillait sur sa couverture.

En silence, Jason rendit le hamburger à Jill, écœuré par le sang qui dégouttait de la viande rose.

— C'est bien meilleur quand ils ne sont pas réduits à l'état de petits morceaux de charbon, remarqua David.

— M-mais j'les aime p-pas comme ça, protesta Jason.

— Moi si, dit Jill. Je vais t'en faire griller un autre. Et toi, Laurie ? Tu en veux un ?

— Je n'ai pas encore fini celui-là, répondit Laurie, les yeux fixés sur le gamin de trois ans qui s'était arrangé pour donner un coup de pied à sa petite sœur.

— Martin ! cria la mère en prenant vivement le bébé dans ses bras avec un regard indigné pour son fils.

Jill, un instant distraite par cette scène, remarqua que Laurie avait à peine touché à son assiette.

— Encore un peu de coca ? demanda-t-elle.

— C'est pas du c-c-coca, corrigea Jason. C'est du p-pepsi.

— Alors, encore un peu de pepsi ?

Jason secoua la tête.

— Et toi, Laurie ? proposa David. Tu veux du pepsi, ma chérie ?

— Non, je ne veux rien, répondit-elle, occupée à observer l'autre famille, avec laquelle elle aurait manifestement préféré être.

Jill se prit à son tour à regarder avec nostalgie le bébé dans les bras de sa mère.

— Quel âge a-t-elle ? demanda-t-elle.

— Trois mois, dit fièrement la jeune maman.

— Ça ne doit pas être facile tous les jours, dit Jill en désignant le petit garçon qui regardait sa sœur, plein de jalousie.

— Que non. Surtout à cause de Martin. Tenez, l'autre jour, il a fait pipi sur Pamela. Il s'est planté au-dessus d'elle et lui a inondé son petit ventre. J'ai cru perdre la tête !

— Le cas classique du « je te chie dessus ».

Les deux femmes se mirent à rire, très à l'aise sous les regards vaguement embarrassés des autres.

— Comment peux-tu parler comme ça avec une inconnue ? lui reprocha Laurie.

— Pourquoi pas ? Je suis assez vieille pour ça. (A l'appui de ses dires, Jill se tourna derechef vers la jeune mère, se présenta et continua :) Vous êtes vraiment très bien. Jolie, et si mince !

— J'ai eu de la chance. Je n'ai pas pris un gramme de plus que nécessaire et je faisais de la gymnastique tous les jours comme une folle.

Jill se tapota l'abdomen.

— Il faut que je m'y mette. En fait, je commence mercredi. Chez Rita Carrington. Vous connaissez, sans doute ?

La femme fit signe que non.

— Est-ce que je peux venir ? demanda subitement Laurie.

— Venir où ?

— A ce cours de gymnastique.

— Mais bien sûr, fit Jill, très surprise.

— M'man va acheter un gros b-b-barbecue à gaz, lança timidement Jason à l'adresse de son père.

Jill vit les traits de David se crisper instantanément.

— Est-ce qu'elle va aussi engager une domestique pour l'aider à poser les hamburgers sur le gril ?

Jason prit aussitôt la défense de sa mère :

— Maman sait très bien les faire toute seule. Et ses hamburgers sont bien meilleurs, acheva-t-il, accusateur, en se tournant vers Jill.

Elle remarqua qu'il n'avait pas bégayé une seule fois en prononçant cette tirade. Elle s'empressa de changer de conversation.

— Alors, tu es content de partir camper?

— Il a intérêt! répondit David avant lui. Ça me coûte assez cher!

— Maman dit que ça ne coûte pas la moitié de ce que ça devrait coûter.

Cette fois non plus, il n'avait pas bégayé. La colère paraissait lui délier la langue. Laurie appuya sur la chanterelle:

— Elle va faire installer une piscine l'été prochain.

— Et que diable a-t-elle l'intention d'en faire? Elle ne sait même pas nager.

— Elle dit qu'elle prendra des leçons.

— Particulières, bien entendu.

— C'est son droit! riposta Jason.

Jill croyait entendre la voix d'Elaine: C'est bien mon droit!

— Ton hamburger est prêt, annonça Jill en glissant la boulette de viande entre les deux moitiés d'un petit pain.

— M-m-merci, murmura Jason en se détournant d'un air coupable.

David lui ébouriffa les cheveux.

— Tu sais que tu es en train de devenir un beau petit garçon? fit-il avec fierté.

Jason secoua la tête comme David avait l'habitude de le faire quand il voulait remettre ses cheveux en place, et chuchota timidement:

— T-tel p-père, tel f-fils.

David se mit à rire, le prit par le cou et l'embrassa sur le front.

— Que penses-tu des moonistes? Ou des Hare Krishna? lui demanda-t-il tout à trac.

— Desquels? Ce sont deux ch-choses complètement di-différentes.

— Comme le coca et le pepsi.

— Exactement.

Laurie hocha la tête. Elle n'avait toujours pas touché à son assiette.

— Et une et deux, très bien, mesdames. A droite. Et une et deux. Maintenant, on change. A gauche. Et une et deux. Et on recommence. A gauche. La gauche, c'est de ce côté, madame Elfer. Et une et deux. Cinq fois. A droite, maintenant, mesdames. A droite, madame Elfer !

Pauvre Mme Elfer, s'apitoya intérieurement Jill, le corps penché, les bras tendus au-dessus de la tête. Dans une classe, il y a invariablement quelqu'un qui est incapable de reconnaître sa gauche de sa droite.

— Et maintenant, mesdames, à gauche. Et une et deux. O.K., encore une fois. A présent, penchez le buste en avant. Vous allez toucher votre talon gauche avec votre coude droit, puis votre talon droit avec votre coude gauche. Tout le monde a bien compris ? demanda la monitrice en forçant le ton pour dominer la musique (*Call Me*, chanté par Debbie Harry, le thème de *American Gigolo*).

Elle se plia en deux et regarda le groupe à travers ses jambes écartées.

— Prêtes ? Et une et deux. Changement de coude. Et une et deux. Changement de coude.

Elle veut nous tuer, soupira Jill tout en portant son coude gauche à son talon droit au rythme de la tonitruante musique disco. Ceux qui prétendent que le disco est mort n'ont manifestement jamais mis les pieds chez Rita Carrington, se dit-elle en contemplant avec émerveillement sa croupe protubérante. Cette femme-là était une amazone. Elle mesurait au moins 1,80 m et avait le genre d'académie généralement réservée à la page centrale de *Playboy*. D'ailleurs, on racontait qu'elle avait travaillé autrefois comme Bunny et avait eu la vedette dans le numéro spécial du magazine consacré aux « Girls de Chicago ». En tout cas, c'était plus stimulant pour les élèves que la vue d'une vieille et grosse bonne femme en collant reprisé, s'efforçant de vous convaincre que sa méthode est la bonne et améliorera votre silhouette. Au moins, avec Rita Carrington, on pouvait avoir le vague espoir que c'était bien par l'exercice, et non par la grâce de Dieu, qu'on obtenait ce résultat.

Rita Carrington se redressa, rejeta d'un coup de tête ses cheveux en arrière et passa sans transition à un nouvel exercice.

— Et maintenant, un peu de jogging, mesdames, lança-t-elle en commençant à courir sur place, levant haut les genoux. Levez-moi ces jambes. Bien. Bien. Transpirons un peu, mesdames. Plus haut.

— Elle déteste les femmes, c'est évident, chuchota Beth.

— Qui a eu l'idée de venir? répliqua Jill entre deux halètements.

— Laurie se défend bien.

Elle était au premier rang. Jill n'arrivait toujours pas à comprendre pourquoi elle avait manifesté le désir de l'accompagner, mais comme c'était la première fois que Laurie s'intéressait à une de ses activités, il aurait été maladroit de refuser. Elle avait même téléphoné plusieurs fois pour s'assurer que le rendez-vous tenait toujours.

— Vous non plus, vous ne vous défendez pas trop mal.

Jill était sincère. A quarante-cinq ans, Beth Weatherby, en justaucorps noir et collant rose, soutenait favorablement la comparaison avec la plupart de ces femmes beaucoup plus jeunes qu'elle.

— On ne parle pas, mesdames! leur enjoignit Rita Carrington.

Jill eut l'impression de se retrouver à l'école, réprimandée comme une petite fille. Beth fit la grimace et reporta son attention sur la monitrice.

— Bon. Maintenant, à plat dos, mesdames.

Beth posa la main par terre pour se mettre en position. Son visage s'altéra.

— Cela vous fait encore mal? lui demanda Jill.

— Je ne sais pas si c'est vraiment ma plaie ou seulement le souvenir.

— Mesdames, s'il vous plaît! Vous parlerez tout à l'heure. Bon. Jambes levées. Genoux pliés. Penchez le buste en avant. Et une et deux et trois et quatre...

— Oh ! ce que c'est bon ! s'exclama Jill en avalant une longue gorgée de coca-cola. Rien de tel que le goût du sucre après une heure de torture.

— C'est encore mieux que le sexe, approuva Ricki Elfer qui retira sa paille pour boire directement dans son verre.

— Ma foi, je ne sais pas...

— Oh si, vous pouvez me croire sur parole, répliqua la petite blonde un peu boulotte. Je confonds peut-être ma droite et ma gauche, mais s'il y a deux choses que je connais, c'est bien le sexe et le coca-cola. Et le coca-cola, c'est meilleur.

Jill et Beth rirent de bon cœur. Jill se demanda si Ricki Elfer faisait la même subtile distinction que son beau-fils entre coca et pepsi.

— Ça me rappelle... J'étais à Rome... poursuivit Ricki Elfer. Ça ne date pas d'hier : j'avais vingt ans et j'en ai trente-six aujourd'hui. Nous parcourions l'Europe, avec une amie. Étudiantes en vacances, vous voyez ça d'ici, à l'époque des voyages à cinq dollars par jour. Et c'est vrai. Nous ne disposions pas de plus. Nous ne pouvions pas nous permettre de petits luxes comme un coca. Ce jour-là, il faisait facilement 55° à l'ombre. Nous avions marché toute la journée, visité le Colisée et je ne sais quoi encore, et nous avions tellement soif que j'étais convaincue que nous allions en mourir. Soudain, une voiture freine à notre hauteur et deux types, deux Italiens, se mettent à hurler : « Americane, Americane ! ». Mon amie, qui commençait à en avoir assez de se faire pincer les fesses toutes les deux secondes, leur crie de passer leur chemin. Les gars lui répondent qu'ils veulent seulement causer. Alors, moi, je leur dis : « Payez-nous un coca, on causera ensuite. » Et c'est ce qu'ils ont fait. Et c'est ce que nous avons fait. Et plus tard, dans la nuit, nous en avons fait un petit peu plus. Et comme je vous l'ai dit, eh bien, le coca, c'était meilleur. (Ricki vida son verre.) Et c'est toujours le cas. Au moins, là, on sait à quoi s'attendre. Ça n'a pas la prétention d'être ce que ça n'est pas. Et ça vous laisse toujours satisfaite. Ah !

jeunesse! soupira-t-elle, souriant à ses souvenirs de ruines romaines.

— A propos, fit Jill, me croirez-vous si je vous dis que Laurie est décidée à revenir?

— Cette enfant maigrichonne? demanda Ricki.

— C'est la fille de mon mari. Elle se trouve trop épaisse de la taille.

— Quel âge a-t-elle?

— Quatorze ans.

— Elle est cinglée! A quatorze ans, elles sont toutes cinglées. Et quand elles grandissent, c'est pire. Attendez le moment où elle va vouloir aller en Europe!

— Vous avez des enfants?

— Deux garçons. Dix et onze ans. Ils vivent avec leur père.

— Vous avez divorcé? demanda Jill qui avait remarqué que Ricki portait une alliance.

— Deux fois. Paul, mon actuel — j'adore ce mot, ça sonne tellement provisoire —, est mon troisième mari. En ce moment, j'hésite entre avoir un autre bébé ou me faire ligaturer les trompes.

— C'est un choix délicat, commenta Beth.

— Les femmes sont toujours confrontées à ce genre de merveilleux dilemme. Mais c'est la vérité. Une partie de moi-même — laquelle? je n'en sais rien — souhaite avoir un autre enfant et à trente-six ans, si je veux le faire, je dois le faire tout de suite. Mais l'autre partie — la même d'ailleurs — me dit que j'ai payé mon tribut... Pourquoi irais-je encore me compliquer la vie? Sans compter les nausées, l'inconfort et, ne les oublions pas, les douleurs. (Elle fit signe au garçon de lui apporter un autre coca-cola.) Et sans parler de ce que la grossesse fait de votre corps. Si je vous disais qu'avant d'épouser mon premier mari — il s'appelait Errol, sa mère l'avait baptisé ainsi à cause d'Errol Flynn — bref qu'avant mon mariage, je pesais 44 kilos? Et je mesure 1,60 m. Je n'ai rien d'une crevette.

— Vous deviez ressembler à Laurie, dit Jill.

— Non. J'étais maigre, c'est vrai, mais elle, elle est squelettique. Vous n'avez jamais entendu parler de l'anorexie mentale?

— Oh non ! s'exclama Jill, écartant l'idée. Elle est maigre, c'est entendu, mais je ne crois pas qu'elle se laisse volontairement mourir d'inanition.

Le garçon apporta son coca-cola à Ricki.

— Merci. Autrefois, enchaîna-t-elle en se tournant vers ses nouvelles amies, cet endroit était impossible, mais depuis qu'on a installé ce foyer ça s'est beaucoup amélioré. C'est une initiative de Rita.

— Depuis quand venez-vous ici ? voulut savoir Beth.

— Depuis deux ans, c'est devenu en quelque sorte ma résidence secondaire. (Elle se regarda d'un air désabusé.) Décourageant, n'est-ce pas ? Surtout quand on pense qu'au bout de tout ce temps je continue encore à aller à gauche quand tout le monde va à droite. (Elle se tapota l'estomac.) Je suis convaincue qu'il y a là-dedans une Jane Fonda qui ne demande qu'à sortir. En vérité, après trente ans, il n'y a plus rien à espérer. Tout se déforme. Ou ça tombe ou ça s'élargit. La peau se dessèche et on ne tarde pas à ressembler à un pruneau obèse. (Jill et Beth éclatèrent de rire.) Parlons plutôt sexe, c'est moins déprimant.

— Comment avez-vous fait la connaissance de votre mari ?

— Lequel ?

— Le dernier, précisa Jill en souriant.

— J'étais mariée avec le numéro deux. Nous voulions rénover notre maison de campagne et, histoire de trouver des idées, nous avons convoqué quelques architectes. Dont Paul. Dès que je l'ai vu, des idées, j'en ai eu des tas. Plus j'y pense, plus je me dis qu'il vaudrait mieux que je me fasse ligaturer les trompes plutôt que d'obliger Paul à se faire faire une vasectomie. Si c'est moi qui me fais opérer je pourrai encore vivre ma vie, mais si c'est Paul, je suis condamnée encore à quinze ans de pilule.

— Vous avez une vie très agitée ? demanda Jill, qui n'en revenait pas d'avoir une conversation aussi intime avec une femme qu'elle ne connaissait pas une heure avant.

— Pas autant que je le souhaiterais. Il n'y a plus autant de garçons qui s'arrêtent sur mon passage en criant « Americana ! Americana ! ». Et vous ? demanda-t-elle à Beth en riant.

— Moi ? Oh non ! Je ne suis même jamais allée en Europe. Je menais une existence très protégée quand j'étais jeune. J'ai connu Al, mon mari, à dix-sept ans. J'étais employée de banque. Il venait tout le temps me voir à mon guichet. Je le trouvais gentil. Il n'était pas très grand, un peu frêle mais charmant. (Jill pouffa. Elle adorait ce genre d'histoires et elle avait toujours été curieuse d'en savoir plus sur les Weatherby.) Et il avait tant d'assurance qu'on aurait cru que la banque lui appartenait. Au bout de quelques mois, il a commencé à me parler. Il m'a dit qu'il était avocat, ce qui m'a beaucoup impressionnée, qu'il aimait le théâtre, qu'il faisait des poids et haltères et qu'un jour il serait à la tête du plus grand cabinet juridique de Chicago. Je lui ai répondu que quand son compte atteindrait dix mille dollars, il faudrait qu'il m'épouse.

Beth pouffa à son tour, comme une petite fille.

— Et il l'a fait ? demanda Ricki.

— Quand j'ai eu dix-huit ans, le lendemain de mon anniversaire. Ma mère n'était pas contente du tout. Elle trouvait que j'étais beaucoup trop jeune, que la différence d'âge était trop importante et qu'Al aurait toujours plus de rêves que de clients.

— Et qu'en pense-t-elle maintenant ?

— Elle est morte il y a onze ans.

Ricki prit l'air désolé.

— Et cela fait combien de temps que vous êtes mariés ?

— Vingt-sept ans.

— Mon Dieu ! C'est stupéfiant ! Et vous avez des enfants ?

— Trois. Deux garçons et une fille. L'aîné, Brian, est médecin, à New York. Lisa est chanteuse et vit à Los Angeles. Quant à Michael, le plus jeune... (Beth poussa un soupir) ...il est tombé dans les griffes du révérend Moon ou de quelqu'un du même genre. (Son regard se perdit dans le vague.) C'est drôle, murmura-t-elle, comme rien ne se passe jamais comme on l'avait prévu.

Jill approuva de la tête. Sa propre vie en était bien l'exemple.

— Comment va Lisa ? demanda-t-elle.

— Oh ! très bien. Elle n'a pas encore trouvé de travail mais, au moins, elle essaie.

— Et ce musicien marié ?

— Quel musicien marié ? De quoi parlez-vous ?

Beth avait vraiment l'air de tomber des nues. Jill se sentit très embarrassée.

— C'est Al qui nous a dit, le soir où vous vous êtes blessée à la main, que vous étiez bouleversée à cause de Lisa, parce qu'elle avait une liaison avec un homme marié, un musicien...

— Ah oui ? Je ne m'en souviens pas...

Jill n'insista pas.

Elles se turent toutes les deux et le silence se prolongea plusieurs secondes.

— Et vous, Jill ? demanda brusquement Ricki. Comment avez-vous fait la connaissance de votre mari ?

— En l'interviewant pour une émission de télévision.

— Vous travaillez à la télévision ? Comment vous appelez-vous ? Est-ce que je devrais vous connaître ?

— Certainement pas, répondit Jill en riant. Je m'appelais Jill Listerwoll avant mon mariage. Maintenant, c'est Jill Plumley. Et je ne suis plus à la télévision. Je donne des cours à l'université.

Laurie, encore en collant, entra brusquement et vint les rejoindre.

— Alors, Laurie, ça va ? fit Jill en souriant. Tu veux un coca ?

— Non, merci.

— Mais si, tu vas prendre un coca, insista Ricki Elfer. C'est meilleur que...

Jill l'interrompit juste à temps.

— Et comment s'est passée cette seconde séance ?

— Super ! Mieux que la première. On avait une autre monitrice et, celle-là, elle nous a fait vraiment travailler.

Jill et Beth échangèrent un regard médusé.

— Prends soin de toi quand même, lui conseilla Ricki Elfer. Sinon, il n'en restera plus.

— Mais j'ai vraiment besoin d'exercice ! affirma Laurie. (Elle se tourna vers sa belle-mère.) J'ai le temps de prendre une douche avant de partir ?

— Bien sûr. Je t'attends. En fait, ajouta Jill après un silence, puisque David doit rentrer tard ce soir, nous pourrions même dîner ensemble et aller au cinéma ?

— Oh ! je ne peux pas. Ma mère m'attend. Ron nous emmène passer la soirée quelque part.

— Ron ?

— Ron Santini, le nouveau petit ami de maman.

— Ron Santini ? Le gangster ? s'écria Jill stupéfaite.

— Ce n'est pas un gangster, répliqua Laurie avec indignation. Il est dans les fruits et légumes.

— Oh ! excuse-moi. Il y a sûrement plus d'un Ron Santini à Chicago.

— Sans doute. Ron est dans les fruits et légumes, répéta-t-elle. Bon... je vais prendre ma douche.

— Je t'attends ici. Je pourrai au moins te ramener à la maison.

— Ce n'est pas la peine.

— Mais si, j'y tiens.

Laurie s'éloigna en haussant les épaules.

— Je ne comprends pas, murmura Jill comme pour elle-même. J'essaie vraiment tout pour la mettre en confiance...

— Vous n'auriez pas dû traiter l'ami de sa mère de gangster, remarqua Ricki.

— Cela m'a échappé. Je croyais que personne n'ignorait que Ron Santini est un gros bonnet de l'Honorable Société. Nous avons fait une émission sur lui, il y a quelques années. Ses boutiques de fruits et légumes ne sont qu'une couverture.

— Je parie que je sais quelque chose que vous ne savez pas, tralala-lalère, chantonna Ricki Elfer.

— Quoi donc ? demanda Beth.

Ricki se pencha en avant.

— Eh bien, Ron Santini, mafioso notoire, a aussi la réputation d'avoir une queue longue de trente centimètres.

— Vous plaisantez ! s'écria Beth en regardant autour d'elle.

Personne d'autre, heureusement, n'avait l'air d'avoir entendu.

— Je parle très sérieusement. Une de mes amies a eu une brève aventure avec ce garçon. Il paraît qu'il vaut le détour.

— Il ne s'agit sans doute pas du même type, dit Jill.

— Pourquoi ? demanda Beth.

— Qu'est-ce qu'un play-boy doté d'un instrument pareil trouverait à faire avec une femme qui ne baise qu'à Noël et au jour de l'An ?

— Qui donc ne baise qu'à Noël et au jour de l'An ? demanda Ricki.

— Elaine, la première femme de mon mari.

— D'où savez-vous qu'elle ne fait l'amour que les jours de fête ?

— C'est mon mari qui me l'a dit. D'après lui, ça ne leur est pas arrivé plus de cinquante fois en dix-sept ans de mariage.

— Il ne faut jamais croire ce qu'un mari raconte sur son ex-femme, laissa tomber Ricki sur un ton sentencieux.

— Vous qui connaissez Elaine, Beth, qu'en pensez-vous ?

— Personne ne connaît vraiment personne, répondit l'interpellée sans se compromettre.

— Très juste.

— Mon premier mari avait une grosse bite, lâcha Ricki assez fort pour attirer l'attention de toutes les dames alentour, qui cessèrent aussitôt de faire même semblant de bavarder. Une grosse bite et trente millions de dollars.

— Et vous l'avez quitté ? fit avec stupéfaction l'une des indiscrètes.

Ricki déplaça sa chaise pour faire face à son nouvel auditoire.

— Il était tellement ennuyeux ! Je n'ai jamais connu quelqu'un d'aussi assommant. Je le savais quand je l'ai épousé, évidemment, mais je pensais qu'une pine de trente centimètres de long et trente millions de dollars m'apprendraient à aimer l'ennui. Hélas ! cela n'a pas été le cas, poursuivit-elle en poussant un soupir théâtral.

Ça, plus le fait qu'il m'a surprise en flagrant délit dans les bras de son agent de change. Mon deuxième mari, entre parenthèses. Dieu est certainement un homme, ajouta-t-elle rêveusement, après un silence. Seul un homme est capable de faire un pareil gâchis avec un aussi merveilleux potentiel.

Une hilarité générale accueillit cette déclaration.

— Si seulement les hommes savaient ce que les femmes disent d'eux derrière leur dos ! fit Jill.

Tout le monde approuva.

A la table voisine une dame se leva.

— J'ai eu grand plaisir à faire votre connaissance et je regrette d'être obligée de partir au moment où la conversation commence à devenir vraiment intéressante, mais il se fait tard et mon époux aime que le dîner soit sur la table quand il rentre.

— Eh bien, laissez-le donc le mettre lui-même, suggéra quelqu'un.

— Le seul inconvénient du mariage, c'est que ça dure trop longtemps, dit Beth.

— Pas avec moi ! s'exclama Ricki en se levant à son tour. Moi aussi je dois rentrer.

— Comme nous toutes, d'ailleurs. J'ai honte de le dire, mais Al aime également se mettre les pieds sous la table en arrivant.

— Allez-y, Beth. Moi, j'attends Laurie.

— Cela ne vous fait rien de rester toute seule ?

— Il ne faut pas des heures pour laver 32 kilos de chair et d'os.

— Anorexie mentale, lança Ricki d'un ton menaçant. Au revoir, Jill. Nous avons passé un moment très agréable. J'espère vous revoir ici.

— Mercredi prochain.

— J'y serai, promit Ricki en prenant également congé de Beth.

— Ça doit être de la dynamite au lit, cette femme, murmura Jill, songeant que le sens de l'humour à lui seul ne suffit pas pour se procurer trois maris, sans compter trente millions de dollars et une queue de trente centimètres. Ce qui lui fit penser à Elaine. Que faisait-elle avec un homme comme Ron Santini ? Ou, précisément, qu'est-ce qu'un homme comme Ron Santini faisait avec une femme comme Elaine ?

— Jill ? Ohé ! Vous êtes toujours là ?

— Oh ! pardonnez-moi, Beth. En effet, j'étais ailleurs. Vous partez ?

— Oui. Il le faut bien. On vous verra chez Don Eliot samedi ?

Jill fut agréablement surprise.

— Vous êtes invités, vous aussi ? Ah ! tant mieux... Alors, à samedi.

8

Don Eliot habitait une grande maison ancienne, où régnait un désordre assez normal si l'on songeait qu'y vivaient deux adultes, cinq enfants de moins de dix ans et trois chats. Sans compter un certain nombre de gerboises et de poissons rouges, malheureusement trop prédisposés aux accidents, les uns et les autres, pour qu'on puisse les considérer sérieusement comme faisant partie intégrante de la famille. Bref, la maison de Don Eliot était conforme à ce que l'on pouvait en attendre : c'était un labyrinthe, un capharnaüm, vaguement effrayant et très accueillant. Comment un endroit peut-il être à la fois effrayant et accueillant ? Et pourtant, se dit Jill, ce sont bien les mots qui conviennent. A la maison comme à Don Eliot lui-même.

Sa femme Adeline, elle, n'était qu'accueillante. Très simple, elle ne prétendait pas être autre chose que ce qu'elle était : une mère de famille ayant cinq enfants à élever.

— J'espère que ça ne vous ennuiera pas, leur dit-elle dès qu'ils arrivèrent, mais les enfants ne sont pas encore couchés. Ils voudraient vous voir avant d'aller au lit.

— Avec joie ! dit David en l'embrassant sur la joue. Où sont-ils ?

— En haut, pour le moment. Dieu soit loué !

Le chaleureux sourire d'Adeline lui creusait des fossettes au coin des lèvres. Mais ses rides d'expression et les mèches grises qui parsemaient ses cheveux noirs, ramenés en un strict chignon sur la nuque, avaient tendance à la vieillir. Jill estima qu'elle devait se situer entre elle et Beth Weatherby.

— Vous êtes déjà venue chez nous, Jill ? Je ne m'en souviens pas.

— Non, c'est la première fois, répondit-elle, pensant à Elaine. C'est absolument charmant.

Adeline éclata de rire.

— Un vrai capharnaüm, oui ! Mais il n'y a rien à faire et j'ai renoncé à y remédier. Quand les enfants seront partis, peut-être...

Elle les fit entrer dans le vaste séjour où Don, derrière un bar de fortune, servait à boire. Al et Beth Weatherby étaient assis l'un près de l'autre sur le divan déchiré, la main dans la main, comme de jeunes mariés.

— Qui est la partenaire de Richard Burton dans *L'Espion qui venait du froid* ? attaqua d'emblée Al en lâchant la main de sa femme pour enlacer Jill et l'embrasser sur les deux joues.

— Claire Bloom, répondit-elle en l'embrassant aussi.

— La question était trop facile, je le savais, grommela Al. Attendez, j'en ai une autre. Qui tient la vedette dans *Them* ?

— Dans quoi ? demanda Don Eliot.

— *Them*, répéta Jill. C'est un film d'horreur. L'un des premiers à traiter des conséquences possibles des essais nucléaires. C'est un de ceux que je préfère.

— Naturellement ! soupira comiquement Al. Alors, qui en est l'acteur principal ?

Jill sourit.

— James Arness, non ?

— Eh oui ! Oh ! je finirai bien par vous coller un jour.

— Ils sont déjà beaucoup à avoir essayé, fit David en riant.

— Nous essaierons encore, mais plus sérieusement, tout à l'heure, dit Don avec un clin d'œil malicieux. Qu'est-ce que je vous sers ?

— Un scotch à l'eau, annonça David.

— Vous avez du vin blanc ? demanda Jill.

— A vos ordres !

— Quel calme ! remarqua David.

— C'est que nous avons enfermé les gosses dans un souterrain insonorisé ! Non, en fait, reprit Don, ils doivent être devant la télévision. Nous leur avons promis que s'ils se tenaient à peu près tranquilles, ils auraient le droit de descendre et de faire leur numéro quand tout le monde serait là.

— Qui attendez-vous d'autre ? demanda Beth.

Jill éternua brusquement.

— Vous avez pris froid ?

Elle fit non de la tête.

— C'est à cause des chats ? demanda David en prenant le verre que lui tendait Eliot.

— Peut-être bien. (Jill recommença à éternuer.) Je suis vaguement allergique à ces bestioles.

Vaguement ? Elle pourrait s'estimer heureuse si elle était encore capable de garder ses yeux gonflés ouverts jusqu'à la fin de la soirée. Avec beaucoup de chance, elle pourrait peut-être même encore respirer demain matin... Elle frémit à l'idée de la longue nuit qui l'attendait.

— J'aurais dû vous prévenir, lui souffla Adeline à l'oreille. Aujourd'hui, on entend beaucoup parler de cette allergie aux chats. Je peux les faire sortir si vous voulez.

— Non, ce sont les poils. Ils s'introduisent partout.

Un matou était roulé en boule sur le divan et un autre dormait dans un fauteuil sous la fenêtre. Le troisième était certainement en train de chauffer sa chaise dans la salle à manger.

— Surtout dans cette maison. (Don Eliot lui fourra un verre dans la main.) Tenez, buvez ça. Vous vous sentirez mieux après.

— Ça ira, fit Jill en essayant d'y mettre de la conviction. C'est sans doute l'effet du premier contact.

— Vous n'avez pas répondu à la question de Beth, Don, intervint Al. Qui d'autre avez-vous invité ?

— Nicki Clark.

Jill éternua violemment et plongea le nez dans le kleenex que Beth lui tendait.

— Elle me donne un coup de main dans une affaire

dont je m'occupe depuis quelques semaines, enchaîna Don Eliot, et j'ai pensé que ce serait gentil de l'inviter. Elle vit seule. Son père habite dans le New Hampshire avec sa seconde femme qui n'a, je crois, que quelques années de plus que Nicki. Sa mère est morte d'un cancer il y a quelques années. Tout ça est assez triste. Nicki est vraiment une bonne gosse, mais je ne pense pas qu'elle ait beaucoup d'amis.

On se demande bien pourquoi ! pensa Jill. Elle jeta un coup d'œil à David, qui la regardait comme pour lui faire comprendre qu'il était tout aussi surpris qu'elle.

Quelques minutes plus tard, il la rejoignit et lui chuchota :

— Je suis sûr qu'elle a renoncé à toute cette histoire.

— Ah ? fit Jill qui s'efforçait de retenir un nouvel éternuement.

— Je ne l'ai pas vue de toute la semaine. J'ai l'impression qu'elle m'évite. Elle est probablement gênée.

— Peut-être, mais ne t'inquiète pas. Je ne le suis pas le moins du monde, moi.

— Elle sera seule ? demanda Al, profitant d'un trou dans la conversation.

— Non. Elle a téléphoné à Adeline pour lui demander si elle pouvait venir accompagnée.

Jill observa David. Il souriait, l'air de dire : « Là ! Tu vois bien. » Après tout, il avait peut-être raison. Le jeu serait-il terminé ? Elle éternua encore. Ses yeux commençaient à piquer.

Le carillon de la porte retentit et, brusquement, tout arriva en même temps. Le troisième chat fit son apparition et se mit à se faufiler dans les jambes de tout le monde ; les cinq enfants Eliot surgirent en trombe, courant après les chats, faisant main basse au passage sur les amuse-gueule qu'Adeline avait préparés (Dieu seul savait quand !), jouant à cache-cache derrière le bar et poussant des hurlements sans rime ni raison. Don, qui était allé ouvrir, réapparut en compagnie de Nicole Clark et d'un garçon qui lui ressemblait comme un frère. Don fit un grand geste, englobant tous les invités.

— Je pense que vous avez déjà rencontré tout le

monde — tous ces messieurs, en tout cas. Est-ce que vous connaissez Beth, la femme d'Al ?

— Il me semble que nous nous sommes saluées au pique-nique, l'autre jour, fit celle-ci.

— Mais oui, bien sûr, répondit Nicole de sa voix de gorge.

— Et Jill, la femme de David ?

— Nous nous connaissons, laissa tomber Jill.

— Ravie de vous revoir, dit Nicole, comme si elle le pensait vraiment.

— Adeline, ma femme. Et je vous présente l'ami de Nicki... Chris Bates, c'est bien ça ?

— Tout juste, confirma le jeune homme avec un large sourire.

— Chris est une nouvelle recrue du cabinet Benson-McAllister.

Tout le monde se déclara enchanté de faire sa connaissance. Jill éternua.

— Vous avez attrapé un rhume ? lui demanda Chris, criant plus fort que les enfants.

— Une légère allergie, répondit Jill.

— Aux chats ou aux enfants ? demanda Nicole.

L'assistance entière s'esclaffa, y compris David.

— Aux chats.

— J'ai toujours pensé que les allergies étaient d'origine psychosomatique, déclara gaiement Nicki.

— Allez, la marmaille ! En rang ! ordonna Don.

Il leur fallut bien quelques minutes mais, finalement, les cinq petits Eliot parvinrent à s'aligner par ordre de taille décroissant.

— Nous allons faire aussi vite que possible. (Don posa la main à tour de rôle sur la tête de chacun, en commençant par le plus grand.) Jamie. Kathy. Rodney. Jeremy. Robin. Et maintenant, vous allez chanter, danser ou quoi ?

— Ou quoi ! brailla Jamie, donnant le signal d'un chahut général.

Il fallut dix minutes pour rétablir l'ordre et envoyer au lit tout le troupeau.

— Nous vous avons réservé une surprise, annonça Don à ses hôtes en les précédant dans la salle à manger.

Un petit jeu que nous avons imaginé en l'honneur de Jilly, la mordue du cinéma. Je vous l'expliquerai à table.
— Quelle bonne idée! s'exclama Nicole Clark en regardant Jill droit dans les yeux. J'adore jouer.

Assis autour de la longue table en chêne massif devant une assiette de soupe à la tortue, les invités s'observaient prudemment.
— C'est délicieux, dit Jill, rompant le silence.
Étaient-ils tous aussi nerveux qu'elle? Et d'ailleurs, pourquoi était-elle agitée à ce point? Il ne s'agissait que d'un jeu, parfaitement innocent. Peu importait que ce soit l'un ou l'autre qui gagne. Jill lança un coup d'œil à son mari, installé en face d'elle entre Beth Weatherby et Nicole Clark. Qu'est-ce qui l'énervait le plus? Ce jeu idiot ou le fait que David se trouve à côté de cette fille que tout le monde, excepté elle, appelait sans façon — et même affectueusement — Nicki? Celle-ci était en train de bavarder avec Don et, jusqu'à présent, à part le sourire qu'elle lui avait adressé en lui passant la corbeille à pain, elle n'avait pas prêté une attention particulière à David. Jill constata avec soulagement qu'elle se sentait mieux dans cette pièce. Nous ne laissons jamais les chats entrer dans la salle à manger, lui avait dit Adeline avant de passer à table.
— Jill?
Son mari lui avait dit quelque chose. Elle n'en avait pas entendu un mot. Tout le monde la regardait.
— Je te demande pardon...
— Vous essayiez de trouver le moyen de placer votre texte? lui demanda Don Eliot, tout jubilant.
— C'est sans doute ça, mentit-elle, revenant au jeu auquel ils étaient censés jouer et à la réplique qui lui avait été attribuée.
— Adeline te demandait si tu voulais qu'elle te donne sa recette, fit David sur le ton de léger reproche qui convenait.
— Celle de la soupe, précisa Adeline.
— Avec joie. A condition que ce ne soit pas trop compliqué...

— Compliqué ? Vous voulez rire ! Comme si j'avais le temps de faire des choses compliquées ! C'est du bluff, poursuivit-elle fièrement. On mélange une boîte de potage à la tomate avec une boîte de potage aux petits pois, on ajoute un peu de lait, beaucoup de xérès et voilà votre soi-disant soupe à la tortue.

— J'essaierai, lui promit Jill.

Nicole Clark intervint :

— Moi, je suis inutilisable dans une cuisine. D'ailleurs, quand je rentre, je suis en général tellement fatiguée que je me fais monter une pizza ou quelque chose de ce genre.

— Une pizza et regardez-la ! s'exclama Beth. Ça nous coûterait au moins une séance de gymnastique tous les jours pendant un mois, à Jill et à moi.

— Oh ! vous exagérez, j'en suis sûre ! dit Nicole Clark en adressant à Jill son sourire le plus charmant.

— Est-ce que votre femme a passé aussi la semaine à gémir, David ? demanda Al Weatherby en riant. J'ai mal ici, j'ai mal là. Ne me touche pas...

— J'ai eu droit à la même complainte.

Quand ces dames font de la culture physique, on croirait qu'elles reviennent de la guerre.

— A quel club allez-vous ? demanda Nicole.

— Au club Rita Carrington, lui répondit Beth. Nous avons commencé la semaine dernière. Une expérience bien propre à vous remplir d'humilité, n'est-ce pas, Jill ?

Jill hocha la tête, essayant de sourire.

— Je ne suis jamais allée en salle, poursuivit Nicole. Et pourtant je devrais le faire, avant de tomber en ruine.

Jill se hâta de terminer son faux potage de tortue, de peur que l'envie de lancer le contenu de son assiette à travers la table ne devienne irrésistible.

— L'exercice exige beaucoup de discipline, de contrôle de soi, commença Chris Bates. Et c'est mon point faible.

Jill le regarda droit dans les yeux.

— *Des gens comme les autres,* lança-t-elle brusquement. C'est Berger, le psychiatre, qui dit ça, je crois.

— Tout juste ! s'écria Don Eliot en l'applaudissant sous les regards vaguement étonnés des autres.

Chris Bates baissa la tête et se mit à rire.

— J'ai eu le tort de vouloir aller trop vite. Je n'aurais pas dû me précipiter pour sortir ma réplique.

— Pas du tout, protesta Adeline. Elle est tombée à pic. Mais vous avez affaire à un maître.

— Un point pour Jill, conclut Don — et tout le monde sourit.

La suite du dîner fut moins réussie que le début. La salade mal égouttée était fanée, le rosbif trop cuit et les pommes de terre insipides. Jill avait l'impression de se retrouver à la table familiale. C'était le genre de repas auquel elle avait été habituée quand elle était petite.

Elle commençait à se détendre, estimant qu'elle ne pouvait pas être plus nulle que les autres à ce jeu qui consistait simplement à identifier un extrait de dialogue d'un film connu. Chacun d'eux (à l'exception de Don et de sa femme qui en étaient les auteurs et connaissaient par conséquent toutes les réponses) avait tiré un texte au hasard et devait l'introduire dans la conversation, sans que personne s'en aperçoive. Aux autres de le reconnaître.

Jusque-là, ayant tour à tour identifié, d'abord la phrase de Chris sortie de *Des gens comme les autres,* puis le « Oh ! nous sommes féconds » de Beth emprunté à *Rosemary's Baby,* Jill menait par deux à un contre Nicole Clark qui avait déjoué la tentative d'Al Weatherby, cherchant à noyer dans une filandreuse anecdote la réplique de Faye Dunaway dans *Bonnie and Clyde* (« Nous dévalisons les banques »). Jill avait voulu attendre la fin de son histoire avant de lui river son clou mais Nicole avait été plus prompte et lui avait coupé l'herbe sous les pieds.

Arriva le dessert, un soufflé, qui était un peu retombé pendant le trajet du four à la table. Mais il était très bon et Jill en reprit. Puis elle s'aperçut qu'il restait encore des citations à placer avant le café.

— Où en est le divorce Rickerd ? demanda Al Weatherby à David.

— Un vrai casse-tête. De quoi alimenter la une des journaux.

— Moi, j'aimerais savoir à qui reviendra cette somptueuse maison, fit Beth.

— Je l'ai vue, s'empressa de dire Nicole Clark. J'ai assisté à une soirée qu'on y a donnée, il y a quelques années. Elle est extraordinaire. Tous les murs sont lambrissés, il y a des quantités de plafonds ravissants, hauts de près de quatre mètres... On ne voit plus rien de pareil aujourd'hui.

— Surtout pas dans les appartements, approuva David.

— Ça, c'est bien vrai, renchérit Chris Bates.

Et il s'ensuivit une longue discussion sur l'état de la construction à Chicago.

— Comment va votre sœur, David? demanda Beth comme on servait le café.

— Bien. En fait, poursuivit-il après une hésitation, elle est un peu déprimée, ces derniers temps. (Qu'est-ce qu'il racontait là? C'était bien la première fois que Jill entendait dire que Renée était déprimée.) Une de ses amies s'est suicidée. Julie Hubbard, ajouta-t-il en regardant Jill.

— Mon Dieu! s'écria-t-elle. Quand ça?

— Il y a quelques jours. Je ne sais pas au juste. La famille essaie d'étouffer l'histoire. (David ménagea une pause théâtrale et secoua la tête.) Une fille de vingt-cinq ans qui meurt... que peut-on ajouter à cela?

— *Love Story*! s'écria Nicole Clark d'une voix perçante. C'est le début de *Love Story*!

— Vous m'avez battu, fit David en riant.

— Bien joué, Nicki! cria Don Eliot. Bravo! Maintenant, vous voilà à égalité avec Jilly. Deux à deux. Vous n'êtes pas malade, Jill?

Les couleurs lui revenaient peu à peu.

— Julie Hubbard, répéta-t-elle lentement. Elle est...

— Vivante, se porte comme un charme et habite toujours dans le West End, répondit David les yeux brillants. J'ai gagné! J'ai vaincu la championne!

— Oui, mais c'était un peu déloyal. J'avoue que j'ai

marché à fond. Julie Hubbard et moi, nous étions à l'école ensemble, expliqua-t-elle aux autres.

Nicole sourit.

— Je croyais qu'elle n'avait que vingt-cinq ans.

Jill la dévisagea.

— J'étais trop bouleversée pour relever ces incohérences...

Dieu! Que David pouvait avoir l'air convaincant lorsqu'il mentait!

— En tout cas, Nicole, elle, n'a pas donné dans le panneau, s'écria Al Weatherby en riant. Mes compliments, ajouta-t-il en lui tapotant la main.

A présent, Jill restait seule en lice avec Nicole. Un duel tout à fait approprié. Brusquement, il lui parut très important de gagner. Il le fallait absolument. Elle devait lui prouver que c'était toujours elle qui dominait la situation. Aucune des deux n'avait encore placé sa citation. Il ne restait plus beaucoup de temps, mais le moyen de faire avancer les choses? Il fallait que son texte paraisse faire partie de la conversation, que quelqu'un lui tende la perche.

Comme si elle était consciente de son devoir, Beth lui fournit l'entrée en matière idéale:

— Vous avez une robe ravissante. Je voulais déjà vous le dire tout à l'heure...

Jill fonça dans la brèche, avec peut-être un peu trop d'empressement.

— Vous êtes trop aimable. J'ai bien dû me changer une centaine de fois.

— C'est devenu une manie, fit David. Mais ce soir, elle a battu tous ses records. J'ai cru que nous ne pourrions jamais sortir.

— Ma foi, vous savez ce que c'est. (Son cœur battait très vite. Tout le monde devait l'entendre... Allait-il la trahir? Les mots se bousculèrent sur ses lèvres :) Si David n'aime pas ce que je porte, je l'enlève.

— Je connais cette phrase! s'écria Nicole, d'une voix si forte que Jill eut l'impression de n'en avoir jamais entendu de pareille. Je la connais! Laissez-moi une minute... Il faut seulement que je trouve d'où elle sort. (Elle rejeta la tête en arrière et ferma les yeux.) Une minute... juste une minute... (Elle redressa la tête et rouvrit les yeux, avec un sourire de plus en plus épanoui.) Ça y est, je sais ! Joan Collins à June Allyson dans *The Opposite Sex.* Et la citation exacte est : « Si *Stephen* n'aime pas ce que je porte, je l'enlève. »

— Bravo ! s'écria Al Weatherby. Qu'en pensez-vous, Jill ? Elle vous a damé le pion, hein ?

— Certainement, reconnut Jill de bonne grâce. Et maintenant, je me sens soulagée. J'étais dans un tel état de nerfs ! Suis-je la seule à réagir comme ça ?

— Il n'y a aucune raison de s'énerver, dit Adeline avec amusement. Ce n'est qu'un jeu.

— Pour l'instant, c'est Nicki qui mène, déclara fièrement Chris Bates.

— En fait, elle a déjà gagné, fit observer Don Eliot. N'est-ce pas, Nicki ?

Ravie, Nicole battit des mains.

— Et votre réplique ? fit Al.

— Je l'ai placée il y a longtemps. Quand nous avons parlé du divorce Rickerd et que Beth se demandait à qui allait revenir leur superbe maison. J'ai prétendu y avoir été invitée, ce qui était, bien sûr, totalement faux. Je ne connais pas du tout ces gens-là. J'ai ajouté que les murs étaient lambrissés, et qu'il y avait « des quantités de plafonds ravissants ». C'était ça mon texte, « des quantités de plafonds ravissants ». La citation est extraite du dialogue de...

— *The Carpetbaggers,* acheva Jill tranquillement. (Cela lui revenait, à présent.) C'est Elizabeth Ashley qui le dit à George Peppard lorsqu'il lui demande ce qu'elle aimerait voir pendant son voyage de noces.

Le sourire de Nicole s'épanouit encore.

— Trop tard, déclara-t-elle joyeusement.

Sur quoi, tout le monde regagna le séjour.

Jill glissa deux coussins supplémentaires sous son oreiller et se coula dans le lit à côté de son mari.

— Alors, ça y est ? lui demanda-t-il, agacé. Tu as terminé tes préparatifs pour la nuit ?

Jill regarda la pendule. Il était presque 2 heures du

matin. Elle éternua — c'était au moins la dixième fois en dix secondes.

— Ce sont ces fichus chats, expliqua-t-elle en formant le vœu que les coussins lui permettent de respirer plus librement.

— Tu es sûre que ce n'est pas autre chose ?

— Qu'est-ce que cela pourrait bien être ?

— Tu n'as pas éternué une seule fois pendant tout le dîner.

— Les chats n'ont pas le droit d'entrer dans la salle à manger.

— Tu as dit toi-même que les poils pénétraient partout.

— Où veux-tu en venir ? Tu penses que Nicole a raison ? Que mon allergie est d'origine psychosomatique ?

— Je trouve seulement curieux que tu aies recommencé à éternuer après avoir perdu à ce jeu imbécile.

— Nous étions revenus dans la salle de séjour.

Jill avait haussé le ton.

— Ne hurle pas, je t'en supplie ! répliqua David avec une condescendance exaspérante. (Nouvel éternuement.) Ça va durer comme ça toute la nuit ?

— C'est possible, répondit-elle sèchement. Pourquoi ? Tu as un rendez-vous important demain ?

— J'ai à travailler.

— Un dimanche ?

— Ne recommence pas, je t'en prie ! Je suis débordé, je te l'ai déjà dit. Et crevé, en plus. Cela fait deux heures que tu n'arrêtes pas d'éternuer. Allez... Ferme les yeux et ne pense plus à tout ça. Il ne s'agissait que d'un jeu, pas d'un bon Dieu de championnat olympique !

Jill se dressa brusquement sur son séant.

— Tu crois que je suis bouleversée parce que Nicole a gagné ?

— Ce n'est pas le cas ?

— Non ! protesta-t-elle, un rien trop fort. A mon avis, elle avait un texte particulièrement facile. « Des quantités de plafonds ravissants », c'est beaucoup plus facile à introduire dans une conversation que ce que j'avais à placer.

— Elle a tiré sa phrase du chapeau, comme tout le

monde. Tu n'as pas l'impression que tu attaches un peu trop d'importance à tout ça ?

Jill haussa les épaules. David avait raison, mais d'un autre côté, ce n'était pas tant d'avoir perdu à ce jeu débile qui la troublait. Ce qui l'ennuyait bien davantage, c'était tout ce que sa défaite impliquait, aussi bien à ses yeux qu'à ceux de sa rivale. La victoire de Nicole en préfigurait d'autres. Ce n'était que la première d'une longue série que le challenger, qui avait remporté le premier round, allait arracher au tenant du titre, jusqu'au dernier match de championnat.

La voix de David interrompit le fil de ses pensées.

— Comment ? fit-elle, sur la défensive.

— Je disais que si tu te mets martel en tête parce que tu t'imagines encore qu'elle a des visées sur moi, tu fais fausse route. Tu divagues complètement.

— Moi, je divague ?

— Disons que tu te trompes. C'est à peine si elle m'a adressé deux fois la parole de toute la soirée.

— Tu as l'air déçu.

David se tourna sur le côté.

— Ne sois pas ridicule !

Jill poussa un long soupir. De toute évidence, il était inutile de poursuivre la discussion. Elle changea de sujet :

— Tu ne trouves pas que Beth avait l'air préoccupé, ce soir ?

— Non, grommela David.

Elle le regarda. Elle avait envie de l'embrasser, de se serrer contre lui pour dormir comme à leur habitude. Elle allait le faire quand elle fut prise de crampes.

— Où vas-tu ? lui demanda-t-il d'un ton accusateur en la voyant se relever.

— J'ai mal au ventre.

— Pourquoi as-tu repris du soufflé, aussi ? lui cria-t-il tandis qu'elle se dirigeait vers la salle de bains. Tu as été la seule.

— Je ne savais pas que tu surveillais mon assiette, murmura-t-elle, plus pour elle-même qu'à l'intention de son mari, en s'asseyant sur le siège des toilettes.

La vue du sang la désappointa plus qu'elle ne la surprit. Juste à la date prévue, songea-t-elle en cherchant un tampax dans le placard. La seule chose dans mon existence sur laquelle je puisse compter les yeux fermés.

9

La salle des professeurs du département radio-télévision de l'université de Chicago était une grande pièce rectangulaire qui donnait l'impression d'être toute petite, probablement à cause de la profusion de sièges abondamment rembourrés et capitonnés qui s'y entassaient. A croire, se dit Jill, que pour l'administration, encombrement est synonyme de confort et que l'élimé et le râpé sont un effet de l'art. Comme de juste, le percolateur était vide. Laissant à d'autres le soin de refaire du café, elle se laissa tomber dans le fauteuil à ramages le plus proche et essaya de trouver une position à peu près confortable pour un petit somme de deux minutes. Elle avait le dos courbatu et elle se demanda distraitement si ses cours de culture physique avaient un effet bénéfique ou néfaste. A propos, Beth viendrait-elle la prochaine fois? Elle avait manqué la séance, cette semaine, sans prévenir et sans explication. Les choses me sortent bêtement de la tête, avait-elle dit plus tard à Jill qui, devinant une certaine réticence chez son amie, n'avait pas insisté. Quand Beth aurait envie de vider son cœur — à supposer qu'elle ait besoin de s'épancher — elle le ferait de son plein gré.

Un ressort, qui avait largement fait son temps, la gênait. Puisqu'elle ne pouvait pas dormir, Jill prit sur la table, où une multitude de tasses de café avaient laissé des auréoles, le journal du matin. Quelqu'un avait fauché la page des petites annonces. Bon. Inutile d'insister. Elle se leva et sortit. Pas de café. Pas de petites annonces. Non, vraiment, il n'y avait pas de justice!

Elle s'arrêta devant la porte de sa classe. Un groupe d'étudiants la bouscula pour s'y précipiter avant la sonnerie. Mais qu'est-ce que je fais là? soupira-t-elle intérieurement.

La cloche sonna et elle entra derrière eux.

— Les documentaires ne se bornent pas à relater simplement l'actualité. Pour cela, il existe les journaux télévisés et la presse écrite. Le documentaire remplit plusieurs fonctions. Rapporter les faits en est une, bien entendu. Mais il en est une autre plus importante, c'est de leur donner vie, de mettre des images derrière les mots, de les illustrer, de montrer aux gens leur réalité profonde. Je vous ai déjà dit tout cela et je constate avec plaisir que vous en avez tenu compte dans vos maquettes. Malheureusement, il manque encore quelque chose à la plupart d'entre elles : les tripes — je ne vois pas comment l'exprimer autrement. Vous me présentez une foule de faits et de chiffres, vous m'expliquez comment vous concevez leur mise en images, mais sans aucune profondeur. Vous ne soulevez en moi aucune émotion.

— Des tripes, de la profondeur et de l'émotion? C'est ça que vous réclamez de nous? demanda un étudiant, stupéfait.

— Exactement.

— Tout cela dans une maquette?

— Si ce n'est pas dans le projet, ce ne sera pas dans le produit fini.

C'était là une conclusion qui en valait une autre et, d'un geste agacé de la main, elle donna campos à sa classe dix minutes avant l'heure.

Restée seule devant son bureau, d'un bois et d'une couleur indéfinissables, elle regarda par la fenêtre. Dehors, le soleil brillait, il faisait chaud. Pas trop humide. La journée idéale pour bronzer en bikini.

Inutile de se faire des illusions. Depuis combien

d'années avait-elle cessé de paraître à son avantage en bikini ? Cinq ? Plus probablement dix. C'était avant que le temps et la modification de son métabolisme lui aient alourdi la taille, avant d'avoir pris conscience qu'elle essayait de rentrer le ventre dès qu'elle se trouvait avec David. Elle se leva brusquement et rassembla ses affaires. Eh bien, c'était précisément à cela que devait servir Rita Carrington. Prêtes, mesdames ? Et une et deux...

— Je ne sais pas, Jill, disait Beth Weatherby. Il me semble que vous avez un certain nombre de questions fondamentales à régler.

C'était dans le vestiaire où les deux femmes se changeaient.

— Bien sûr, soupira Jill. Le problème est de savoir comment les régler, justement.

Jill regarda Beth enfiler son collant en tirant énergiquement sur sa jupe. Curieux qu'elle ne se soit pas rendu compte que son amie était aussi pudique. Elle essaya de se rappeler comment Beth s'était déshabillée quinze jours auparavant, puis se souvint qu'elle l'avait déjà trouvée en tenue. Et Beth s'était sauvée pendant qu'elle attendait Laurie.

Par association d'idées, Jill pensa à Elaine. La mère et la fille étaient brusquement parties passer quelques jours au parc national de Yellowstone. (« Une impulsion soudaine », avait expliqué Elaine quand elle avait téléphoné à David pour lui faire savoir que Laurie avait besoin d'un blouson neuf et de matériel de camping pour l'occasion.) Ron Santini était-il du voyage et avait-il apporté son illustre et indécent outil ? Elle s'assit sur le banc et ajusta son collant.

— Zut ! Il a filé. Regardez-moi ça ! Dire que je viens juste de l'acheter !

Les deux femmes refermèrent leurs placards respectifs après y avoir rangé leurs affaires.

— De combien de temps disposons-nous ?

Beth consulta sa montre.

— De huit minutes exactement.

— Eh bien, vous avez huit minutes pour résoudre tous mes problèmes.

— La réponse est simple. Je le sais parce que, quand il s'agit de donner des conseils, je ne crains personne. (Jill s'esclaffa.) C'est comme ça qu'on devient après avoir été longtemps mariée à un avocat ! Mais soyons sérieuses. Il faudrait que vous parliez à David.

— Je lui ai parlé. Il sait que je déteste le travail que je fais.

— Avez-vous suggéré que vous pourriez en changer ?

Jill acquiesça.

— Et alors ?

— Il dit que ça me regarde mais je sais à quel point ça l'ennuierait. Mon ancien métier lui plaisait beaucoup jusqu'à ce qu'il m'ait épousée. A partir de ce moment, il ne lui a plus paru aussi séduisant ni aussi excitant. Il se mettait en travers de son chemin. J'ai peur, Beth.

Celle-ci eut un regard étrange.

— Vous avez peur ? Mais de quoi ?

— De perdre David. De faire quelque chose qui détruirait nos rapports. Comme de retourner à la télévision, par exemple.

— Eh bien, alors, ne le faites pas.

— Il en va de même pour les enfants. Avant, nous en parlions. David sait que j'aimerais en avoir. Mais depuis quelque temps, il refuse d'aborder le sujet. Il est allé jusqu'à dire à Eliot qu'il n'en veut pas d'autres. J'ai trente-quatre ans, Beth. Ça ne me laisse guère de temps. Mais je crève de frousse à l'idée d'affronter David. Il est capable de m'obliger à faire un choix que je ne suis pas disposée à faire.

— Lui ou les enfants ?

— Ou autre chose du même genre.

— Que décideriez-vous dans ce cas ?

Elle secoua la tête.

— Je ne sais pas... Si, je le sais ! David. Toujours David. Je n'accepterai jamais de le perdre.

— Même au risque de vous perdre vous-même ? Mais que se passe-t-il ? On dirait que vous venez de voir un spectre !

Jill ne répondit pas. La couleur refluait lentement de ses joues tandis que Nicole Clark approchait.

— Tiens ! Regardez qui nous arrive ! s'écria Beth, souriant avec chaleur à la jeune femme.

Elle n'avait fait aucun rapprochement entre l'apparition de Nicole et la soudaine pâleur de Jill.

— J'espère que vous ne m'en voudrez pas, dit Nicole en lançant son sac sur le banc et en commençant à déboutonner son chemisier, mais je me suis rappelé ce que vous disiez de ce club et j'ai demandé à Al l'heure de la leçon. Comme j'ai fini un peu plus tôt aujourd'hui, j'ai décidé de venir vous rejoindre. Vous ne m'en voulez pas, j'espère ? répéta-t-elle.

— Mais bien sûr que non.

Beth se tourna vers Jill pour l'associer à ses paroles. Mais Jill ne fit même pas l'effort de sourire.

Qu'est-ce qu'elle vient faire ici ? se demandait-elle, furieuse. Elle tourna le dos à Nicole qui dégrafait son soutien-gorge. Non, elle ne me balancera pas ses nichons sous le nez ! Malgré le regard intrigué de Beth, elle persista dans son attitude, feignant d'ignorer la présence de l'intruse. Que cela plût ou non à Nicole, le petit jeu était terminé. Finis les faux-semblants, l'indifférence affectée, l'amabilité de commande. Cette femme avait proclamé clairement et sans ambages son intention de mettre la main sur son mari. En précisant bien qu'il ne s'agissait pas d'une plaisanterie. Et plus ça allait, plus elle s'insinuait dans sa vie : au tribunal, à côté de David, alors qu'elle-même était dans la salle, simple spectatrice. Chez les Eliot, à table, de nouveau à côté de David. Et maintenant, elle envahissait son territoire privé, paradant, sûre de la comparaison et faisant des effets de buste.

Jill se retourna brusquement, ivre de fureur. Elle allait crever l'abcès une fois pour toutes. Mais Nicole prit les devants :

— Pourrions-nous avoir une petite conversation après la séance ?

— Excellente idée, répliqua Jill d'un ton qu'elle essaya de rendre aussi détaché que celui de son interlocutrice.

— Alors, c'est entendu. Excusez-moi, je vais à la recherche des toilettes.

Sur ce, elle disparut comme elle était venue.

— Qu'est-ce que tout cela signifie ? demanda Beth.

— Je vous l'expliquerai plus tard, répondit Jill en voyant Ricki Elfer entrer précipitamment.

— Oh la la ! J'ai bien failli être en retard, s'exclama-t-elle, le souffle court, tout en ôtant sa robe sous laquelle elle était déjà en tenue. Vous avez vu la ravissante petite chose qui vient de sortir ? Je parie que c'est une nouvelle monitrice. Un corps pareil, ça fait rêver.

Jill se hâta de gagner le plateau d'exercice. Les muscles de ses épaules étaient noués, lui comprimant le cou et menaçant de l'étouffer, tandis que, quelque part derrière elle, Nicole Clark, en maillot bleu ardoise et collant assorti, attendait patiemment de danser sur sa tombe.

— Vous préférez qu'on discute ici ou qu'on aille boire un café ? demanda Nicole en s'épongeant le front au moment où, derrière Jill, elle quittait le plateau d'exercice.

— Nous serons très bien dans la salle de repos.

Pourquoi, après la suée qu'elle avait prise, les cheveux noirs de Nicole étaient-ils toujours aussi soyeux ? Jill, quant à elle, n'avait pas besoin de se regarder dans une glace pour savoir que les siens se hérissaient sur sa tête comme si elle avait reçu une décharge électrique.

— On passe sous la douche d'abord ?

— Non, dit Jill qui n'avait aucune envie de faire la comparaison de leurs nudités respectives. Finissons-en tout de suite.

— Très bien. Montrez-moi le chemin.

Elle la suivit dans l'espèce de matrice violette qui constituait le foyer.

— Est-ce qu'ils servent des milk-shakes ici ? demanda Nicole en s'asseyant.

— Passez-vous vos nuits à élaborer ce genre de petites vacheries ? rétorqua Jill, bien décidée à abréger les préliminaires d'usage.

— Je ne comprends pas.

— Écoutez... Je vais vous concéder d'entrée de jeu différentes petites choses. O.K. ! J'ai trente-quatre ans, des cheveux rebelles, la bouche trop grande, des traits qui, d'une manière générale, sont loin d'être parfaits, *idem* pour mon corps, comme vous l'avez certainement déjà remarqué. Il n'est pas repoussant, mais c'est un corps de trente-quatre ans et les milk-shakes appartiennent au passé. Et vous, quel âge avez-vous ? reprit-elle après un silence. Vingt-quatre ans ?

— Vingt-cinq.

— Vingt-cinq, répéta Jill. Ainsi, vous êtes plus jeune, plus belle, visiblement dans une forme éblouissante, et cette petite allusion innocente aux milk-shakes est là pour me prouver que vous n'avez pas de souci à vous faire pour garder la ligne. Tant mieux pour vous. Peut-être aurez-vous la chance de rester comme ça, peut-être vous réveillerez-vous un beau matin obèse. Je n'en sais rien. Je le souhaite. Quoi qu'il en soit, je vous accorde tout cela : la jeunesse, la beauté, la silhouette. Mais il y a une chose que je ne vous accorderai pas : c'est mon mari. (Nicole, qui écoutait intensément, ne broncha pas.) Il est possible que vous me surclassiez physiquement, possible même que vous soyez plus intelligente que moi. Je n'en sais rien et je m'en moque. Le fait est que je suis mariée à l'homme que vous prétendez vous approprier et fermement décidée à le rester. Comme j'étais là la première, cela me donne des droits. (Nicole ne dit toujours rien.) Cela étant posé, peut-être avez-vous changé d'avis. Peut-être aviez-vous un peu trop bu quand vous m'avez fait cette déclaration. Peut-être que j'interprète vos paroles de façon abusive. C'est l'avis de David. Le mieux est, je crois, que vous mettiez cartes sur table. Dites-moi exactement ce qu'il en est. Contrairement à vous, j'ai horreur des petits jeux de ce genre. Cela me rend nerveuse.

— Vous avez répété à David ce que je vous ai dit au pique-nique ?

La voix de Nicole était presque inaudible.

— Je n'aurais pas dû ? Je pensais que cela faisait partie de votre plan.

— Et qu'est-ce qu'il a dit ?
— Que c'était une plaisanterie. Et quand je lui ai expliqué que non, il a été furieux.
— Il ne m'en a pas parlé.
— C'est moi qui le lui avais demandé.
Il y eut un long silence. Nicole baissa la tête.
— Je suis très embarrassée, fit-elle enfin. Et tout à fait navrée.
Jill attendit qu'elle précise sa pensée. Les excuses étaient venues si vite et paraissaient si sincères qu'elle ne savait pas très bien quelle attitude adopter. Elle avait eu raison de vouloir tirer les choses au clair. Elle croyait entendre sa mère répéter que la franchise est la meilleure des politiques. Elle releva la tête, et Jill remarqua que ses yeux étaient embués de larmes.
— Que puis-je vous dire ? murmura Nicole. Cette histoire est tellement stupide ! Je ne sais pas pourquoi je vous ai raconté tout ça. J'étais peut-être un peu ivre, en effet, encore que ce ne soit pas une excuse. (Elle évita le regard de Jill.) Je suis née dans le Maine. J'habite Chicago depuis quatre ans. C'est là que j'ai fait mon droit. Ma famille, mon père, plus exactement — ma mère est morte —, est resté dans l'Est. Il s'est remarié il y a quelques années et s'est installé dans le New Hampshire. Tout ça pour vous dire que je n'ai pas beaucoup d'amis ici. Les filles m'ont toujours tenue à l'écart. (Son regard croisa celui de Jill.) Je sais que vous pensez que cela n'a rien de surprenant. Vous avez peut-être raison. Le fait est que je n'ai jamais connu l'amitié avec une autre femme. J'ai toujours été très entourée par les hommes, évidemment, mais les garçons de mon âge ne m'ont jamais vraiment intéressée. Ce qui nous ramène à David. (Jill retint sa respiration.) Au premier regard que j'ai posé sur votre mari, je... enfin, j'imagine que je n'ai pas besoin de vous l'expliquer. Il est irrésistible, n'est-ce pas ? Tout en lui... sa façon de marcher, sa façon de parler, de penser...
— Parce que vous savez ce qu'il pense ? l'interrompit Jill.
— Je sais *comment* il pense. C'est un avocat génial. Je suis allée l'entendre plusieurs fois depuis le jour où

nous nous sommes rencontrées au tribunal. Il est toujours aussi formidable.

Jill espérait que son expression n'avait pas trahi la surprise qu'elle éprouvait en apprenant que Nicole avait assisté à d'autres audiences. Pourquoi David ne lui en avait-il pas parlé ?

— Que voulez-vous que je vous dise? poursuivit Nicole. Je suis sans doute un peu comme une lycéenne amoureuse de son professeur. David est l'incarnation de tout ce dont j'ai toujours rêvé. Je me rappelle quand nous parlions des hommes avec ma mère. Elle me disait qu'il fallait que je trouve quelqu'un que je respecterais réellement. Et qui me respecterait. Eh bien, tout de suite, David m'a traitée avec respect. Nous ne sommes pas beaucoup de femmes chez Weatherby & Ross, proportionnellement au nombre d'hommes, en tout cas. Quand j'ai été engagée, fin mai, j'ai eu à subir pas mal d'avanies. Les hommes, pour la plupart, ont du mal à concilier mon apparence physique et mes capacités professionnelles. Pas lui. D'emblée, il m'a considérée comme une consœur. A vrai dire, je n'ai pas tardé à souhaiter qu'il voie en moi la femme plus que l'avocate et, à partir de ce moment, il ne faut pas grand-chose pour que fleurissent les fantasmes. Je savais qu'il était marié. J'ai entendu une secrétaire dire que sa femme était grande, qu'elle travaillait pour la télévision avant son mariage et qu'il avait divorcé pour l'épouser... pour vous épouser, précisa-t-elle bien inutilement.

Jill demeura muette. Grande, travaille pour la télévision... Cette description la résumait-elle véritablement ?

— Je suppose que j'ai dû regarder trop de feuilletons, enchaîna Nicole avec une franchise désarmante. Quand je vous ai vue au pique-nique, je me suis dit : pourquoi ne pas faire preuve d'audace et la mettre au courant de mes intentions ? Possible, même, que je prévoyais que vous en parleriez à David et que... je ne sais pas... sa curiosité serait alors suffisamment éveillée pour qu'il me fasse des avances. Je pensais que, l'ayant attiré dans mon lit, tout le reste se mettrait en place.

Elle se tut. Les deux femmes se regardaient maintenant droit dans les yeux. Près d'une minute s'écoula avant que Nicole reprenne la parole :

— Toujours est-il qu'ayant vu à quel point vous étiez nerveuse l'autre soir chez Don, j'ai décidé de venir aujourd'hui essayer de vous expliquer — de m'excuser. Je regrette ce que je vous ai dit au pique-nique.

Elle attendit ce qu'allait répondre Jill, les yeux brouillés de larmes.

Malgré l'aveu qu'elle venait de lui faire — ou peut-être à cause de cet aveu —, Jill se sentait singulièrement triste pour elle. Ses épaules s'affaissèrent comme si on leur avait ôté un grand poids. C'était fini. Nicole Clark — Nicki — rentrait ses griffes carminées. Le petit jeu était terminé. Jill avait gagné.

— Ce n'est pas grave, dit-elle, retrouvant sa voix. Il nous arrive à tous de dire des bêtises, des choses qu'on ne pense pas vraiment...

— Je n'ai pas dit que je ne les pensais pas, l'interrompit Nicole, les yeux secs soudain. Seulement que je regrettais de les avoir dites.

Jill eut l'impression de recevoir une gifle en pleine figure. Elle n'eut pas le temps de se remettre que Nicole était déjà partie.

10

A 6 heures moins 12, le téléphone sonna. David commença par tâtonner pour arrêter le radio-réveil, puis se rendit compte que cette sonnerie insistante n'avait rien à voir avec de la musique et que ce n'était pas encore l'heure de se lever.

— Qu'est-ce que tu attends pour répondre? balbutia Jill, encore assoupie, en s'asseyant dans son lit. Mon Dieu, j'espère qu'il n'est rien arrivé!

C'était toujours ce qu'elle craignait quand on appelait à une heure indue. David décrocha.

— Allô!

— Bon anniversaire! Bon anniversaire! glapit une voix qui semblait sortir d'un hachoir à viande. (Abasourdi, David regarda sa femme et souleva le combiné pour qu'elle puisse écouter.) Joyeux anniversaire, tête d'œuf!

— Pour l'amour du ciel, Elaine! Il n'est pas encore 6 heures.

Jill l'entendait clairement à l'autre bout du fil.

— Oui, mais si j'avais attendu quelques minutes de plus, tu aurais été sous la douche. Tu vois, je me rappelle tes vieilles habitudes! Et je ne voulais pas rater l'occasion de te faire part de mon sentiment. Tu commences à prendre de la bouteille, mon petit vieux. Quarante-cinq, c'est bien ça?

— Elaine...

— Non, attends, j'ai quelque chose à te dire.

— Tu as toujours quelque chose à me dire.
— A propos de ton assurance-vie.
— Mon assurance-vie ?
Jill et David échangèrent un regard stupéfait.
— Tu es à jour de tes primes ?
David secoua la tête, exaspéré.
— Où veux-tu en venir, Elaine ?
— Eh bien, tu comprends, en pensant que tu allais avoir quarante-cinq ans, l'idée m'est venue que tu es mortel, après tout. Et avec ton travail qui te surmène, sans compter tes autres... comment dirais-je ? tes autres appétits divers, il n'y aurait rien d'impossible à ce que tu passes l'arme à gauche un de ces jours.
David changea le combiné d'oreille.
— Je raccroche, Elaine.
— Alors je me suis dit que tu devrais faire modifier ta police.
— Que je fasse modifier ma police ? répéta David, interloqué.
— Oui, pour faire un avenant en ma faveur. (Elle lui laissa quelques secondes pour qu'il se pénètre de ses paroles.) Parce que si tu claquais subitement, moi, je me retrouverais sur la paille. Je ne toucherais plus un sou, non ? Je suis la mère de tes enfants et j'imagine que tu veux qu'ils soient protégés.
— Ne t'inquiète pas pour eux, ils n'ont rien à craindre de ce côté.
— Et moi ?
— Au revoir, Elaine. (Il raccrocha et se laissa retomber sur l'oreiller.) Seigneur ! Tu te rends compte ?
— Tout lui est bon, vraiment, dit Jill en se pelotonnant contre son mari. Où va-t-elle dénicher des idées pareilles ? Et à 6 heures du matin, en plus !
— Elle a appelé au bureau tous les jours de la semaine. Je n'ai pas répondu une seule fois.
Jill lui caressa la poitrine. Elle sentit ses poils blonds se redresser sous ses doigts et lui chatouiller la peau comme un chat se frottant contre des jambes nues. A la simple pensée d'un chat, elle leva inconsciemment la main pour arrêter un éternuement imaginaire.
— Pourquoi enlèves-tu ta main ?

— J'ai cru que j'allais éternuer, répondit-elle en la posant de nouveau sur la poitrine de David.

— Plus bas, ordonna-t-il.

— Bon anniversaire, chuchota Jill en s'allongeant sur lui et en l'embrassant tandis qu'elle glissait la main vers son ventre.

— Je me fais vieux, murmura David comme pour lui-même.

— Allons ! Tu ne vas pas te laisser impressionner par Elaine ! Quarante-cinq ans, ce n'est pas vieux. C'est la force de l'âge. A peine le milieu de la vie.

— Tu crois ? Tu connais beaucoup de bonshommes de quatre-vingt-dix ans qui cavalent comme des petits fous ?

Elle s'esclaffa.

— Ma foi, ils ne cavalent pas exactement, mais... Oh ! Seigneur ! s'écria-t-elle en se redressant brusquement sur son séant, sans pour autant déplacer sa main. Tu ne vas pas me faire la crise de l'homme entre deux âges, j'espère ?

— Si tu n'es pas disposée à montrer un peu de respect pour mes cheveux blancs, au moins rends-toi utile, fit-il sur un ton badin.

Et, de force, il obligea sa tête à aller rejoindre sa main.

Jill s'installa plus confortablement pour faire ce qu'il attendait d'elle. Elle se remémora la première fois où elle l'avait vu nu, la première fois qu'ils avaient fait l'amour. Elle avait cru mourir et monter au paradis. Il était d'une si grande sensibilité. Les deux premières années avaient été passionnées. Évidemment, cela ne pouvait pas durer éternellement. Elle voulut relever la tête pour s'allonger près de lui en vue de l'accomplissement, mais David la lui maintint fermement en place. Ce n'était pas cela qui l'intéressait aujourd'hui. Bah ! tant pis, songea-t-elle en se remettant à l'œuvre de la main et de la bouche avec un zèle renouvelé. Après tout, c'était son anniversaire !

Cette pensée lui rappela brutalement la soirée qui l'attendait. Jason, de retour de son camp de vacances, et Laurie, qui avait passé une semaine à se morfondre chez elle sans rien avoir à faire, venaient dîner. Avec le reste de la famille de David et ses parents à elle. C'était la première fois qu'elle avait trouvé le courage d'inviter tout le monde ensemble. Comment allait-elle se débrouiller pour que tout soit prêt à temps, étant donné le menu qu'elle avait projeté et les courses qu'elle devait faire ? Même le gâteau d'anniversaire, elle avait décidé de le confectionner elle-même. Heureusement que le vendredi était un jour peu chargé à l'université. Elle avait annulé sa classe du matin pour ne garder que ses deux cours de l'après-midi. D'ici là, elle espérait bien que tout serait à peu près réglé. Mais elle commençait à s'inquiéter. Peut-être avait-elle vu trop grand ? David disait toujours qu'elle avait les dents trop longues. David ! Mon Dieu ! Mais c'est qu'elle le travaillait à pleines dents, justement ! Qu'est-ce qu'elle était en train de faire ? Il gémit sans pour autant lui lâcher la tête. Lui avait-elle fait mal ? Quelle horreur ! Comment pouvait-elle penser à la cuisine et à ses cours alors qu'elle était supposée être en proie au vertige de la passion ?

David devait le sentir. Il savait toujours ce qu'elle pensait. Il comprendrait qu'elle avait l'esprit ailleurs, il serait vexé, furieux. Peut-être même qu'il ne parviendrait pas à l'orgasme, songea-t-elle avec consternation, ce qui le laisserait frustré, insatisfait et mûr pour céder aux subtiles avances de Nicole. Nicole... La délicieuse enfant ne s'était plus manifestée depuis quelque temps. Pas de coups de téléphone, pas d'apparitions surprises. David n'avait même pas prononcé son nom une seule fois. Il est vrai qu'il n'avait pas non plus fait allusion aux audiences auxquelles elle avait assisté. Ils étaient quittes : elle ne lui avait pas parlé du tout de la visite de Nicole au club. A quoi bon ? Réglant sa conduite sur celle de David, elle se comportait maintenant comme si de rien n'était. Mieux valait laisser cette histoire mourir toute seule. De sa belle mort. Mais que faisait-elle ? A quoi pensait-elle ? Concentre-toi, pour l'amour du ciel, concentre-toi !

Un léger grognement lui parvint. David... Lui avait-elle fait mal ? Elle essaya de bouger la tête mais il la lui maintenait toujours aussi fermement. Ses gémissements se firent plus sonores.

— Nom de Dieu, Jill, haleta-t-il.

Et, d'un seul coup, il explosa.

Jill avala et déglutit à plusieurs reprises avant qu'il ne relâche son étreinte et qu'elle puisse se rasseoir.

— Extraordinaire, Jill, dit-il en l'embrassant sur le front. Waouh ! Tu t'es surpassée.

Tant mieux. Mais, et moi ?

Il l'attira contre lui. Jill pensa à ce jour pas tellement lointain où, réveillé par son rêve à peu près à la même heure, il l'avait traînée sous la douche. Peut-être allait-il recommencer aujourd'hui ? Elle se remit à jouer avec les poils de sa poitrine. Mais cette fois, ils restèrent sagement couchés, comme le petit chat bien nourri qui ronronne de contentement... Alors qu'elle se languissait d'attouchements, de caresses...

Elle entendit un léger déclic, puis la voix de Stevie Wonder envahit la pièce. David appuya sur le bouton d'arrêt du radio-réveil et dégagea son autre bras coincé sous les épaules de Jill.

— C'est l'heure de se lever, annonça-t-il en sautant du lit.

Jill s'assit.

— Tu n'as pas envie de compagnie sous la douche ?

Il sourit.

— Pas ce matin, chérie. J'ai vraiment un travail fou qui m'attend. Fâchée ?

— Juste un peu déçue, avoua-t-elle en essayant d'avoir l'air aussi héroïque qu'Ali MacGraw dans *Love Story*.

— Je te revaudrai ça. (Il attendit qu'elle lui rende son sourire.) Pourquoi ne dormirais-tu pas encore un peu ?

— Non, je suis trop réveillée pour ça. D'ailleurs, j'ai une foule de choses à faire, moi aussi. On fête ton anniversaire ce soir, ça ne te dit rien ?

— Oh, merde ! J'avais complètement oublié.

— J'espère que tu n'as pas une réunion ?

— Non, je ne crois pas. J'en suis même sûr...

— Tâche de ne pas rentrer trop tard. Je vais avoir toute la famille sur le dos...

— J'essaierai, dit David avant de disparaître.

Assise sur le lit, Jill remua dans sa tête les propos d'Elaine, ses félicitations pleines de fiel. Quelle haine nourrissait-elle encore après toutes ces années? Comment, pour qui peut-on entretenir une haine aussi vivace? Pour un homme, fit une petite voix en écho à celle de Ricki Elfer. Oui, un homme peut susciter en vous une haine inexpiable.

— Allez! Maintenant on se lève et on va prendre un grand petit déjeuner au *Winston's*!

Elle bondit hors du lit et lui arracha ses couvertures.

— Il est 2 heures de l'après-midi! s'écria-t-il en riant, sans se soucier de dissimuler sa nudité et son érection naissante.

— Eh bien, on va faire un vrai déjeuner, ou prendre le thé, ou n'importe quoi d'autre...

Elle se pencha à la fenêtre. La propriétaire se chauffait au soleil dans la cour en compagnie de son doberman.

— Je serais assez partisan du « n'importe quoi d'autre », dit-il en s'approchant d'elle par derrière et en lui posant les mains sur les seins.

— Qu'est-ce que tu fais? demanda-t-elle en se tortillant et en souriant. Eh là!... (Il l'avait soulevée à bras-le-corps et se mettait en devoir de la pénétrer debout.) Mme Everly est en bas. Si elle lève la tête...

— Eh bien, ça lui donnera l'occasion de voir des gens heureux.

— Et moi, je serai probablement obligée de me mettre à la recherche d'un autre appartement.

— Tant mieux. Je persiste à penser que le quartier n'est pas sûr.

— C'est vrai, bredouilla-t-elle, la respiration saccadée. On ne sait jamais si quelqu'un ne va pas vous sauter dessus par-derrière...

Ils descendirent finalement vers 4 heures pour manger quelque chose. Il y avait longtemps que Jill ne s'était sentie aussi heureuse. Ils disposaient d'une journée entière — toute une journée — pour faire l'amour, bavarder, être ensemble. Sans entrave, sans avoir à tenir compte de personne, sans la crainte de heurter ou de faire souffrir qui que ce soit. Seuls avec leur amour.

— Souris et agite la main, lui ordonna-t-il soudain dans la voiture.

— Comment ?

Il avait complètement changé de ton.

— Souris et agite la main, répéta-t-il entre ses dents.

Il y avait de toute évidence quelque chose qui ne tournait pas rond mais ce n'était pas le moment de poser des questions. Elle adressa un sourire et un signe de la main aux deux occupantes d'une Buick gris métallisé. Elles lui rendirent son sourire — la conductrice n'avait-elle pas l'air vaguement intrigué ? — et poursuivirent leur route. Personne n'avait prononcé un mot.

Toute la joie de Jill se dissipa d'un seul coup.

— C'était Elaine ? demanda-t-elle, connaissant d'avance la réponse. Et qui était avec elle ?

— Sa sœur.

— Elles sont très jolies. Elle... ta femme... elle est très séduisante...

Il hocha la tête.

— A ton avis, qu'a-t-elle pensé en voyant...

— Elle croit que je passe la journée avec une cliente. Je lui dirai que je la raccompagnais.

L'estomac de Jill se noua et elle sentit que ses yeux la picotaient.

— Je suis une cliente, répéta-t-elle d'une voix blanche.

— Mais qu'est-ce que tu veux que je lui raconte, bon sang ? Que j'ai passé la journée à baiser ? Pardon. Je suis désolé. (Il paraissait sincèrement contrit et n'avait plus l'air de savoir sur quel pied danser.) J'ai été stupide de dire ça. Vraiment stupide. J'ai dû être un peu secoué et embarrassé...

— Et moi, je suis humiliée et morte de honte.

Il se rangea au bord du trottoir.

— Oh ! Jill, tu n'as aucune raison de te sentir humiliée. Je t'aime.

— Alors, pourquoi t'inquiètes-tu tellement de ses sentiments à elle ? Et les miens, donc ? Il vaut mieux que tu me ramènes chez moi, ajouta-t-elle comme il demeurait muet. Ta femme s'attend à te voir rentrer bientôt, maintenant qu'elle sait que tu en as fini avec... ta cliente.

— Qu'est-ce que ça veut dire ?

— Rien de plus que ce que j'ai dit. Je veux rentrer, c'est tout.

— C'est tout ?

— Je veux dire que je suis fatiguée, blessée, furieuse, et mortifiée et honteuse de ne pas avoir le cran de t'envoyer à tous les diables. Que je t'aime encore plus que je ne te déteste et que je te désire toujours autant. Écoute, je vais prendre un taxi. Pour le moment, j'ai envie d'être seule.

Elle ouvrit la portière et descendit sans qu'il fasse un geste pour la retenir.

— Tu me donnes l'impression d'être un salaud.

— Tu es un salaud.

— Je t'appellerai plus tard.

Il ne démarra pas, attendant qu'elle ait trouvé un taxi. Ne t'occupe pas de moi ! avait-elle envie de lui crier. Mais elle savait — et lui aussi — qu'elle ne le ferait pas.

— Allô ! Irving Saunders est-il là, je vous prie ?

Le combiné collé à l'oreille, Jill contempla sa salle à manger. Comment allait-elle faire pour caser neuf personnes autour d'une table prévue pour quatre ?

— Pardon ? Excusez-moi, je n'ai pas entendu... Oh ! je ne m'étais pas rendu compte qu'il était si tôt. A quelle heure arrive-t-il ? A 11 heures ? (Il n'était que 9 heures et quart.) Ça ne fait rien, je rappellerai... Non ! Attendez ! Dites-lui de téléphoner à Jill Plumley... non, je veux dire Jill Listerwoll... dès qu'il pourra. Listerwoll, répéta-t-elle comme pour confirmer, non seulement à la secrétaire mais aussi à elle-même, que ce nom était réellement le sien. C'est important, ajouta-t-elle avant de raccrocher.

Elle jeta un coup d'œil autour d'elle. Le gâteau était dans le four. La salade déjà préparée. Il fallait encore faire le reste des achats. Et si elle y allait tout de suite, avant qu'Irving ne la rappelle ? Non, impossible de sortir avec cet imbécile de gâteau au four...

Elle pouvait peut-être en profiter pour voir comment elle pourrait caser tout son monde. « Neuf personnes ! », soupira-t-elle en ouvrant le tiroir du placard où étaient rangés les couverts. Ce qu'ils avaient baptisé salle à manger n'était qu'une petite partie du séjour en forme de L. Avec beaucoup de bonne volonté, elle arriverait peut-être à faire tenir six convives serrés autour de cette table miniature. Mais neuf ? Pourquoi ne s'en était-elle pas inquiétée plus tôt ?

Quittant la cuisine, elle contourna le L et entra dans le séjour. Il était raisonnablement spacieux — en tout cas, les fenêtres qui allaient du sol au plafond donnaient cette impression. Orientées au midi, elles s'ouvraient sur Grant Park avec une vue superbe sur la merveilleuse fontaine Buckingham. Encore heureux qu'on ait la vue pour le loyer qu'on paie, se dit-elle. L'appartement comportait, en outre, deux chambres dont l'une servait de bureau, bien que Jill eût autrefois caressé l'espoir de remplacer la télévision, le vieux sofa avachi et le fauteuil de cuir par un berceau et des piles de layette. Mal à l'aise à l'idée qu'elle n'avait pas encore abordé la question avec David comme le lui avait conseillé Beth, et pour penser à autre chose, elle redressa les coussins de l'élégant canapé Chesterfield à damiers. Mais je peux installer tout le monde ! se dit-elle, prise d'une soudaine inspiration. Trois sur le divan, deux dans les fauteuils, et quatre sur les chaises qu'elle amènerait de la salle à manger. C'était une idée de génie. Elle disposerait tout sur la table comme pour un buffet et chacun se servirait. Avec un peu de chance, personne ne laisserait tomber son bœuf Stroganoff sur le tapis blanc de haute laine !

Comme elle regagnait la cuisine, le téléphone sonna. Elle décrocha.

— Jill ?

Cette voix virile et bien timbrée la ramena d'un seul coup quelques années en arrière.

— Irving ? s'écria-t-elle joyeusement.

— Tu as l'air étonné. Tu n'as pas téléphoné ? On m'a laissé un message de ta part.

— Si, si, j'ai téléphoné mais on m'a répondu que tu ne serais pas là avant 11 heures.

— J'en avais assez d'entendre le bébé couiner, grommela-t-il. Je suis parti de la maison plus tôt.

— Le bébé? Mais je ne savais pas que tu avais un enfant, Irving!

— Depuis six mois. Un garçon.

— C'est merveilleux. Et comment va Cindy?

— Très bien. Elle est formidable. Une vraie petite mamam.

— Et toi?

— Tu sais, j'ai déjà eu quatre gosses avec Janet. Alors, on ne peut pas dire que ce soit vraiment de l'inédit.

— Et à part ça? Comment va la vie?

— Du tonnerre. On ne peut mieux. La station me rend chèvre mais j'ai l'habitude. Et toi? Et David? Vous êtes toujours ensemble?

— Bien sûr. Il va bien. Tout va bien.

Elle se représentait son interlocuteur — la cinquantaine, grand et musclé, les cheveux grisonnants et les yeux clairs. Sans aucun doute, il portait un blue-jean et une chemise à col ouvert et se tenait debout, accoté au mur de la salle de régie, entouré d'écrans de contrôle hurlants, de magnétoscopes tonitruants et de gens qui couraient fébrilement dans tous les sens. L'espace d'un moment, elle eut l'impression de s'y trouver, elle aussi.

— Pourrait-on se voir assez vite, Irving? Je voudrais te parler de quelque chose. Une idée que j'ai eue.

— Bien sûr. Je pars lundi pour l'Afrique — l'Afrique, tu te rends compte? Pour deux semaines. Veux-tu que je te passe un coup de fil à mon retour?

Les épaules de Jill s'affaissèrent.

— J'espérais te voir avant. Tu n'as pas le temps aujourd'hui, par hasard? Je t'invite à déjeuner, si tu veux.

— Ça m'a l'air important.

— Ça pourrait l'être.

— Va pour le déjeuner. Au *Maloney's* à 1 heure. Ça colle?

— C'est parfait, répondit Jill en se demandant comment elle réussirait à venir à bout de tout d'ici ce soir. C'est parfait.

11

Le restaurant, situé en face du studio — juste la rue à traverser — était plein à craquer de gens de la télévision. Ayant repéré Irving qui agitait le bras au fond de la salle, elle s'aperçut, en se frayant un chemin vers lui, qu'un grand nombre de visages lui étaient totalement inconnus.

— Jill ! Ma parole, c'est elle ! Jill Listerwoll !

Deux bras la saisirent par la taille et la serrèrent énergiquement contre le tissu rêche d'un veston de tweed.

— Arthur Goldenberg, ce ne peut être que lui ! fit-elle avant même de s'être retournée. Le seul homme que je connaisse qui soit capable de porter une veste d'hiver en plein été.

Ils s'embrassèrent chaleureusement.

— On est presque en automne. *Labour Day* tombe la semaine prochaine, lui fit-il remarquer avec une lueur malicieuse dans les yeux. Comment ça va ? Qu'est-ce que tu fabriques ici ? Est-ce que tu reviendrais parmi nous, par hasard ?

Jill lui adressa son plus charmant sourire.

— Je ne sais pas. Je suis venue discuter avec Irving. Voir s'il n'y a pas quelque chose que je pourrais faire.

— Tu peux tout faire, toi ! (Il l'attira contre lui avec des mimiques de conspirateur.) Ne te retourne pas. Tu vois la fille au bout du bar ? Ne regarde pas ! lui ordonna-t-il comme Jill tournait automatiquement la tête. C'est ta remplaçante. Ne regarde pas, je te dis !

— Excuse-moi, murmura-t-elle. Mais je croyais que c'était Maya Richards qui m'avait succédé.

— Oui, mais elle n'a pas fait l'affaire. Celle-là nous arrive de Los Angeles. Susan Timmons. C'est un barracuda, permets-moi de te dire. Avec la peau adéquate : pas de chair — des écailles !

— Arthur ! Tu es impossible ! Tu as tenu le même genre de propos sur moi après mon départ ?

Le maquilleur sourit.

— Si peu que ça ne vaut pas la peine d'en parler. Et uniquement parce que ta désertion m'a beaucoup peiné. J'espère fichtrement que tu vas revenir pour de bon, ajouta-t-il après un bref silence.

— Et moi donc ! avoua Jill, exprimant pour la première fois à haute voix l'ardent espoir qui l'habitait.

Elle tapota la joue du maquilleur et alla rejoindre Irving qui s'était levé pour l'accueillir. Elle lança au passage un coup d'œil curieux à la fille qui lui avait succédé : plus jeune qu'elle — cinq ans de moins à vue de nez —, séduisante dans le genre blondinette fragile, elle n'avait pas d'écailles, du moins apparentes.

— Comment va, Jill ? demanda Irving en l'embrassant carrément sur la bouche. Toujours fidèle au Bloody Mary ?

Il fit signe au garçon.

— Cela fait des années que je n'en ai pas bu, fit-elle en s'asseyant. C'est une riche idée.

— Un Bloody Mary et un scotch à l'eau, commanda Irving.

Après quoi, se tournant vers Jill, il l'examina sans se gêner de la tête aux pieds.

— Alors, tu me trouves O.K. ?

— En pleine forme, fit-il, visiblement sincère. Le mariage a l'air de te réussir.

— Je l'espère bien... Je viens de rencontrer Art Goldenberg.

— J'ai vu. Et comment se porte mon pédé préféré ?

— Il t'embrasse.

— Ben voyons !

— Il m'a montré la fille qui m'a remplacée.

— Ah oui ? Ma foi, on est très contents d'elle. Susan

est intelligente, ambitieuse et elle travaille comme quatre. D'ailleurs, elle m'accompagne en Afrique pour ce voyage dont je t'ai parlé.

Jill s'efforça d'avoir l'air enchanté.

— Tu étais censé me dire qu'elle ne vaut pas tripette et que tu serais prêt à n'importe quoi pour que je revienne.

Irving parut surpris. Le garçon leur ayant apporté leurs consommations, Jill leva son verre.

— Tchin !

— Tchin ! répéta Irving en trinquant. Tu parles sérieusement ? Tu veux vraiment revenir ?

Elle prit une profonde inspiration.

— Eh oui, répondit-elle avec un petit rire nerveux. Encore que je n'avais pas l'intention de lâcher ça tout à trac dès le début de la conversation. Je pensais que nous bavarderions d'abord à bâtons rompus.

— Papotages et badinage n'ont jamais été ton fort. Cela faisait partie de ton charme.

— Mais n'oublie pas que j'étais une de vos meilleures réalisatrices.

— C'est vrai, reconnut-il de bonne grâce. Sans discussion possible. (Suivit un silence embarrassé.) Nous ferions peut-être quand même mieux de causer de la pluie et du beau temps pour commencer, conclut Irving avec un rire forcé.

— Voilà qui promet, rétorqua Jill, vaguement mal à l'aise.

— Dis-moi... (Irving avait de la peine à trouver ses mots)... euh... enfin, comment se fait-il... (Il renonça à tourner autour du pot.) Pourquoi ?

— Pourquoi quoi ?

— Pourquoi as-tu envie de remettre ça ? J'avais cru comprendre que ton boulot te créait toutes sortes de problèmes avec David : tes absences incessantes, tes horaires, ton goût pour les missions dangereuses. Il a changé ?

— C'est moi qui ai changé. (Elle regarda Irving droit dans les yeux.) Quand nous nous sommes connus, j'étais quelqu'un de brillant et de prestigieux qui se baladait aux quatre coins du monde, risquant les balles, pourchassant la corruption... enfin, n'importe quoi. J'avais une carrière! Une vie! J'étais une femme indépendante, dynamique. (Elle ménagea une pause théâtrale.) Maintenant, je suis une épouse.

— Un peu plus quand même. Tu es professeur.

— Non, Irving. Je ne suis pas professeur et tu le sais très bien! Tu m'as mise en garde quand je t'ai annoncé que je démissionnais et tu avais raison. Ça me rend folle de rester assise derrière cet idiot de bureau. J'ai besoin de mouvement.

— Et David? Qu'en pense-t-il?

— L'important, c'est ce que je pense, moi, affirma-t-elle avec une force dont elle fut la première surprise.

— C'est à cause de David que je t'ai déjà perdue une fois. Je ne peux pas me permettre de te reprendre pour que tu me fasses à nouveau faux bond dans quelques mois.

— Je ne sais franchement pas comment il verra les choses. Nous n'avons fait qu'effleurer le sujet. Il prétend que la décision m'appartient. Je suis sûre qu'il sera mécontent au début mais après tout, zut! J'étais réalisatrice quand nous avons fait connaissance. Je l'étais quand il est tombé amoureux de moi! Cela faisait partie de ce qu'il aimait en moi, et maintenant cette partie-là n'existe plus! Je ne comprends pas, continua-t-elle, réfléchissant tout haut. Voilà un homme marié à une femme qui a fait de lui le centre de sa vie, et pourtant il s'ennuie. C'est qu'elle est sans surprise. Son univers est insulaire, étriqué, sans rien d'exaltant. Il la quitte et en épouse une autre, une femme qui a un métier, un style, une vie bien à elle. Qui est tout ce que la première n'était pas. Et insidieusement, sans qu'on s'en aperçoive, il s'emploie à transformer cette image jusqu'à la rendre en tout point semblable à celle de la femme qu'il a abandonnée. Alors, il recommence à s'ennuyer et la boucle est bouclée. L'homme est toujours à la recherche de ce qu'il a détruit.

Irving lui lança un regard interrogateur :

— C'est un extrait de ton autobiographie que tu es en train de me raconter?

— Juste un scénario usé jusqu'à la corde et que je ne

veux pas vivre. (Elle but une longue gorgée de son Bloody Mary.) Me suis-je fait assez clairement comprendre ?

Irving vida son verre et fit signe au garçon de renouveler les consommations.

— Parfaitement. Bien sûr, je vois les choses sous une optique masculine. Tu te rappelles Cindy, je suppose ? D'où vient que le mariage opère un tel changement sur les gens ? Combien de temps ont duré mes relations avec Cindy avant que Janet accepte de divorcer ? Quatre ans ? Cinq ans ? Non seulement c'était la meilleure assistante que j'aie jamais eue, mais elle était exactement ce que tu disais : exaltante, dynamique, indépendante, intelligente. Et, à présent, cette jeune personne si brillante peut passer des heures à discuter des vertus comparées de diverses lessives. J'avais souffert pendant vingt ans de ce genre de conversations. J'ai laissé tomber Janet pour une femme qui aimait qu'on vienne la chercher à l'improviste pour l'emmener dîner à l'autre bout du monde, qui adorait les soirées qui ne s'achevaient qu'à l'aube et les décisions prises sur un coup de tête. Et me voilà affublé d'une femme qui donne le sein vingt fois par jour à un bébé et avec qui il faut prendre rendez-vous quinze jours à l'avance pour aller manger un hamburger au coin de la rue. J'ai retrouvé tout ce que j'avais quitté.

— David aussi.

— David, lui, a obtenu ce qu'il voulait.

— Il ne sait pas ce qu'il veut. Et, malheureusement, moi non plus !

Irving eut un rire sans joie.

— Finalement, personne ne sait ce qu'il veut. Qui a dit : « Méfiez-vous de vos désirs. Ils risquent d'être exaucés » ?

Jill sourit.

— Grace Metalious, répondit-elle, pensant à l'auteur de *Peyton Place*. Mais elle ne doit pas être la seule.

Cette fois, Irving s'esclaffa pour de bon.

— Qu'est-ce qui te fait rire ? s'étonna Jill.

— Toi. Tu es la seule personne que je connaisse qui

ait l'idée de répondre à une question de pure rhétorique. J'espère que David t'apprécie à ta juste valeur.

— Les hommes apprécient-ils jamais leur femme ? C'est une question de pure rhétorique, sois tranquille, s'empressa-t-elle d'ajouter. On commande quelque chose ? demanda-t-elle comme le garçon leur apportait leurs verres.

Irving secoua la tête.

— Je n'ai pas faim.

— Moi non plus. (Le garçon s'éloigna avec un haussement d'épaules.) Elle n'arrête pas de me regarder.

— Qui ça ?

— Susan je ne sais quoi, la fille parachutée de Los Angeles.

Irving jeta un coup d'œil vers le bar.

— On a dû lui dire qui tu es.

— Tu crois qu'elle est inquiète ?

— Tu sais, c'est un peu comme si en entrant dans un restaurant tu trouvais ton mari en train de déjeuner avec une autre femme.

— Toutes les femmes ne constituent pas obligatoirement une menace.

— Toutes les femmes ne courent pas après ton job.

— J'étais là la première, remarqua Jill sur un ton badin.

C'était mot pour mot ce qu'elle avait déjà dit à Nicole Clark. Tout à coup, l'argument lui parut terriblement puéril.

— Oui, mais tu as cédé la place. Il y a toujours quelqu'un qui attend dans l'ombre le moment de s'emparer de ce que les autres abandonnent.

La femme qui était assise au bar se leva et vint vers eux.

— Salut, Irving. Jill, sans doute ? fit-elle en lui tendant la main. Je viens d'apprendre que vous occupiez mes fonctions avant moi.

Irving fit les présentations :

— Jill Listerwoll. Mais tu préfères peut-être Jill Plumley ? (Jill secoua la tête avec indifférence.) En tout cas, elle, c'est Susan Timmons. Sur le pied de guerre pour lundi, Susan ?

— Mes valises sont faites et je suis bourrée de vaccins, répliqua joyeusement la jeune femme. Je ne suis jamais allée en Afrique, confia-t-elle à Jill. Je bous d'impatience.

— J'ai toujours rêvé de voir ce pays.

— Arrange-toi pour que David t'y emmène, suggéra Irving avec un peu trop d'empressement. Il faut bien qu'un avocat plein aux as dépense son argent quelque part.

— Il n'y manque pas, laissa tomber Jill qui songeait à Elaine.

— Bon... eh bien, j'espère que nous aurons l'occasion de nous revoir, dit Susan Timmons avec une amabilité qui paraissait presque sincère. On se retrouve au studio, Irving ?

— J'y serai dans quelques minutes.

Jill but encore un peu de son Bloody Mary. La tête lui tournait légèrement. Elle n'avait pas l'habitude de déjeuner de liquides alcoolisés et elle avait encore une multitude de choses à faire. Comment diable arriverait-elle à donner deux heures de cours avec toute cette vodka et ce jus de tomate sur l'estomac ?

— Ça va ? s'inquiéta Irving.

Elle prit le taureau par les cornes :

— Si je comprends bien, tu ne veux plus de moi ?

— Je ne demanderais pas mieux, Jill, répondit-il — et il était évident qu'il le pensait —, mais, pour le moment, nous n'avons besoin de personne.

— Et en free-lance ?

— Tu sais bien ce qu'en pense la direction. Il faudrait un reportage tout à fait spécial pour le faire réaliser par quelqu'un de l'extérieur.

Sentant que les larmes lui venaient aux yeux, Jill baissa la tête.

— Je suis navré, tu sais. Cela ne me plaît pas d'avoir à t'envoyer aussi brutalement sur les roses.

Jill s'était ressaisie.

— Tu n'y peux rien. J'ai pensé que je pouvais toujours essayer.

Irving lui prit la main.

— Je suis content que tu l'aies fait. Et, crois-moi, je ne

demande qu'à ce que tu reviennes. Écoute. Ce n'est pas du baratin. Tu sais toi-même comme tout change vite chez nous. Enfin, tu comprends ce que je veux dire...

— Si jamais quelque chose se présente, tu me feras signe ?

— Tu seras la première à qui je téléphonerai.

Jill sourit et vida son verre.

— Ma foi, c'est déjà un début.

— Mais tu ne diras pas non à ce moment-là ?

Son sourire s'accentua de façon perceptible.

— Je ne dirai pas non.

Le téléphone sonnait tandis qu'elle se battait avec ses clés. « Une minute ! cria-t-elle en laissant tomber ses paquets et en glissant enfin la bonne clé dans la serrure. J'arrive ! »

Elle se précipita en courant dans l'appartement. Le téléphone se tut.

— Pourquoi les gens renoncent-ils toujours au moment où l'on décroche ?, s'exclama-t-elle à haute voix en allant récupérer ses achats.

Après avoir refermé la porte, elle commença à ouvrir ses paquets, mettant à part le cadeau destiné à David — une chemise de soie dans des tons de bleu et de noir, avec de larges manches, genre artiste. Elle lui avait coûté les yeux de la tête mais elle lui plairait sûrement. Et elle lui irait tellement bien !

Elle jeta un coup d'œil à la pendule. Pas loin de 5 heures et demie. Le dîner était prévu dans une heure, la famille n'arriverait certainement pas en retard. Sauf, peut-être, le principal intéressé.

Elle était déjà fatiguée. Elle avait passé l'après-midi à courir sans rien d'autre dans le ventre que ses deux Bloody Mary. Elle avait besoin de quelques minutes pour reposer ses jambes lourdes et s'éclaircir les idées. Elle décida d'aller s'étendre un instant dans le bureau.

La sonnerie du téléphone retentit de nouveau. Naturellement ! Ou quand on est derrière la porte, ou au moment où on voudrait se reposer !

— Allô !

— Mais, ma parole, c'est notre infatigable petite fée du logis ?

En entendant la voix d'Elaine, Jill se réveilla instantanément.

— Que puis-je pour vous ? demanda-t-elle avec irritation.

Le souvenir de son coup de téléphone et de ses vœux matinaux ne l'incitait pas à faire des efforts d'amabilité pour cette femme avec qui elle semblait condamnée à devoir partager le reste de son existence. Quand il y a des enfants, le divorce n'est qu'un mot.

— Mon mari est là ?

— Votre ex-mari est encore au bureau.

— Je l'ai appelé là-bas. On m'a répondu qu'il était parti et ne reviendrait plus.

— Ah !

Jill essaya de ne pas paraître trop surprise. David avait-il pu se libérer plus tôt ? Il était peut-être sur le chemin du retour...

— Il recommence ses entourloupettes, c'est ça ?

Jill imaginait le sourire satisfait d'Elaine à l'autre bout du fil.

— Je lui dirai que vous avez téléphoné quand il rentrera.

Et Jill raccrocha, espérant effacer le sourire d'Elaine. Non, songea-t-elle en laissant son regard vagabonder vers la table de la salle à manger où tout était prêt pour le héros de la fête. Non, celle qui ne sourit pas, c'est moi. Elaine devait avoir le visage épanoui, dans sa cuisine toute neuve, équipée de pied en cap de gadgets ultra-modernes. Quelles que soient les circonstances, cette femme se débrouillait immanquablement pour lui donner l'impression qu'elle n'était bonne à rien.

Sur une soudaine impulsion, elle composa le numéro de David au bureau.

— Weatherby & Ross, j'écoute...

— David Plumley, s'il vous plaît.

La standardiste avait-elle reconnu sa voix ? Elle détestait les femmes qui passaient leur temps à relancer leur mari au bureau.

— M. Plumley s'est absenté. Il ne reviendra plus ce soir.

Elaine avait bien dit la vérité.

— Quand est-il parti ?

— Il y a vingt minutes environ.

— Savez-vous s'il rentrait chez lui ? Je suis sa femme.

— Il ne m'a rien dit, madame Plumley.

— Ah !... Bon, très bien. Je vous remercie.

Jill reposa le combiné et alla dans le bureau. S'il était parti depuis vingt minutes, David aurait déjà dû être là. A supposer qu'il ait eu l'intention de rentrer directement. Elle s'empara d'un geste rageur du journal du matin roulé en boule sur le fauteuil et s'assit, décidée à lire, décidée à se détendre. Au diable Elaine, songea-t-elle en se plongeant dans le carnet mondain. Bien sûr que David rentrerait directement. Elle parcourut la longue liste des faire-part de naissance. « C'est un garçon ! » criait l'un, immédiatement suivi d'un « C'est une fille ! » Rien là que de très normal. Elle passa à la rubrique nécrologique. Si seulement elle avait pu lire, rien qu'une fois : « C'est un cadavre ! »

Le téléphone sonna. Abandonnant le journal, elle se précipita pour répondre en se demandant d'ailleurs pourquoi elle se dépêchait comme ça. C'était sans doute encore Elaine.

— Allô !

La voix à l'autre bout du fil était calme mais on ne pouvait s'y tromper : elle était lourde d'angoisse.

— Jill ? Est-ce que je tombe à un mauvais moment ?

C'était indiscutablement la voix de quelqu'un qu'elle connaissait, mais elle était incapable d'y mettre un visage.

— Qui est à l'appareil ? demanda-t-elle, sentant bien qu'elle se montrait maladroite et sans cœur.

— Beth Weatherby. Je suis désolée, j'aurais dû m'annoncer...

— Mais pas du tout, c'est moi qui aurais dû vous reconnaître. (Pourquoi se répandaient-elles toutes les deux en excuses ?) Tout va bien ? Vous avez l'air un peu... bizarre.

— Non, non, ce n'est rien, fit Beth d'un ton qui lui

ressemblait déjà plus. Je vous ai appelée il y a un petit moment. Vous étiez sans doute sortie.

— Oui. En fait, j'étais en train d'ouvrir la porte quand...

— Je me demandais si nous ne pourrions pas nous retrouver quelque part pour prendre un café...

— Avec joie. Quand voulez-vous ?

Beth marqua une légère pause.

— J'avais pensé... maintenant.

— Maintenant ?

Jill jeta un coup d'œil à la pendule. Il était 6 heures. Ses invités devaient arriver d'ici une demi-heure.

— Je sais que le moment est mal choisi...

— Oh Beth ! Je suis absolument navrée mais c'est impossible. J'ai neuf personnes à dîner... la famille. C'est l'anniversaire de David...

— Bien sûr, je comprends. Ne vous mettez surtout pas martel en tête, je vous en prie. De toute façon, je ne m'attendais pas à ce que vous soyez libre.

— Vous avez des ennuis ?

— Mais non, absolument pas. Pardonnez-moi, je ne voulais pas vous inquiéter. Simplement, Al vient d'appeler pour me prévenir qu'il serait en retard. Si David avait dû rentrer tard, lui aussi, nous aurions pu prendre une tasse de café ensemble. C'est tout. Un petit rendez-vous démodé entre femmes, puisque je ne suis pas venue et que je ne vous ai pas vue mercredi. Vous me manquez. Mais on pourra faire ça une autre fois.

— Avec le plus grand plaisir. Pourquoi pas mercredi prochain après la séance ? Nous pourrions même dîner ensemble, aller au cinéma... je ne sais pas, moi.

— Excellente idée.

— Alors on fait comme ça ? On se retrouve mercredi à 4 heures chez Rita Carrington ?

— Entendu. Bye bye, Jill.

— Au revoir, Beth.

Jill raccrocha, nota le rendez-vous sur son agenda et s'élança au pas de course dans sa chambre pour se changer.

12

Ils venaient de finir le plat de résistance et Jill se demandait quelle décision prendre au sujet du gâteau, quand David rentra. Machinalement, elle regarda sa montre.

— Il est 8 h 10, marmonna son père installé sur le divan...

— Salut tout le monde ! fit David très à l'aise.

Il fut accueilli par un roulement sourd de vœux et de félicitations. Il se pencha sur Jill, assise très raide sur une des chaises apportées de la salle à manger, et l'embrassa.

— Désolé d'arriver si tard, mon chou, mais certains de mes confrères ont tenu à fêter mon anniversaire et à m'emmener prendre un verre.

— J'ai téléphoné au bureau vers 5 heures et demie, remarqua-t-elle. Deux heures et demie, ça représente un grand verre !

— Ma foi, il y en a peut-être bien eu deux ou trois...

Ou quatre... ou cinq, maugréa Jill dans son for intérieur. Elle était furieuse mais s'efforçait de le cacher. C'était dégoûtant de la part de David d'arriver à une heure pareille, de lui faire rater son dîner — tout desséché pendant qu'on l'attendait —, de la placer dans une situation ridicule devant ses parents et sa belle-mère (laquelle pensait, cela sautait aux yeux, que rien n'avait changé depuis qu'il avait divorcé). Assise en sandwich sur le divan entre la mère et le père de Jill, elle la regardait comme pour lui conseiller de ne pas insister. Conseil qu'elle avait déjà dû donner à Elaine, autrefois. Jill la fusilla du regard — un regard qui proclamait : Je ne suis pas comme elle. Notre couple est tout à fait différent. Tout à fait. Il ne me traite pas du tout comme il traitait Elaine.

Elle crut soudain entendre la voix de celle-ci lui souffler à l'oreille : « S'il m'avait traitée comme il vous traite... » Jill secoua vivement la tête pour la faire taire. Je ne t'ai pas invitée, toi, lui intima-t-elle silencieusement, et, chassant ses insinuations de son esprit, elle s'adressa à son mari.

— Tu veux dîner maintenant ?

— Non. Je n'ai pas très faim, j'ai mangé comme quatre à midi. Je prendrai juste un peu de gâteau et du café. Excusez-moi tous une minute, le temps de me changer.

— A ton aise, fit Jill sur un ton empreint de sarcasme. Nous avons pris goût à t'attendre.

Un instant désarçonné, David sourit d'un air gamin, embrassa sa fille, ébouriffa les cheveux de son fils et disparut dans la chambre.

Plusieurs secondes s'écoulèrent. Jill se leva brusquement. Elle était dans une rage telle qu'elle avait envie de pleurer, ce qui ne faisait que redoubler sa fureur. Non, elle ne voulait pas pleurer : elle voulait crier, hurler, faire une scène.

— Pardonnez-moi un instant.

En sortant, elle entendit Jason s'exclamer :

— Oh oh ! Ça va p-péter des f-flammes !

David était en train d'enlever son veston quand elle entra dans la chambre. Elle ne lui laissa pas le temps de se retourner :

— Je ne te comprends pas, commença-t-elle d'emblée. (Elle le vit se raidir.) Tu savais qu'on donnait une petite soirée en ton honneur. Tu savais que j'avais invité toute la famille, que j'avais préparé un menu spécial, que je m'étais décarcassée pour que tout soit réussi. Je t'avais même demandé de ne pas être en retard. Et qu'est-ce que tu fais ? Tu arrives à 8 heures quand tous les autres sont là à t'attendre depuis 6 heures et demie, et tu as le culot de marmonner que tu as fêté ton anniversaire avec des confrères ! Tu n'as pas même l'excuse d'une bon Dieu de réunion, de quelque chose d'important. Non ! Juste quelques misérables verres !

— Tu as fini ? demanda David, glacial.

— Non, je n'ai pas fini ! Comment as-tu pu manger comme un goinfre à midi alors que tu savais que je mettais les petits plats dans les grands pour le dîner ? Tu n'as donc aucune considération pour moi ?

Jill s'effondra en larmes sur le lit. David alla fermer la porte de la chambre.

— Si tu n'y vois pas d'inconvénient, je préférerais que cela reste entre nous.

— Qu'est-ce que ça change ? Ils ne se font aucune illusion sur ce que nous sommes en train de faire.

David ôta sa chemise, la lança sur le lit à côté de son veston et en sortit une autre, moins habillée, de la penderie.

— Écoute-moi, Jill. Je suis désolé mais je n'ai pas pu faire autrement. J'ai été coincé. Toute une bande de types ont surgi dans mon bureau au moment où je m'apprêtais à partir et ils m'ont quasiment enlevé de force. Je pensais que j'aurais quand même largement le temps de rentrer à l'heure mais tu sais ce que c'est, un verre en entraîne un autre. La journée avait été épuisante — la mère Rickerd est en train de me rendre fou avec son divorce — et j'avais besoin de lâcher de la vapeur. C'est idiot, c'est dégoûtant vis-à-vis de toi, tu as parfaitement raison, mais c'est ce qui s'est passé. Et ce qui est fait est fait. Cela mérite-t-il vraiment une scène ? Après tout, c'est mon anniversaire ! conclut-il en essayant de sourire.

— Tu arrives à me donner l'impression que c'est encore moi qui devrais te présenter des excuses, fit Jill en grimaçant à travers ses larmes. Mais tu ne m'as toujours pas expliqué pourquoi tu as fait un déjeuner aussi copieux.

— J'avais faim, répondit David sur un ton penaud. C'est bien simple, je crevais de faim. (Il baissa la tête et poussa un soupir.) Jill, viens ici.

Elle se leva.

— Viens, répéta-t-il.

— David...

Elle s'approcha avec réticence et il la prit dans ses bras.

— Oh ! Jill, je t'aime tant, murmura-t-il en lui effleurant doucement les cheveux de ses lèvres. Je suis navré d'être rentré si tard. Vraiment navré. Je n'ai tout simplement pas réussi à m'éclipser à temps. Comprends-moi et ne sois pas fâchée. Je t'aime.

— Ta fille n'a rien mangé.

A quoi bon s'obstiner dans la colère ? Elle ne réussirait qu'à mettre tout le monde dans l'embarras et à gâcher la fin de la soirée. D'ailleurs, elle avait obtenu ce qu'elle voulait : David lui avait fait des excuses.

— Elaine l'a probablement gavée de biscuits et de lait avant son départ.

— Oh ! à propos, elle a appelé.

— Je ne veux pas le savoir.

Jill sourit.

— Ta sœur et son mari ont beaucoup apprécié le bœuf Stroganoff. D'après ce que j'ai cru comprendre, ils en ont justement mangé un fabuleux chez des amis il y a quelques jours.

— Apparemment, c'est le plat à la mode. Viens là.

— Mais je suis là.

— Non, ici, dit-il en posant un doigt sur ses lèvres.

Il l'embrassa tendrement.

— Tu mets un autre pantalon ? lui demanda-t-elle en se dégageant.

— Oui. Tu n'as rien contre les jeans ?

— Évidemment non. (Haussant les épaules, elle s'empara de la veste de David abandonnée sur le lit avec l'intention de la ranger.) Qu'est-ce que c'est que ça ? demanda-t-elle, en ramassant quelque chose qui avait glissé de sa poche.

— Une carte d'anniversaire, répondit David tout en changeant de pantalon. De la part de quelques types du bureau.

— Ceux avec qui tu es allé prendre un pot ?

— Tout juste.

Jill ouvrit l'enveloppe. C'était une banale carte de vœux agrémentée de six signatures. La dernière lui sauta immédiatement aux yeux, occultant toutes les autres : *Nicki.*

— Tu ne m'avais pas dit que Nicole Clark était avec vous.

Jill sentait la colère renaître en elle.

Le silence se prolongea plusieurs secondes.

— Cela ne me semblait pas mériter une mention particulière, laissa enfin tomber David. Je ne t'ai pas non plus cité le nom des autres.

— Tu as dit : « Certains de mes confrères ».

David leva les bras au ciel en signe de capitulation.

— Eh bien, tu vois, je la considère aussi comme un confrère. Allons, Jill, de la mesure. Ce n'est pas comme si j'avais été seul avec cette fille. (Elle secoua la tête d'un air lugubre.) J'espère que tu as oublié cette stupide histoire et que tu ne penses plus qu'elle veut m'épouser. (C'était une affirmation, pas une question.) Ça ne te va pas d'être jalouse.

— Je ne suis pas jalouse, je suis folle de rage ! Je n'ai pas le droit, peut-être ?

— Ta colère était passée avant que je ne parle de Nicki.

— Tu ne m'as pas parlé d'elle ! C'est ce qui me met en rage.

David la dévisagea. Jill reconnut ce regard : c'était son regard de père patient.

— Tu ne trouves pas que tout cela est un peu ridicule ? Ça suffit. Je suis rentré maintenant. Ce n'est pas ce que tu voulais ? (Il eut un sourire contrit.) Je ne rajeunis pas, tu sais.

De nouveau, Jill s'abandonna dans ses bras.

Le reste de la soirée fut aussi catastrophique que le début. D'abord, le gâteau de Jill n'était pas assez cuit au centre et tout le monde se crut obligé d'y aller de son commentaire. Puis Renée, la sœur de David, eut un violent accrochage avec sa mère et elle partit en compagnie de son mari avant même que David eût ouvert ses paquets. Il trouva tous ses cadeaux également affreux — (« Non mais, qu'est-ce qui t'a pris, Jill ? » s'écria-t-il en remettant sans cérémonie la chemise de soie dans sa boîte.) Et Elaine téléphona pour demander si Jason et Laurie pouvaient passer la nuit et la majeure partie du week-end avec leur père.

Les parents de Jill prirent congé à 10 heures et, à 10 heures et demie, David descendit pour reconduire sa mère. Jason se précipita instantanément sur la télévision et le téléphone, faisant de l'une et de l'autre un usage simultané, tandis que Laurie aidait Jill à débarrasser et à ranger. En la regardant empiler les assiettes sales dans le lave-vaisselle, Jill remarqua que les os de la fillette saillaient sous son chemisier.

— Tu n'as presque rien avalé, lui dit-elle.

— Le gâteau n'était pas assez cuit.

Jill soupira.

— Je sais. Je parlais en général. Tu n'as pas mangé grand-chose en dehors du gâteau.

— Si, j'ai mangé.

— Non. Je t'ai observée. Tu n'as fait que pignocher dans ton assiette du début à la fin du repas.

Laurie haussa les épaules.

Jill décida de tenter un nouvel essai :

— Laurie, est-ce que tout va bien ?

— Qu'est-ce que tu veux dire ?

— Est-ce que tu te sens en bonne santé ? Est-ce que tu es heureuse ?

— Lequel des deux ? demanda Laurie.

— Eh bien, commençons par la première question. Tu es en forme ?

— Bien sûr.

— Pas de douleurs nulle part ?

Laurie haussa ses épaules osseuses pour la seconde fois en l'espace de deux minutes et Jill eut l'impression qu'elle rougissait imperceptiblement.

— Tes règles ? Ça se passe bien ?

Laurie détourna les yeux et garda le silence. Sentant que c'était peut-être là le problème, Jill insista sans trop en avoir l'air.

— Je me rappelle quand j'ai commencé à avoir les miennes. C'était affreusement douloureux. Je devais parfois rester couchée toute la journée. Ma mère me répétait tout le temps que cela s'arrangerait en grandissant. Elle avait raison.

— La mienne dit que c'est une malédiction, murmura Laurie en lui tournant le dos.

— Mais non ! Absolument pas ! protesta Jill avec véhémence. C'est quelque chose de merveilleux, au contraire. Cela signifie que tu mûris. Que tu es en train de devenir une femme.

Laurie fit brusquement volte-face.

— Je vais très bien. Je n'ai mal nulle part. Et mes règles ne te regardent pas.

Cette violente rebuffade fut pour Jill un choc presque physique.

— Et à la maison, ça va ? demanda-t-elle d'une voix douce.

— Ma mère fait installer une nouvelle piscine. Elle sera terminée à la fin de la semaine prochaine.

— Juste à temps pour l'automne. (Jill s'efforçait de prendre un ton léger.) Elle voit toujours Ron Santini ?

— Oui.

— Tu l'aimes bien ?

— Il est sympa.

— Il est gentil avec toi ?

Laurie parut perplexe.

— Il est sympa, répéta-t-elle.

— Ta mère s'entend bien avec lui ?

La réponse fut cinglante :

— Elle ne va pas l'épouser, si c'est ce que tu veux savoir.

— J'essaie simplement de savoir ce qui te tracasse.

— Il n'y a rien qui me tracasse.

— Alors, pourquoi ne manges-tu pas ?

— Si, je mange ! Tu ne pourrais pas me laisser tranquille, non ?

Laurie sortit en trombe de la cuisine et s'écroula sur le divan du séjour en reniflant pour retenir ses larmes. Jill vint s'asseoir auprès d'elle.

— Je ne veux pas te faire pleurer, mon petit, dit-elle en lui caressant le bras. Je voudrais pouvoir t'atteindre, te toucher...

— Tu touches déjà mon père ! Ça ne te suffit pas ?

Jill retira sa main et se remit debout en exhalant un profond soupir.

— Ah ! c'est donc cela ? Tu ne m'as pas encore pardonné d'avoir épousé ton père ?

— Je ne veux pas parler de ça.

— Il faudra bien en arriver là un jour ou l'autre.

— Pourquoi ?

— Parce que j'aimerais que nous soyons amies toutes les deux.

— J'ai suffisamment d'amis comme ça. Je n'en ai pas besoin d'autres.

— Écoute-moi, Laurie. Je n'ai pas envie d'être brutale avec toi mais il faut regarder les choses en face. Le fait est que je suis mariée avec ton père. Et j'ai bien l'intention de le rester. Tout ce que j'essaie de te dire, c'est ceci : si tu es malheureuse parce que ton père m'a épousée, il faudra que tu te fasses une raison. J'aime David et, que tu le croies ou non, il m'aime. Et il t'aime aussi, tu le sais très bien.

— Je ne le vois jamais.

Cette fois, Laurie ne pouvait plus retenir ses larmes. Jill se rassit à côté d'elle.

— Tu n'es pas la seule. Il est très absorbé par son travail actuellement. Tu te rends compte ? Un homme qui arrive en retard à son propre dîner d'anniversaire ! (Elle prit les deux mains de Laurie dans la sienne.) Mais cela fait partie de ce dont nous parlions tout à l'heure dans la cuisine. C'est ça, grandir. Reconnaître qu'il y a dans la vie un certain nombre de choses que l'on doit accepter et faire en sorte que tout le reste se passe le mieux possible. Te laisser périr d'inanition ne te mènera nulle part.

Laurie lui arracha ses mains avec une telle violence que Jill, sur le moment, crut qu'elle allait la frapper. Mais Laurie se releva d'un bond et se mit à marcher de long en large.

— Tu ne peux pas la boucler et me laisser tranquille ? hurla-t-elle d'une voix stridente, à la limite de l'hystérie. Nous ficher la paix à tous ? Tu as démoli l'existence de tout le monde. Tu m'as volé mon père. Ma mère est malheureuse. Elle pleure — qu'est-ce qu'elle peut pleurer ! —

et tout ça à cause de toi. Elle se donne tant de mal pour essayer d'oublier mon père qu'elle n'a plus le temps de s'occuper de moi. Personne n'a le temps de s'occuper de moi.

Elle sanglotait, maintenant, et son corps gracile oscillait comme une liane dans la tempête.

Sans bouger de place, Jill lui tendit les bras.

— Moi, j'ai le temps, Laurie.

L'enfant amorça un pas dans sa direction.

— Vous ne pouvez pas faire moins de bruit ? cria Jason qui était dans le bureau. J'entends pas la télévision.

En entendant la voix de son frère, Laurie se renferma dans sa coquille. Elle redressa les épaules et essuya vivement ses joues barbouillées de larmes. Et nous voilà revenues au point de départ, se dit Jill.

— Tu n'as qu'à lâcher le téléphone, lança-t-elle avec irritation à Jason.

Revenant à Laurie, elle aperçut chez elle certains traits de sa mère. C'était étrange mais elle n'avait jamais imaginé Elaine en train de pleurer. Après tout, se surprit-elle à penser, cette femme est un être humain, pas seulement une machine à calculer. L'idée lui parut déconcertante.

— Est-ce que tu crois que tu trahirais ta mère si tu devenais mon amie ?

— Je t'ai déjà répondu. J'ai assez d'amis comme ça, je n'en ai pas besoin d'autres.

Jill se leva.

— Je ne t'importunerai plus, Laurie. Je ne te poserai plus de questions personnelles, je ne ferai plus de commentaires sur ce que tu manges ou ne manges pas. Mais je veux que tu saches que je serai toujours là si jamais tu avais envie de parler — de n'importe quoi — ou si un jour tu avais envie d'avoir une amie de plus. Désormais, la balle est dans ton camp. Maintenant, je vais me coucher. Je suis fatiguée. Débrouille-toi avec Jason pour savoir qui dormira sur le divan et qui prendra le lit pliant. Je vais vous laisser des draps et des couvertures dans l'entrée. Et dis à Jason de raccrocher ce fichu téléphone, ajouta-t-elle avant de sortir.

Il était un peu plus de 11 heures et demie quand elle entendit la clé cliqueter dans la serrure. Puis David se glissa dans la chambre sur la pointe des pieds et commença à se déshabiller dans le noir.

— Ce n'est pas la peine, je ne dors pas, lui dit Jill.

— Oh ! tu m'as fait peur !

Elle remarqua que la voix de son mari était tendue.

— Désolée. Je voulais simplement dire que tu n'avais pas besoin de prendre tant de précautions. Tu ne me déranges pas. Tu peux même allumer si tu veux.

— Non, c'est inutile, répondit-il en s'approchant du lit.

— Où étais-tu ? Il est tard.

— Ma mère n'habite pas la porte à côté. Et elle avait envie de parler.

Il se coula entre les draps et l'attira contre lui.

— De quoi ?

— De quoi ? répéta-t-il avec un petit rire. De son fils qui devrait être plus attentionné envers son épouse. On peut dire que vous, les femmes, vous vous tenez les coudes !

Jill commença à le caresser.

— Tu veux faire l'amour ? demanda-t-elle, sentant qu'il se rétractait.

— Les gosses...

— Ils ne dorment pas ?

— Je pense que si.

— Alors ?

— Alors, je ne me sentirais pas à l'aise en faisant l'amour si près d'eux...

— C'est ridicule !

— Peut-être, mais c'est comme ça. Écoute, Jill, je suis fatigué. J'ai eu une rude journée et j'aimerais bien dormir un peu cette nuit si tu n'y vois pas d'inconvénient.

— Je suppose que tu n'as pas envie que je te parle de ma journée à moi ?

— Pour être tout à fait franc, je n'en ai effectivement pas envie. Excuse-moi, Jill, mais je suis vraiment crevé. (Il se dressa brusquement sur son séant et flanqua un coup de poing à l'oreiller.) Bon ! Vas-y ! Raconte-moi ta journée puisque tu y tiens tant.

— C'est sans importance.

— Oh mais non ! J'insiste. Je veux que tu me la racontes.

— Eh bien, j'ai vu Irving. Il m'a dit qu'il n'y a rien pour moi en ce moment.

— Tu t'en doutais bien, tu me l'as dit toi-même.

— Pas la peine d'avoir l'air si satisfait.

— Excuse-moi, ce n'était pas mon intention. Et puis ? demanda-t-il d'un ton aigre. Que t'est-il arrivé d'autre ?

— Je me suis disputée avec Laurie.

— A quel propos ?

— Parce qu'elle ne mange rien, parce qu'il se trouve que je suis la femme de son père, parce qu'elle me déteste.

— Oh Jill ! soupira David d'une voix lasse, laisse cette gamine tranquille. Elle traverse une crise, c'est tout. Il y a quelques années, elle était dodue comme une caille. Maintenant, si tu ne me laisses pas dormir, je t'étrangle.

— Bon, je sais comprendre à demi-mot.

Elle ferma les yeux. Demain, tout irait mieux.

Le téléphone sonna.

— Allons bon, qu'est-ce qui se passe encore ! s'exclama-t-elle en décrochant. Si c'est Elaine, elle va trop loin et, cette fois, je ne le lui enverrai pas dire ! Allô !

— Pourrais-je parler à David, je vous prie ? fit à l'autre bout du fil une voix rauque qu'elle reconnut immédiatement.

— Il est près de minuit !

C'était vraiment dépasser les bornes ! Non seulement elle avait empêché David de rentrer à l'heure pour dîner, mais maintenant voilà qu'elle avait le culot de s'immiscer dans leur intimité ! Trop, c'est trop !

— Je sais parfaitement l'heure qu'il est. Pourrais-je parler à David, s'il vous plaît ?

— Qui est-ce ? demanda-t-il.

Jill lui tendit l'appareil sans répondre.

— Qui est-ce ? répéta David.

Mais que pouvait-elle bien vouloir, justement maintenant ?

— Allô ! Qui est à l'appareil ?... Nicki ! Qu'est-ce qui se passe ?

Dans le silence qui suivit, Jill vit l'expression de son mari passer en quelques minutes de la perplexité à l'inquiétude, puis à la consternation.

— Mon Dieu ! Quand est-ce arrivé ? Pourquoi ne m'a-t-on pas prévenu plus tôt ? Qui diable occupait la ligne ? demanda-t-il à Jill.

— Jason, balbutia-t-elle, alarmée par son ton. Il a été je ne sais combien de temps pendu au bout du fil.

Mais David ne l'écoutait pas.

— Je n'arrive pas à y croire. Mort ?

— Qui est mort ? voulut savoir Jill.

— Où l'a-t-on emmenée ?

— Qui ça ?

— Comment ? D'accord. Quoi ? Oui, j'y serai à la première heure. Hein ? Ne dites pas de bêtises, vous n'avez aucune raison de vous excuser. Mais oui, vous avez très bien fait d'appeler. A demain.

David laissa retomber le combiné sur le lit. Jill le reposa sur la fourche.

— Qui est mort ? demanda-t-elle de nouveau.

— Al Weatherby, répondit-il, comme s'il n'y croyait pas lui-même.

— Al ? Mort ? Ce n'est pas possible ! Comment, pour l'amour du ciel ?

— Assassiné.

— Qu'est-ce que tu dis ?

— Beth est à l'hôpital. L'hôpital général. Apparemment, le meurtrier d'Al ne l'a pas épargnée non plus.

— Beth ! Mais c'est insensé !... Je l'ai eue au téléphone tout à l'heure ! Non, c'est impossible ! (Jill se leva et se mit à faire les cent pas dans la chambre.) Il faudrait peut-être faire un saut à l'hôpital ?

— La police interdit toutes les visites jusqu'à demain matin. D'après Nicki, cela s'est passé autour de 10 heures, ce soir. C'est Don Eliot qui l'a avertie. Tout le monde a essayé de me joindre mais la ligne était constamment occupée. C'est incroyable, ajouta-t-il en secouant la tête.

— Est-ce qu'on a prévenu leurs enfants ?

— La police a dû s'en occuper.

Jill s'assit au bord du lit.

— Est-ce que... Nicole t'a dit comment c'est arrivé ? Et qui a fait ça ?

— Personne n'en a la moindre idée. Tout ce qu'on sait, pour le moment, c'est qu'Al Weatherby est mort et que Beth a été transportée à l'hôpital.

13

Le vestibule de l'hôpital grouillait de policiers. L'ascenseur bondé s'arrêta au sixième étage et on conduisit les Plumley jusqu'à la salle d'attente, où on les pria de patienter.

L'espace d'un instant, Jill eut l'impression de se retrouver dans les bureaux de Weatherby & Ross. Presque tout le cabinet était là et tout le monde se leva pour accueillir David, comme si on comptait sur lui pour remettre en place les pièces du puzzle. Presque toutes les femmes, et même des hommes, pleuraient ouvertement. Un policier s'approcha de David pour lui faire décliner son identité et lui demander quels étaient ses liens avec le défunt. Jill prit brusquement conscience du nombre impressionnant d'agents qui battaient la semelle dans cette pièce relativement petite. Elle en compta six en tenue, mais il y en avait probablement d'autres en civil.

Tout le monde parlait en même temps, essayant de comprendre ce qui était arrivé. Les journaux du matin, dont plusieurs exemplaires déployés encombraient les tables, ne faisaient que confirmer, noir sur blanc, sans apporter aucune lumière supplémentaire, qu'Al Weatherby, l'un des plus éminents juristes de Chicago, avait été sauvagement assassiné et que d'importantes fractures du crâne lui avaient été infligées à l'aide d'un instrument contondant. Quant à Beth Weatherby, elle était en état de choc, victime de blessures multiples à la tête et sur tout le corps. Elle avait de la chance d'être encore en vie. Qui avait pu commettre un acte aussi effroyable ? Et pourquoi, au nom du ciel ?

— Pourriez-vous me donner votre nom, s'il vous plaît ?

Le jeune policier qui l'interrogeait n'avait sûrement pas plus de vingt et un ans. Jill jeta un rapide coup d'œil sur les autres. Ils avaient l'air d'avoir tous à peu près le même âge. Des bébés. Mais peut-être que plus elle avançait en âge, plus les gens lui paraissaient jeunes ? Pour l'heure, elle se sentait aussi vieille que Mathusalem, sinon plus. Elle n'avait pas fermé l'œil de la nuit après le coup de téléphone de Nicole.

— Jill Plumley.

Elle ne savait pas très bien combien de temps s'était écoulé entre la question et sa réponse.

— Ce monsieur est votre mari ? s'enquit le policier en désignant David du doigt. (Elle opina.) Êtes-vous aussi avocate ?

— Non, je travaille pour... (Elle s'interrompit. Elle allait dire « Je travaille pour la télévision ».) Je suis professeur. Je ne peux pas y croire, murmura-t-elle, convaincue que le jeune homme avait entendu des dizaines de fois la même phrase depuis le début de la matinée. Quand je pense que j'ai parlé à Beth pas plus tard qu'hier après-midi !

— Comment ?

Le policier changea aussitôt d'attitude ; il se redressa et son œil s'alluma.

— Je disais que je lui ai parlé hier après-midi.

— A quelle heure ?

— Vers 5 heures et demie. Avant 6 heures, en tout cas.

Le policier nota hâtivement le renseignement.

— Excusez-moi une minute...

Il sortit dans le couloir et Jill le vit s'entretenir avec un homme plus âgé, en civil, qui se tourna aussitôt vers elle, puis il la rejoignit sur les talons de l'agent.

Devinant qu'il se passait quelque chose, David, qui était en conversation avec des confrères, s'approcha d'eux.

— Qu'y a-t-il ? demanda-t-il.

Le policier en civil se présenta aimablement :

— Capitaine Keller. Madame Plumley, n'est-ce pas ?

— Oui.

Jill sentait que les regards commençaient à se concentrer sur elle.

— J'apprends par l'officier de police Rogers que vous vous êtes entretenue avec Mme Beth Weatherby, hier après-midi.

— Entre 5 heures et demie et 6 heures, en effet.

— Puis-je vous demander à quel sujet ?

Le silence s'était fait dans la pièce et, prenant conscience qu'elle était au centre de l'attention générale, Jill se sentit subitement mal à l'aise, comme si elle se trouvait sur un plateau avec, tout autour d'elle, des caméras enregistrant chacun de ses mouvements. Et c'était là un rôle qu'elle n'aimait guère. Elle préférait, de beaucoup, diriger les opérations. (O.K. ! Rick, tu vois le policier grand et maigre près de la porte ? Essaie de le faire s'approcher de la fenêtre quand nous lui parlerons. Et tâche d'avoir l'arbre dans le champ, ça donnera un peu de couleur à la scène.) Derrière sa caméra, elle pouvait aller au cœur des choses sans se compromettre directement. Mais à présent, elle se sentait nue, vulnérable et un peu gourde. Après tout, même si ce qu'elle avait à dire n'était pas d'une importance capitale, c'était un fait nouveau et ils s'en contenteraient.

— Elle m'a téléphoné pour me demander si je pouvais prendre un café avec elle, répondit-elle simplement. J'ai été obligée de refuser. J'avais un dîner à préparer.

— Elle voulait vous voir tout de suite ?

— Oui. (Jill garda le silence, le temps de se rafraîchir la mémoire.) Elle m'a semblé très bizarre, reprit-elle, se rappelant maintenant tous les détails qu'elle avait évité d'approfondir la veille. En fait, je n'ai même pas reconnu sa voix immédiatement. Elle paraissait... effrayée.

Oh ! mon Dieu ! L'assassin était-il présent à ce moment-là ? Non. Beth voulait la voir sur-le-champ. Le tueur ne l'aurait pas laissée sortir pour prendre un café avec une amie !

— Elle vous a dit qu'elle était effrayée ?

— Non. Elle m'a simplement proposé de la rencontrer. Je lui ai demandé si elle avait des ennuis. Elle m'a assuré que non, mais que son mari allait rentrer tard et que nous aurions pu en profiter pour bavarder. Elle m'a dit ça d'une voix tout à fait normale. C'est seulement au début de la conversation que je l'ai trouvée... drôle.

— Elle vous a précisé que son mari rentrerait tard ?

— Oui. Finalement, nous avons pris rendez-vous pour mercredi.

— Rien d'autre ?

— Non, rien d'autre.

— Beth Weatherby est-elle une très bonne amie à vous, madame Plumley ?

— Nous sommes amies, oui. Nous jouons au bridge ensemble et nous suivons le même cours de gymnastique. Je l'aime beaucoup. Est-ce qu'elle va se remettre ?

Jill essaya en vain de tirer un renseignement de l'expression du capitaine Keller.

— Je vous remercie, madame Plumley. Il se peut que nous ayons à vous entendre à nouveau.

Il sortit et David secoua la tête.

— Pourquoi ne m'as-tu pas dit que Beth t'avait paru effrayée hier, au téléphone ?

— Je n'y ai tout bonnement pas pensé. Tu crois que ça pourrait avoir un rapport ? ajouta-t-elle avec incrédulité.

— Ça me fait l'effet d'être un peu plus qu'une coïncidence, répondit-il, légèrement sarcastique.

— David...

La voix était douce mais tout aussi rauque que cette nuit, au téléphone. Jill se retourna au moment précis où Nicole fondait en larmes dans les bras de son mari. Elle n'en crut pas ses yeux : devant tout le monde, il serrait une autre femme dans ses bras ! Bien sûr, personne ne pouvait se douter que cette scène avait d'autres résonances. Rien de plus normal que de voir cette jeune femme émotive, atterrée par la mort d'un homme aimé de tous, chercher un réconfort auprès de celui que tous les autres avaient d'ailleurs pareillement embrassé. Jill se sentit gênée. Comment pouvait-elle se montrer d'une jalousie aussi mesquine en un tel moment ? L'associé et ami de son mari avait été sauvagement assassiné, sa femme était on ne savait jusqu'à quel point grièvement blessée, et son seul souci, à elle, c'était de savoir si le contact du jean étroitement moulant de Nicole Clark faisait ou non bander David !

Il se dégagea doucement de l'étreinte de la jeune femme.

— Tu n'as pas un kleenex, Jill ?

Jill fouilla dans son sac et en sortit une poignée de mouchoirs en papier froissés.

— J'espère qu'ils n'ont pas servi.

Ce fut avec ahurissement qu'elle vit David essuyer les yeux ruisselants de Nicole. Si, j'espère bien qu'ils ont déjà servi ! rectifia-t-elle rageusement dans son for intérieur. Pourquoi David en faisait-il tellement ? Elle ne se rappelait pas qu'il lui eût essuyé ses larmes, à elle ! Il est vrai qu'elle n'avait pas pleuré. Elle était trop assommée pour cela.

— Davey ! Nicki ! Comment ça va ?

Jill se retourna. C'était Don Eliot qui se précipitait sur son mari et sur Nicole. Le drame qui se jouait n'avait en rien modifié son style vestimentaire : il portait un jean collant, une chemise blanche sur laquelle tranchait une cravate verte, et des sandales. Il s'entretint un bon moment avec eux avant de remarquer sa présence.

— Salut, Jilly, fit-il alors en lui serrant la main.

— Salut, Don. Vous avez du nouveau ?

— Ma foi, j'ai vu Beth cette nuit quand ils l'ont hospitalisée, mais dans l'état de choc où elle était, elle ne pouvait rien dire. J'ai parlé aux policiers, mais il est encore trop tôt pour leur arracher quelque chose. D'après le médecin de garde et l'inspecteur, elle aurait repris conscience et ils vont essayer de l'interroger.

— Ses enfants sont là ?

— Sa fille est en route. Son fils aîné est arrivé de New York dans la nuit. Il est auprès d'elle. Mais on n'a pas encore réussi à joindre Michael.

— Vous ne pensez pas que c'est lui qui a fait ça, Don ?

Jill songeait soudain à la rupture qui s'était produite entre Al et son plus jeune fils, depuis que celui-ci avait laissé tomber ses études pour revêtir une robe safran et se faire raser le crâne.

Don Eliot se rembrunit.

— C'est une hypothèse.

— Oh ! mon Dieu !

Hier, Beth avait tout pour être heureuse. Un mariage réussi, un mari merveilleux, une existence agréable. Aujourd'hui, il ne lui restait plus rien. Surprenant comme les choses pouvaient changer du tout au tout du jour au lendemain. Une phrase que Beth elle-même lui avait dite lui revint à l'esprit : « Rien ne se passe jamais comme on l'avait prévu...

— Mais pourquoi ne nous laisse-t-on pas la voir ? s'insurgea Jill. Qu'est-ce qu'ils fabriquent depuis tout ce temps ? Pourquoi ne nous disent-ils même pas comment elle va ?

Personne ne répondit. Il ne restait plus que quelques personnes, dont Nicole Clark qui était allée chercher du café pour tout le monde.

— Je ne comprends pas ce qui se passe, poursuivit-elle. Pourquoi ne nous tient-on pas au courant ?

— Je suis sûre qu'ils nous donneront des nouvelles dès que ce sera possible, fit Nicole d'une voix douce.

Si elle continue à me faire du charme, je lui tords le cou, se dit Jill.

Au même instant, Don Eliot poussa la porte.

— Je suis content de vous trouver, Jilly. Les choses n'avancent pas. Impossible de lui tirer un mot. Elle ne réagit pas.

— Évidemment ! Elle est commotionnée. Un fou la roue de coups, tue son mari...

— Elle vous a téléphoné hier, n'est-ce pas ? Répétez-moi mot pour mot ce qu'elle vous a dit.

Jill fit de son mieux pour reconstituer la conversation.

— Elle voulait manifestement vous faire part de quelque chose, conclut Eliot. Dommage que vous ayez été obligée de refuser. (Il ménagea une pause suffisamment prolongée pour la culpabiliser.) Écoutez, Jilly, elle vous parlera peut-être maintenant. Je pense pouvoir obtenir que la police nous accorde quelques minutes de plus. Vous êtes d'accord pour essayer ?

— Bien entendu, murmura Jill. Si vous croyez que cela peut être utile...

Elle connaissait d'avance la réponse de Don :

— En tout cas, cela ne peut pas faire de mal.

Beth avait les yeux tuméfiés. De larges plaques marron, semblables à du fard mis à la diable, marbraient ses joues blêmes et son menton. Des pansements adhésifs cachaient son nez, ses pommettes, son front. Ses lèvres enflées — elles avaient deux fois leur taille normale — étaient à vif, et du sang séché lui maculait les oreilles. Pourtant, la femme qui gisait sur ce lit d'hôpital dont les couvertures remontées jusqu'au cou dissimulaient les autres plaies avait l'air si paisible que, sur le moment, Jill se demanda avec effroi si elle respirait encore, si on ne voulait pas la faire dialoguer avec un cadavre.

— Mon Dieu, Beth ! murmura-t-elle en s'approchant du lit. Qui vous a mise dans un état pareil ?

Beth Weatherby garda les yeux clos. Jill l'embrassa doucement sur le front, là où la peau était encore visible, et, volontairement, y laissa tomber quelques larmes.

— Oh ! je suis désolée ! balbutia Jill en pleurant. Absolument désolée...

Les paupières de Beth frémirent mais ne s'ouvrirent pas.

— Beth... C'est Jill. Je regrette tellement de ne pas vous avoir vue hier. (Elle renifla bruyamment pour essayer de couper court à ses larmes.) Tout ira bien, Beth, poursuivit-elle sur un ton mal assuré. On va trouver le coupable, et ce cauchemar prendra fin. C'est ce qu'il y a de bien avec les cauchemars, vous savez. On finit toujours par se réveiller.

Beth ouvrit brusquement les yeux et les fixa sur Jill. Ils faisaient plus que la regarder. Ils quêtaient quelque chose. Quoi ? Une réponse ? Mais à quelle question ? Un réconfort ? Mais qu'ai-je à lui offrir, sinon des banalités et des promesses creuses ? De l'aide ? Tout ce que vous voudrez, Beth, essaya-t-elle de lui faire comprendre silencieusement. Tout ce qui est en mon pouvoir.

— Je suis si fatiguée, murmura Beth d'une voix à peine audible.

— Je sais.

Ce n'était pas ce qu'il fallait dire. C'était stupide. Qu'est-ce qu'elle savait ?

— Ils m'ont fait mal...

— Qui ça ils ?

— Quand ils ont changé les pansements, articula lentement Beth. (Les mots passaient difficilement ses lèvres enflées.) Bien sûr, pas exprès. (Elle referma les yeux un bref instant, puis les rouvrit.) Oh ! Jill, j'ai si mal...

Jill essaya de parler mais les mots lui restèrent dans la gorge.

— Brian est là, reprit soudain Beth.

— Brian ?

Beth fit quelque chose qui ressemblait à un sourire.

— Mon fils... le médecin.

Elle souleva la tête et regarda autour d'elle, comme prise de panique.

— Il est allé prendre un café, dit Don Eliot qui attendait, debout, près de la porte. Voulez-vous qu'on aille le chercher ?

Beth laissa sa tête retomber sur l'oreiller.

— Lisa va arriver de Los Angeles. On n'a pas encore trouvé Michael. C'est ce qu'on m'a dit... Je ne suis pas sûre... (Sa voix n'était plus qu'une plainte.) Tous ces gens... toutes ces questions... quelque chose à propos d'Al. Ils n'arrêtent pas de répéter son nom. (Elle paraissait étonnée.) Pauvre Brian. Il a l'air tellement épuisé, tellement soucieux... C'est à cause de moi. Ce policier... Qu'est-ce qu'il m'a dit ?

— Vous devriez essayer de dormir, Beth. Nous parlerons plus tard, lui dit Jill.

— A propos d'Al. Quelque chose à propos d'Al. Je ne sais pas ce qu'il voulait. Mon Dieu ! Jill... Al est mort !

— Je sais.

Une larme coulait sur la joue de Jill.

— Al est mort, répéta Beth.

— Essayez de rester tranquille, fit Jill en lui caressant la main. On va retrouver l'assassin et le mettre hors d'état de nuire. Il ne vous fera plus de mal.

— Non, plus de mal, répondit-elle d'un ton serein.

Elle referma les yeux, sa respiration se fit peu à peu moins saccadée, plus égale, tandis qu'elle sombrait dans le sommeil.

Avant de sortir, Jill posa encore un baiser sur son front.

— J'ai bien peur de ne pas avoir été très utile, dit-elle à Don Eliot.

— Sait-on jamais ? Elle vous en a raconté plus qu'à n'importe qui. C'est déjà un commencement.

— Le commencement de quoi ? Je me le demande, fit Jill, accablée.

14

Mourir pour mourir, elle ne voulait pas que ce fût au beau milieu d'une vague de chaleur. C'était un peu fort d'obliger les gens à s'entasser dans une église non climatisée pour rendre les derniers hommages au défunt, quand la température extérieure dépassait 32°. Dieu seul savait quels sommets atteindrait le thermomètre dans l'église quand tout le monde serait rassemblé!

Jill se demanda si Beth viendrait. Elle était sortie de l'hôpital la veille, hors de danger mais étrangement silencieuse. Elle ne parlait à personne, dormait des heures entières et ne permettait qu'à sa fille et à ses fils (on avait finalement réussi à retrouver le plus jeune) de s'occuper d'elle. D'après Don Eliot, elle ressemblait à un zombie. Il n'avait pas pu lui tirer le moindre renseignement, et les médecins craignaient qu'elle ne sorte pas avant des mois, voire des années, de cet état de prostration. La police n'avait toujours pas mis la main sur l'arme du crime et, comme on n'avait relevé aucune trace d'effraction, elle soupçonnait le meurtrier d'être un familier, peut-être même un parent de la victime. Jill pensa à Michael. Voir son propre fils tuer son père, puis retourner sa fureur contre vous... Il y aurait vraiment de quoi justifier le mutisme de Beth.

Jill commençait à avoir de la peine à respirer. David avait absolument tenu à ce qu'elle mette sa robe de lainage à col roulé, la seule robe noire qu'elle possédait. Elle avait eu beau essayer de le convaincre qu'on témoigne son respect envers les morts par sa présence et non par ses vêtements, il n'avait pas voulu en démordre. Résultat, par cette chaleur torride, elle portait une robe qu'elle ne mettait guère que les jours d'hiver les plus froids.

Ils n'avaient même pas pu quitter Chicago cette année, pendant le week-end prolongé de *Labour Day*. La fraîcheur des lacs baignant le rivage de Deerhust Inn, vieille et pittoresque retraite campagnarde sur laquelle ils étaient tombés par hasard dans les tout premiers temps de leur amour, lui manquait comme à un pèlerin ses ablutions annuelles à Lourdes. David avait été obligé de rester à travailler, étant donné le chaos bien compréhensible qui régnait chez Weatherby & Ross. Tout le monde attendait anxieusement que la police donne enfin l'autorisation d'inhumer, et les interminables examens auxquels elle procédait ne faisaient que renforcer l'indignation et le chagrin qui menaçaient d'avoir raison de tous les collaborateurs de ce vaste cabinet. Et cela risquait de s'aggraver encore dans les jours à venir si la chaleur étouffante qui s'était abattue sur la ville depuis la mort d'Al ne se dissipait pas. Jill tira sur la laine qui lui enserrait le cou comme un boa constrictor. Qu'on me sauve de cette chaleur, pria-t-elle silencieusement, honteuse de la futilité de ses préoccupations comparées aux tourments que devait connaître Beth.

Elle avait essayé de la joindre à plusieurs reprises et s'était heurtée chaque fois au refus courtois mais ferme de ses enfants : leur mère ne voulait parler à personne, ce que Don Eliot s'était empressé de confirmer. Jill répétait à qui voulait l'entendre qu'elle serait immédiatement disponible si l'on avait besoin d'elle mais sans résultat jusque-là. Peut-être qu'aujourd'hui, si elle la voyait...

Devant le porche de l'église se déroulait cependant un spectacle inattendu : un groupe d'Hare Krishna — ils étaient au moins une dizaine — se mit à entonner en chœur une mélopée cacophonique, distribuant des brochures aux assistants éberlués. Beth avait apparemment donné la consigne de les laisser faire : c'était la manière dont son plus jeune fils entendait rendre hommage au défunt.

Jill et David refusèrent la littérature qui leur était proposée — David grommelant qu'il tuerait son fils de ses propres mains s'il le trouvait jamais accoutré de cette façon — et, passant devant les chanteurs, pénétrèrent dans l'église.

Il faisait encore plus chaud qu'elle ne s'y attendait et elle faillit suffoquer. Le souvenir de *La Terre des Pharaons* avec Jack Hawkins et la super-pulpeuse Joan Collins lui revint fugitivement à la mémoire. Joan, après avoir voulu liquider tous ceux qui se dressaient entre elle et le trône d'Égypte (y compris son époux le souverain), se retrouve finalement dans le tombeau du défunt pharaon pour y être enterrée vive en compagnie de ses esclaves, de ses concubines et de ses chevaux favoris. Jill jeta un bref coup d'œil dans la vaste nef où il n'y aurait bientôt plus une place libre. Était-ce aussi la volonté d'Al Weatherby ? Avait-il réuni à titre posthume l'équivalent moderne de ses esclaves, de ses concubines et de ses chevaux favoris pour les entraîner dans la mort avec lui ? Dans ce cas, à quelle catégorie appartenait-elle ? A celle des chevaux, décida-t-elle, tandis que David la poussait dans une travée où elle fut obligée d'escalader plusieurs paires de genoux qui paraissaient y avoir pris racine.

Elle sentait ses cheveux se coller autour de son visage — Joan Collins transpirait-elle ? Elle n'en avait pas le souvenir — et se prit à regretter de ne pas avoir accepté une brochure à l'entrée. Elle aurait pu s'en servir comme éventail...

— Ça va ? lui demanda David, se rendant compte soudain que sa femme ne devait pas se sentir très à l'aise.

— J'ai seulement trop chaud.

— Quel imbécile j'ai été de t'obliger à mettre cette robe et à te maquiller, murmura-t-il sur un ton d'excuse. Je ne sais pas ce qui m'a pris. Je suis désolé.

— Ça ne fait rien.

Elle lui caressa la main.

— Tu as été adorable, et je suis touché que tu n'en

aies pas fait toute une histoire. Je n'étais pas d'humeur à écouter la voix du bon sens.

Jill sourit, essayant de se concentrer sur ce qu'il disait et d'oublier qu'elle se sentait défaillir. Que cela finisse, que je me retrouve vite dans une voiture climatisée, pria-t-elle en silence. Mais avant, il y avait encore une longue route à faire jusqu'au cimetière...

— Ça te va bien d'être fardée. Tu devrais te maquiller plus souvent.

Sachant que, dans la bouche de David, c'était un compliment, Jill ne dit rien. Mais la première chose qu'elle ferait en rentrant serait de se débarbouiller.

Le pasteur prit place derrière l'autel et le service commença. L'écoutant évoquer l'homme pour qui elle avait fini par se prendre d'affection, elle éprouvait sa perte avec davantage d'acuité maintenant que les détails de sa vie lui étaient rappelés. Pauvre Beth ! songea-t-elle en écrasant une larme et en se penchant en avant dans l'espoir de l'apercevoir.

La vue de Nicole Clark, deux rangées plus bas, fut pour elle une surprise complète. Inexplicablement, elle ne s'attendait pas à la voir. Tout le ban et l'arrière-ban du cabinet Weatherby & Ross étant présent, la chère petite chose aurait-elle pu être ailleurs ?

Parfaitement immobile, coiffée d'un chignon, elle n'avait pas l'air de transpirer, elle. Sa robe de coton noir très simple, sans manches, avec quelques touches de blanc, était de celles qui conviennent dans toutes les occasions. Naturellement, se dit Jill tout en jetant un coup d'œil sur l'assistance, on peut lui faire confiance pour posséder juste la robe qu'il faut ! Mon Dieu ! (Elle étouffa un cri.) Elaine !

— Qu'y a-t-il ? lui demanda David, inquiet. Patience, mon ange. C'est bientôt fini, ajouta-t-il en lui tapotant la main.

Elle sourit, les yeux rivés sur l'ex-femme de son mari. Elaine connaissait les Weatherby depuis longtemps et sa présence n'avait rien que de très normal.

Elle l'étudia un bon moment. Ses traits doux et qui ne manquaient pas de charme n'étaient pas aussi parfaits que ceux de Nicole ni aussi irréguliers que les siens. Elle était l'image même de la petite amie d'enfance que l'avocat a épousée en sortant de la faculté et qui n'a pas suivi l'évolution de son mari, occupée qu'elle était à élever ses enfants et à tenir la maison, oubliant — ou ignorant — que son univers professionnel est rempli de filles intelligentes et excitantes. Bizarrement, Elaine aussi était en noir. En fait, elles étaient, semble-t-il, les trois seules femmes présentes à avoir pris les couleurs du deuil. Toutes les autres — Jill n'avait pas encore aperçu Beth — avaient opté pour des coloris printaniers. On aurait dit un choix délibéré, ce noir les situant à part, créant une entité distincte : les femmes de David Plumley. « Mon Dieu, faites-moi sortir d'ici », murmura-t-elle en baissant la tête. Elles devraient peut-être se mettre toutes les trois à la queue leu leu pour présenter leurs condoléances : le passé, le présent... et l'avenir?

Elle se tourna vivement vers David.

— Que se passe-t-il? fit-il, de nouveau inquiet. Tu ne vas pas être malade?

Il s'écarta d'elle instinctivement. Mais il ne pouvait pas aller très loin : les genoux de son voisin tenaient bon.

— Ce n'est rien... des idées. Je sais, il faut respirer à fond, ajouta-t-elle, devinant ce qu'il allait dire.

Joignant le geste à la parole, elle concentra toute son attention sur ses pieds.

Le pasteur continuait son oraison funèbre. L'émotion montait en elle en l'écoutant mais, au lieu de se mettre à pleurer, à sa grande stupeur, Jill éprouva soudain une irrésistible envie de rire.

Et avant d'avoir pu le retenir en mettant la main devant sa bouche, le rire lui échappa. Mais qu'est-ce qui lui prenait? Et pendant les obsèques du mentor et meilleur ami de son mari encore? Mais elle ne pouvait plus se contrôler et, pliée en deux, elle essaya d'étouffer les sons blasphématoires. David l'entoura d'un bras protecteur.

— Ça va passer, mon amour.

Il croit que je pleure, se dit-elle, et cette pensée déchaîna en elle une nouvelle crise d'hilarité qui l'obligea à enfouir son visage au creux de l'épaule de son mari. Cela dura ainsi jusqu'à la fin du service.

Jill attendit devant la porte de l'église que David aille chercher la voiture. Autour d'elle, les membres de la secte étaient fort occupés à danser et à chanter, agitant leurs tambourins dans l'air immobile. Elle respira profondément, espérant qu'une bouffée d'oxygène lui ferait du bien, mais elle n'en ressentit aucun soulagement. Elle se promit de mettre l'air froid au maximum dans la Mercedes. S'adossant au mur, elle ferma les yeux et répéta en silence, comme une litanie, au même rythme que les chanteurs : Je me promène pieds nus dans l'Antarctique, je me promène pieds nus dans l'Antarctique...

— J'ai deux mots à vous dire.

Jill rouvrit les yeux. C'était Elaine, fraîche et décontractée.

— Ça ne va pas ? Vous avez l'air malade.

— C'est seulement la chaleur. J'étouffe.

Elaine l'examina de la tête aux pieds.

— Pas étonnant ! Mais regardez-moi ça ! Qu'est-ce qui vous a pris de mettre un col roulé en laine en plein milieu de l'été ?

— Nous sommes en septembre.

— Il ne fait pas loin de 38°.

C'est ça qu'Elaine avait à lui dire ?

— Parce que c'est noir.

— Et alors ?

— Notre mari y tenait, répondit Jill, hébétée.

Le visage d'Elaine s'éclaira d'un large sourire qui la rajeunit de plusieurs années et adoucit instantanément son expression.

— Vous n'êtes pas censée me faire rire avec vos bons mots, répliqua-t-elle à leur surprise réciproque.

Était-ce bien elle que David décrivait comme froide et dépourvue d'humour ? Cette voix stridente et plaintive au téléphone qu'elle avait fini par prendre en grippe ?

Jill se remémora sa première rencontre avec elle, quatre ans auparavant. Au tribunal. Chambre C, premier étage. Affaire Plumley contre Plumley. Divorce accordé à Elaine Plumley. Motif : adultère. La maîtresse : Jill Listerwoll. « Je sais que c'est banal à pleurer, avait-elle dit à Elaine quand elles s'étaient par hasard retrouvées face à face dans les couloirs, mais je n'ai jamais eu de mauvaises intentions à votre égard. » Elaine, très droite, avait gardé un visage de bois. « Cela n'a rien de banal », avait-elle répondu. Et elle avait ajouté quelque chose, une phrase que Jill s'était efforcée d'oublier jusqu'à la soirée d'anniversaire — qui lui semblait déjà remonter à une éternité : « S'il m'avait traitée comme il vous traite, et s'il vous avait traitée comme il me traite, l'histoire serait complètement différente. »

Jill considéra la première Mme David Plumley avec des yeux ronds. Peut-être n'étaient-elles pas si dissemblables, après tout. Elle chassa de son esprit cette pensée déconcertante.

— Vous vouliez me dire quelque chose ?

Elaine la regarda d'un air ahuri comme si elle lui avait parlé dans une langue étrangère, puis la mémoire lui revenant, ses yeux s'allumèrent.

— Oui, en effet ! Comment avez-vous eu l'audace de dire à ma fille que je fréquente un truand ?

Jill jeta un regard affolé autour d'elle. C'était une situation invraisemblable. Où était David ? Pourquoi mettait-il si longtemps à revenir avec la voiture ?

— Je suis désolée, murmura-t-elle enfin. Cela m'a échappé malgré moi.

— Il est dans les fruits et légumes.

— Je n'en doute pas.

— Vous avez dû confondre avec un homonyme.

— Mais bien sûr.

— Dans les fruits et légumes, répéta Elaine. Et même si c'était un truand, ajouta-t-elle après un court silence, cela ne vous regarderait pas.

— Vous avez raison. Comme je vous l'ai dit, cela m'a échappé. D'ailleurs, Laurie ne m'a pas crue.

— Allons donc ! Ces sacrés gosses croient tout ce que vous leur racontez. Ce n'est que « Jill a dit ci », « Jill a dit ça »... De quoi vous rendre malade. (Elaine ménagea une nouvelle pause.) Toujours est-il que je tiens à ce que vous sachiez pour votre gouverne, et même si ça ne vous regarde pas, que Ron Santini est un garçon charmant et que, comme je n'ai pas l'intention de me remarier, je me moque éperdument de savoir de quelle façon il gagne sa vie.

Jill se sentit de nouveau comme dans un hammam.

— Êtes-vous à ce point aigrie que vous vous refusez le droit au bonheur uniquement pour que David soit obligé de vous verser de l'argent tous les mois ?

Elle ne tenait plus debout.

— Quatre-vingt-dix mille dollars par an, cela permet d'acheter pas mal de bonheur, rétorqua Elaine. Ma foi, oui, vous avez raison, je suis amère à ce point. Et vous ? A présent que vous savez ce que c'est que d'être mariée, est-ce que vous recommenceriez ? (Elle se tut un instant pour laisser sa question faire son chemin.) Pas moi. Une fois suffit, merci beaucoup. (Elle regarda de l'autre côté de la rue.) J'ai eu de la chance, j'ai trouvé à me garer juste en face. Maintenant, je vais rentrer et faire le lézard au soleil. Je suppose que vous savez que je me suis fait installer une piscine ?

— J'en ai entendu parler.

— Je vous inviterais bien, mais j'ai peur que cela soit mal vu.

— Merci, je préfère encore aller au cimetière.

— Et, naturellement, vous obtenez toujours ce que vous voulez ?

— Naturellement.

Elles échangèrent un sourire et Jill suivit des yeux Elaine qui traversait la rue. Il y a seulement quelques jours, elle aurait appelé de ses vœux la voiture qui aurait renversé, la chère petite dame en équilibre sur ses chaussures à deux cents dollars mais, bizarrement, elle commençait à éprouver à son corps défendant un certain respect pour Elaine. En fait, et de manière un peu perverse, elle avait goûté cette joute verbale. Cette fille avait plus de cran et plus de bon sens qu'elle ne se l'était figuré.

— Madame Plumley ? Je suis Lisa Weatherby, la fille de Beth.

Elle était très pâle. Jill lui serra la main.

— Je suis de tout cœur avec vous. Si je peux faire quelque chose... J'ai téléphoné plusieurs fois...

Lisa jeta un coup d'œil à son frère qui la tenait par la taille dans une attitude protectrice. L'autre frère chantait avec ses amis, les Krishna.

— Oui, vous pouvez faire quelque chose.

— Quoi donc ?

— Passer à la maison cette semaine. Ma mère n'était pas assez bien aujourd'hui pour assister à la cérémonie, mais je sais qu'elle serait contente de vous voir. Nous espérions qu'en interdisant sa porte et en l'obligeant à se reposer elle finirait par se remettre du choc. Mais cela n'a rien donné. Elle reste enfermée dans son mutisme. Et comme vous êtes sa seule amie, semble-t-il... Vous viendrez ?

— Bien sûr !

Sa seule amie ? Qu'est-ce que cela signifiait ? Beth connaissait tout le monde et tout le monde l'aimait. Elle s'adossa au mur de l'église. Oh ! n'importe quoi pour un peu de glace ou de neige !

— Excusez-moi, Jill...

Mais est-ce que cette église était ensorcelée ? Chaque fois qu'elle y prenait appui, il fallait que quelqu'un vienne l'aborder. Pour la troisième fois, elle se redressa, sachant déjà, sans l'avoir vue, à qui elle avait affaire.

— Ne dites rien. Vous êtes Nicole Clark et vous allez épouser mon mari.

Nicole baissa la tête.

— Je ne l'ai sans doute pas volé...

— Je ne vous le fais pas dire.

— C'est la plus grosse stupidité qui me soit jamais sortie de la bouche.

— Ce n'est pas moi qui vous contredirai.

— Mais je vous ai fait mes excuses, murmura-t-elle.

— A votre manière assez singulière. (Jill sentait un filet de sueur dégouliner sur ses joues.) J'estime que nous avons épuisé le sujet, ce n'est pas votre avis ?

— J'ai tout expliqué à David, poursuivit imperturbablement Nicole.

— Il n'y a rien à expliquer.

— Je lui ai dit à quel point j'étais désolée de vous avoir contrariée...

— Vous avez vraiment l'art du mot juste ! (Jill avait l'impression que l'humidité lui collait son sourire sur la figure.) Mais, pour le moment, David a certainement des soucis plus pressants...

— Il a été extraordinaire. Il tient le cabinet à bout de bras. Sans lui, tout se serait effondré. Al occupait une place si importante...

— Je n'en doute pas, convint Jill tout en se demandant quand, au milieu de tout ce chaos, Nicole avait bien pu trouver le temps de s'expliquer avec David et quand David avait bien pu trouver le temps de l'écouter.

— L'autre jour, j'essayais de travailler et, subitement, j'ai fondu en larmes. Il y avait des clients... Je ne savais plus où me mettre. J'entendais les gens chuchoter dans mon dos « les femmes n'ont pas les nerfs pour réussir dans la profession » — ce genre de rengaine. Et soudain, David est arrivé. Il m'a emmenée manger quelque chose en bas et nous avons parlé. Il comprenait vraiment ce que je ressentais pour Al et il éprouvait la même chose. C'était la première fois qu'il s'ouvrait ainsi devant moi. Je veux dire l'homme, pas l'avocat.

— Quelle délicate attention de la part d'Al de casser sa pipe pour vous fournir cette occasion ! laissa tomber Jill qui bouillait de rage.

Nicole la regarda avec une stupéfaction qui n'était pas feinte.

Un coup de klaxon retentit. Jill tourna la tête au moment où les larmes qui lui embuaient les yeux venaient se mêler à la sueur qui lui barbouillait déjà les joues. D'un geste, elle effaça habilement toute trace de chaleur ou d'émotion sur son visage.

— Si vous voulez bien m'excuser... dit-elle à sa jeune rivale.

Elle se mit à descendre avec précaution les marches de l'église. Mon Dieu, faites que je ne trébuche pas ! pria-t-elle silencieusement, sentant le regard de Nicole lui brûler le dos, comme s'il faisait un trou dans sa robe. Ainsi, son cher époux avait invité la douce enfant à déjeuner et « l'homme » s'était ouvert à elle. Elle suffoquait d'indignation et de fureur rentrée. Moi, il me force à mettre une robe en lainage noire en pleine canicule et, elle, il l'invite à déjeuner !

S'il la traitait comme il me traite, et inversement, ce serait une tout autre histoire, songeait-elle tout en se dépêchant. Elle ouvrit la portière de la Mercedes d'un geste rageur et, après un dernier regard à Nicole Clark, s'engouffra dans la voiture.

15

— Non mais, vraiment, c'est à peine croyable!
— Calme-toi, Jill.
— Tu en as de bonnes, toi! Calme-toi! Alors que je suis littéralement en train de fondre sous tes yeux!
— Encore quelques minutes de patience.
— Cela fait un quart d'heure que tu me répètes ça!
— Ce pauvre môme fait aussi vite qu'il peut. Il a l'air terrorisé.
— Tu n'aurais pas meilleure mine que lui si tu avais un cadavre pour client!
— Jill, je t'en prie...
— Si tu me répètes encore une fois de me calmer, je hurle.
— Bon, très bien. Ne te calme pas.
— On ne pourrait pas au moins mettre la climatisation en route?
— Bien sûr. Si tu as envie de transformer la voiture en fournaise...
— Vraiment, ce n'est pas croyable!

Le cortège était arrêté au bord de la route, tandis que devant la station-service un petit mécano tremblant comme une feuille s'efforçait vaillamment de remplacer la courroie de ventilateur du fourgon mortuaire.

— Je ne savais pas que les corbillards avaient des courroies de ventilateur, murmura-t-elle sans s'adresser à personne en particulier. Si Al Weatherby voit ça de là-haut, il doit hocher la tête et soupirer : « Quelle gabegie ! »

— Tu ne fais rien pour arranger les choses, tu sais.

— Si tu répètes ça encore une fois, je descends et je continue à pied.

— Eh bien, ne te gêne surtout pas. (Il se pencha et lui ouvrit la portière.) Vas-y.

Ils se turent, aussi furieux l'un que l'autre. Le silence se prolongea plusieurs minutes. C'est parfait ! songea-t-elle. Nous sommes en train de jouer la scène exactement comme Nicole Clark a dû l'écrire. Jill referma la portière.

— Je n'aime pas les ultimatums, fit David sans la regarder.

— Je sais.

Elle se rappelait.

Il était tard. Il faisait nuit. Ils ne s'étaient ni l'un ni l'autre donné la peine d'allumer. Au rez-de-chaussée, Mme Everly et son monstrueux chien dormaient depuis longtemps. Jill aurait bien voulu être couchée, elle aussi. Dormir. Seule. Elle ne voulait pas dire ce qu'il ne voulait pas entendre.

— Je ne peux plus continuer, David, commença-t-elle.

— De quoi parles-tu ?

— De ce dont nous ne cessons de parler. Sauf que, cette fois, ce ne sont pas des paroles en l'air.

Il était assis en face d'elle sur le canapé. Elle était par terre, ses longues jambes croisées dans une imitation de la position du lotus. En robe du soir, c'était assez difficile à réaliser et particulièrement incongru. Ses cheveux châtain-roux, tirés en arrière, formaient un chignon prêt à se défaire d'un instant à l'autre. Son visage, au teint brouillé, était barbouillé de larmes. Elle se sentait aussi misérable, aussi malheureuse qu'elle en avait l'air. Et s'il savait aussi bien qu'elle ce qu'elle allait dire, si elle savait qu'il ne voulait pas l'entendre, elle était pourtant tout à coup décidée à le dire.

— Je t'aime, David. (Les mots avaient du mal à passer.) Je t'aime à en crever. Mais j'en ai assez de me cacher, assez d'attendre et de t'espérer jusqu'à deux heures du matin. Et je suis fatiguée de faire semblant de croire qu'en sortant de mon lit tu rentres te coucher seul dans une chambre.

— Jill...

— Et, par-dessus tout, je suis fatiguée d'avoir dû faire des pieds et des mains pour me dénicher un cavalier, tout ça parce que le seul homme que je fréquente depuis deux ans est marié et qu'il aurait été mal vu que j'assiste au mariage de ma cousine avec un homme marié. (Elle poussa un bruyant soupir et repoussa les mèches folles qui pointaient derrière ses oreilles.) Oh ! merde ! Je l'ai perdue.

— Qu'est-ce que tu as perdu ? demanda David, déconcerté.

— Ma fleur ! s'exclama-t-elle. J'avais une fleur en tissu bleu dans les cheveux. Tout le monde a trouvé que ça m'allait à ravir.

— Je n'en doute pas.

— Et j'ai perdu cette foutue fleur !

— Je te trouve très belle comme ça.

David s'assit par terre à côté d'elle et l'enlaça. Elle posa sa tête sur son épaule. Le mascara faisait de petites traînées noires sous ses yeux.

Elle sourit à travers ses larmes.

— Eh bien, il faut que tu sois rudement excité !

Il l'embrassa dans le cou.

— Je le suis. Cela fait trois jours que je ne t'ai pas vue.

— La faute à qui ? s'écria-t-elle avec véhémence. (Elle le repoussa et se releva maladroitement.) Dommage que tu ne m'aies pas vue ce soir. J'étais vraiment en beauté.

— J'en suis convaincu.

— Léon... — tu te rends compte ? je suis sortie avec un Léon ! — Léon a demandé à me revoir. Non mais, tu t'imagines ? Vendredi. Il veut m'emmener à un concert du groupe *Second City*.

— Qu'est-ce que tu lui as répondu ?

— Que je garde généralement ma soirée du vendredi libre au cas où mon amant marié pourrait s'arranger pour passer quelques heures avec moi.

— Jill...

— J'ai répondu : oui, avec plaisir. Qu'est-ce que tu voulais que je dise ?

David se remit debout.

— A quoi sert tout ça, Jill ?

Elle haussa les épaules et la bretelle de sa robe glissa sur son bras.

— Il faut que tu choisisses, David.

— Oh ! Jill...

— Je suis désolée d'employer de pareils clichés. Mais ce que nous vivons n'est pas plus original et mon vocabulaire s'en ressent.

— Je n'aime pas les ultimatums.

— Je me moque de ce que tu aimes ou pas !

Ils restèrent longtemps — une petite éternité — face à face, comme figés. Puis, sans un mot, David fit demi-tour et se dirigea lentement vers la porte. Cela se passait un mois avant qu'il ne lui téléphone pour lui annoncer qu'il avait fait part à sa femme de son intention de divorcer et qu'elle lui avait promis de lui extorquer jusqu'à son dernier *cent.*

Jill fit pivoter l'ouïe du climatiseur pour recevoir l'air frais directement sur la figure.

— Tu te sens mieux maintenant ?

— Je me sentirai mieux quand je me serai débarrassée de cette robe et que je l'aurai flanquée dans l'incinérateur.

— Ils ont quand même fini par le mettre en terre.

— Un vrai soulagement. Les choses avaient pris une telle tournure que je les voyais déjà laissant tomber le cercueil, dans une sorte de grande apothéose finale.

David se mit à rire.

— Quelle journée ! Je n'arrive toujours pas à croire que tout ça est réel.

— Je comprends ce que tu veux dire.

— Al est vraiment mort, murmura-t-il, plus pour lui-même que pour sa femme. Nous l'avons même vu mettre en terre.

— Attention ! Nous n'avons vu qu'un cercueil. Al est peut-être encore à la station-service. Peut-être qu'il s'est fait embaucher. Même dans l'état où il est, il travaillerait plus vite que ce petit mécano.

David éclata de rire et gara la voiture le long du trottoir. Ils étaient encore à quelques blocs de chez eux.

— Pourquoi t'arrêtes-tu? Oh! David! fit-elle avec consternation en voyant le rire de son mari faire brusquement place aux larmes.

Elle le serra dans ses bras et ses yeux se brouillèrent à leur tour. Ils restèrent là plusieurs minutes, à pleurer ensemble l'homme qu'ils avaient tous deux aimé et admiré.

David fut le premier à se ressaisir. Il se redressa et s'essuya les yeux.

— Pardon.

— Pardon pour quoi?

Il secoua la tête.

— Pour tout. Pardon d'être un imbécile... de t'avoir obligée à mettre cette robe...

— Ce n'est pas grave.

— Mais si, c'est grave! Regarde-toi, bon Dieu!

— Je préférerais qu'on ne me rappelle pas la tête que je dois avoir...

— Tu vois? Je recommence. Chaque fois que j'ouvre la bouche, c'est pour te rendre encore un peu plus malheureuse. (Il l'embrassa.) Tu es si gentille et moi je suis un tel con!

— Oui, je suis gentille et toi, tu es un con. Alors? C'est tout ce que tu as de nouveau à m'apprendre? (Elle lui déposa un baiser sur la joue.) Allons... rentrons. Dès qu'on sera arrivés, je brûle ma robe, on prend un bain avec plein de mousse, et au lit. Que penses-tu de mon programme?

Il hocha la tête et remit le moteur en marche. Ils firent le reste du trajet en silence, rassérénés.

Après s'être faufilé dans l'emplacement réservé à la Mercedes dans le vaste parking souterrain de leur immeuble, il tira sur le frein à main, coupa le contact. Puis il resta là, tête baissée, comme s'il était incapable de la relever avant d'être arrivé au bout des pensées qui lui trottaient dans l'esprit. Jill attendit. Elle savait qu'il avait quelque chose à lui dire et que c'était plus important que de se débarrasser au plus vite de cette maudite robe.

— Qu'y a-t-il ? lui demanda-t-elle.

Il ne répondit pas tout de suite.

— Je te dois encore d'autres excuses.

Jill retint son souffle, pensant aussitôt à Nicole Clark. Y avait-il eu autre chose que le déjeuner dont il ne lui avait pas parlé ? Ne me dis rien, l'implora-t-elle intérieurement, je ne veux pas savoir.

— Tu t'es déjà excusé, chuchota-t-elle d'une voix tendue.

— Pas pour cela.

— David...

— Au sujet de ton boulot... de tes cours...

— Quoi ?

— Pour la façon dont j'ai réagi quand tu m'as expliqué à quel point tu étais malheureuse.

— Et comment as-tu réagi ?

— Justement, je n'ai pas réagi. Tout est là. Je t'ai répondu : « Tiens bon et souris » ou une absurdité de ce genre. Du baratin d'avocat, alors que tu avais besoin d'un peu d'aide et de compréhension. Si tu n'aimes pas enseigner, Jill, alors au diable l'enseignement. S'il y a une leçon à tirer de la mort d'Al, c'est que la vie est trop courte et trop précieuse pour qu'on la gâche en faisant des choses que l'on n'a pas envie de faire. Je t'aime, Jill, et je veux que tu sois heureuse.

— Je le serai, dit-elle au milieu de ses larmes. Ça viendra. Irving me téléphonera. Tu vas voir.

— J'ai vraiment fait preuve de cœur le soir où tu m'as raconté que tu avais vu Irving, ricana David. Toujours mon côté sensible et compréhensif !

— Tout est pardonné, murmura-t-elle. Il vaut mieux quelquefois ne pas se montrer trop sensible. Ce que je voudrais, c'est te voir davantage, c'est tout. Peut-être qu'alors le reste n'aurait plus tellement d'importance.

Il opina.

— Pour ça aussi, je te demande pardon. Je sais que je te donne l'impression de remettre mes pas dans de vieilles ornières, mais crois-moi, Jill, nous sommes surchargés de travail actuellement. Tout le monde est sur les dents. Et la mort d'Al n'a rien arrangé. Il faudra des mois avant que la fièvre s'apaise et que les choses reprennent leur rythme normal. Tu crois que tu pourras tenir le coup encore un peu ? Je te promets qu'après Noël ça ira mieux. Fini le travail de l'aube au crépuscule. Ça va comme ça ?

— Ça va comme ça.

Il l'embrassa tendrement, chacun ouvrit sa portière d'un même mouvement et, la main dans la main, ils marchèrent jusqu'à l'ascenseur.

— Je me demande si Irving me rappellera, murmura Jill.

— Bien sûr qu'il te rappellera. Tu étais sa réalisatrice de choc.

— Il a été très... négatif.

— Dame ! Il est payé pour l'être.

— Il m'a même dit le plus grand bien de la fille qui m'a remplacée.

— Personne ne peut te remplacer, fit David en l'embrassant.

Va plutôt expliquer ça à Nicole Clark, eut-elle envie de répliquer, mais elle préféra s'abstenir.

— On va peut-être te proposer une nouvelle émission ?

— Oui, un sujet sur Chicago. Comme ça, je ne bougerai pas d'ici.

— Jusqu'à ce que l'occasion se présente d'aller faire un tour en Chine...

— J'y suis déjà allée.

— Je sais.

Ils se turent.

Ils marchaient de long en large, se tournant autour comme des chats prêts à se sauter dessus à la moindre provocation.

— Pourquoi tant d'histoires ?

— Je t'ai déjà donné mes raisons. Tu as fait assez de voyages comme ça cette année.

— Pas plus que l'année dernière.

— Justement, tu as été trop souvent absente l'année dernière.

Jill se laissa choir avec lassitude sur le divan.

— Nous recommençons à tourner en rond. Je suis fatiguée d'avoir à me battre chaque fois que je dois partir.

— Eh bien, ne pars plus.

— Je ne pars pas si souvent.

David s'arrêta de marcher et la contempla avec un ahurissement qui n'était pas feint.

— Nous sommes mariés depuis deux ans, Jill, et en l'espace de deux ans, tu es allée à Londres, à Paris, à Toronto, à Los Angeles, en Angola et en Argentine. Et, maintenant, tu parles de partir pour la Chine !

— Nous avions envisagé la possibilité d'y aller ensemble.

— Tu sais très bien que je ne peux pas partir maintenant.

— Pourquoi ?

— Mais que veux-tu que je fasse ? Que je demande à mes clients de m'attendre le temps d'une excursion avec ma femme sur la Grande Muraille ?

— Exactement. Pourquoi pas ?

— Parce que les gens qui divorcent n'apprécient pas tellement que leur défenseur fasse ajourner un procès qu'il a fallu des mois, voire des années, pour faire inscrire au rôle.

— Tu as des associés, non ? A quoi servent-ils sinon à donner un coup de main à un confrère qui n'est pas disponible ?

— Tu sais que je n'aime pas faire faire mon travail par d'autres...

— C'est ce qu'on appelle une délégation de responsabilité.

— C'est moi qui ai la responsabilité de mes clients.

— Tu ne peux pas leur dire que tu veux quelques semaines de congé ? J'ai bien pris le mien, moi, en fonction de ton emploi du temps.

— Précisément. J'ai déjà eu mes vacances. (Il s'assit dans l'un des gros fauteuils qu'ils avaient récemment achetés.) Et puis, qu'est-ce que je ferais en Chine ? Je chargerais tes caméras ? Sois raisonnable. Je serais dans les pieds de tout le monde.

David avait raison. Chaque fois que la femme d'un membre de l'équipe (tiens ! c'est vrai, ça : c'étaient toujours des femmes) accompagnait son mari, il se produisait inévitablement des frictions. Jill avait compris depuis longtemps qu'il fallait éviter de combiner voyage d'agrément et travail. Au bout du compte, tout le monde se sentait frustré.

— D'ailleurs, était en train de dire David, nous n'en avons pas les moyens.

Jill respira profondément. Ne faisant pas partie de l'équipe, il serait obligé de payer son billet. Et Elaine s'arrangeait à merveille pour qu'ils ne puissent guère dépasser la banlieue de Chicago.

— En définitive, où en sommes-nous ? demanda-t-elle avec lassitude.

— C'est à toi de me le dire, riposta-t-il sur le même ton.

— Je suis forcée d'y aller, David.

— Tu vas rater la soirée de la firme.

— Je sais. Je regrette.

— Et le dîner avec les Marriott.

— On les invitera quand je serai rentrée.

— Qu'est-ce que je dirai à tout le monde ?

— La vérité. Que j'ai été obligée de me rendre en Chine. Cela fournira un nouveau sujet de conversation à toutes ces vieilles badernes qui doivent commencer à en avoir assez de ressasser que ta première femme était plus jolie que la seconde... « Non mais, je me demande ce qu'il peut bien lui trouver, à cette dame de la télévision ! » Et si tu veux vraiment leur offrir de quoi parler, tu n'auras qu'à prendre une petite amie. (Elle eut la vision fugitive d'une autre femme, les jambes nouées autour de celles de son mari.) Réflexion faite, fit-elle en se levant et en allant s'asseoir sur ses genoux, je préfère que tu les laisses chercher leurs sujets de conversation eux-mêmes. Ne sois pas fâché, ajouta-t-elle en l'embrassant.

— Je m'en remettrai, répondit-il en lui rendant son baiser.

Finalement, elle était allée en Chine, elle avait filmé l'invasion des premiers touristes américains et quand elle était rentrée, deux semaines plus tard, rien n'avait changé, ni l'appartement, ni le temps, ni son mari, aussi heureux que d'habitude de la revoir. Pourtant, il y avait une différence. Quelque chose d'intangible qui ne se manifestait que de la manière la plus fugace — un regard un rien lointain, un frôlement qui ne s'attardait pas. Il avait couché avec une autre femme, Jill en avait l'absolue certitude. C'était aussi réel que si elle les avait pris sur le fait. David ne lui avait rien dit. Elle ne lui avait rien demandé. Mais c'était l'évidence. Une semaine après son retour, elle avait annoncé à la station qu'elle refuserait désormais les reportages hors de Chicago ; après quoi, elle avait donné sa démission et accepté un poste à l'université.

— De quoi parlais-tu avec Nicki ? lui demanda David au moment où ils entraient dans l'appartement.

Jill fit passer sa robe noire trempée de sueur pardessus sa tête et la laissa retomber en tas à ses pieds.

— Attends que j'aie fermé la porte, nom de Dieu !

Il la fit claquer tandis qu'elle se dirigeait comme un robot vers la salle de bains. Quand David l'y rejoignit, elle attendait, nue, que la baignoire se remplisse.

— Tu ne m'avais pas dit que tu l'avais invitée à déjeuner, remarqua-t-elle en guise de réponse.

David n'avait pas besoin de plus amples explications.

— Elle était bouleversée. Elle avait besoin de quelqu'un à qui parler.

— Et tu étais le seul vers qui elle pouvait se tourner ?

— J'étais là.

— Vraiment très pratique.

Jill regretta aussitôt sa réplique.

— Cela ne vaut même pas la peine qu'on en discute.

Et David ressortit.

Jill résista à la tentation de le suivre. Nicole Clark étant en question, sa nudité ne supporterait pas la comparaison.

Elle entra dans la baignoire, maintenant presque

pleine à ras bord, et ferma les yeux. Pendant les quelques minutes qui s'étaient écoulées entre le moment où ils avaient ouvert la porte de l'appartement et celui où elle avait fait couler son bain, quelque chose s'était détraqué. Il n'était plus question de faire l'amour. David était dans une pièce, elle était dans une autre et Nicole Clark quelque part entre eux deux.

16

Le lendemain, Jill alla rendre visite à Beth Weatherby à Lake Forest.

Extérieurement, la demeure n'avait pas changé depuis trois mois ; les arbres étaient encore couverts de feuilles vertes comme au début de l'été. Mais, bientôt, aux verts succéderaient les ors roux de l'automne, puis il n'y aurait plus que des branches dénudées, noir filigrane sur l'accablante grisaille du ciel de Chicago. Rouges et blancs, des pétunias et des géraniums s'alignaient le long du chemin jusqu'à la maison. Mais malgré l'éclat des fleurs et la chaleur — la température était à peine inférieure à celle de la veille — Jill frissonna. L'hiver sera long, se dit-elle en s'engageant dans l'allée.

En empoignant la queue du dauphin de bronze qui servait de heurtoir, elle éprouva un brusque sentiment de peur. Une peur tangible. Pourquoi ? se demanda-t-elle, agacée par les réactions incontrôlées de son corps. Que redoutait-elle ? Que le spectre d'Al se matérialise impromptu ? Qu'il la fasse entrer avec sa cordialité habituelle, comme quelques mois auparavant quand elle était venue avec David pour cette partie de bridge qui avait si mal tourné ? Elle se rappelait cette soirée : le salon confortable, orné de statuettes anciennes, dont la sérénité la fascinait et qui lui conféraient un climat de pérennité, David et elle devant les portraits des enfants et, soudain, ce cri dans la nuit qui avait fracassé le silence. Le cri de Beth. Elle se voyait encore se ruant dans la cuisine, apercevant le visage terrifié d'Al, aussi blanc que le sang qui jaillissait à grands flots de la main de Beth était rouge. Rouge et blanc... comme les fleurs.

La panique qui montait en elle la pétrifiait. C'est ridicule, pensa-t-elle, agacée. Elle se comportait comme une enfant effrayée par le père Fouettard. Était-ce l'aura de la mort qui lui faisait peur ? Le fait de savoir qu'un homme avait été assassiné dans cette maison ? Elle secoua la tête. Non, la mort ne lui faisait pas peur, même sous ses aspects les plus macabres. Elle avait plus souvent qu'à son tour traîné ses caméras sur des lieux de carnage, à travers émeutes et guerres civiles.

Mais, cette fois, elle n'avait pas de caméra à sa disposition pour se tenir à distance. Elle était seule avec sa peur. Elle ne savait pas pourquoi, mais elle répugnait à entrer dans cette maison. Sans pouvoir vraiment se l'expliquer, elle pressentait qu'elle recelait des secrets qu'elle n'avait aucune envie de connaître, qu'une fois franchie cette lourde porte de chêne sa vie ne reprendrait jamais plus comme avant.

— Oh ! arrête de dramatiser ! se dit-elle à haute voix en laissant retomber le heurtoir qui résonna bruyamment.

La porte s'ouvrit aussitôt, comme si, la sachant là, on avait patiemment attendu qu'elle se décide. Jill sentait son cœur battre à grands coups dans sa poitrine.

Elle se trouva face à face avec Lisa Weatherby qui lui adressa un pâle sourire. Elle ne paraissait pas ses vingt-trois ans. En fait, elle semblait même plus jeune que son frère cadet. Manifestement, elle avait pleuré. Son visage était gonflé et des larmes voilaient encore ses yeux noisette. Elle ressemblait de façon étonnante à son père.

Le vestibule n'avait pas changé. S'attendait-elle à trouver des murs éclaboussés de sang ? Ou le nom de la victime, griffonné au milieu de graffiti obscènes ?

— Vos frères sont là ?

— Brian se repose. Michael est retourné à l'église.

— Et votre mère ?

— Elle est dans sa chambre. Pouvons-nous parler une minute ?

— Bien sûr. C'est pour cela que je suis venue.

La jeune fille précéda Jill dans le vaste salon. Comme le vestibule, il était inchangé. Il respirait toujours la chaleur humaine, la permanence — l'amour même. Elles s'assirent toutes deux sur le sofa en se tenant par le bras.

— On prétend que tous les habitants de Los Angeles sont fous, commença Lisa de but en blanc. On raconte même qu'après avoir créé le monde, Dieu l'a retourné et que tous les cinglés sont tombés à cet endroit-là. (Elle essaya de rire mais sa tentative avorta.) Et c'est vrai, vous savez. Ils sont complètement givrés. Il n'y a pas une seule personne sensée dans le lot. Impossible de croire qui que ce soit : ils mentent tous aussi aisément qu'ils disent la vérité. Et ils ne parlent que d'argent et de réussite. Pas un pour se tenir au courant de ce qui se passe dans le monde. Ils roulent dans des voitures étrangères qui coûtent des sommes astronomiques, ils ont des piscines privées, mais personne n'est vraiment heureux car, au bout d'un certain temps, ils ne savent plus très bien quels mensonges ils ont racontés, et à qui. Ils ignorent même ce qui est mensonge et ce qui ne l'est pas. C'est comme s'ils vivaient sur un grand plateau hollywoodien et craignaient que, la nuit venue, on ne vienne démonter le décor. Nul ne fait plus la différence entre la vérité et le simulacre. (Elle s'interrompit comme pour mettre un peu d'ordre dans ses idées.) Je revenais régulièrement à la maison pour retrouver un peu d'équilibre. Ici, avec ma mère et mon père, je pensais qu'il existait encore un îlot de bon sens. Mes parents savaient ce qu'ils étaient. Ils s'acceptaient et ils nous acceptaient tels que nous étions. Ils n'essayaient jamais de faire pression sur nous pour nous transformer en quelque chose d'autre. Rien à voir avec Hollywood. Là-bas, tout le monde cherche perpétuellement à faire de vous ce que vous n'êtes pas. Et tout le monde est une star, même les gens qui garent les voitures ou qui travaillent comme garçons de restaurant depuis vingt ans. Si vous leur demandez ce qu'ils font, ils ne vous répondent jamais « je suis fille de salle ou gardien de parking » — ils sont tous acteurs ou actrices. Cela fait quatre ans que suis arrivée là-bas. Quatre ans que j'essaie de devenir chanteuse. Mon père ne voulait pas que je parte. Non pas qu'il doutât de mon talent. Il savait simplement qu'à Los Angeles tout le monde est cinglé. (Lisa se mit à rire — un peu trop fort.) Je suis une cinglée de plus, une de ces fofolles qui servent les consommations en attendant de décrocher la timbale. Il y a près de quatre ans que ça dure. Mais je vous l'ai peut-être déjà dit ? Mes parents ont été très chics avec moi, même s'ils ne voulaient pas que j'y aille. C'est-à-dire que, en fait, ma mère abondait dans le sens de mon père quand nous étions ensemble, mais lorsque nous étions seules toutes les deux, elle me disait : « Vas-y, Lisa. Tente le coup. Tant qu'on n'a pas essayé, on ne peut pas savoir. » Et je crois que cela m'a apporté l'encouragement dont j'avais besoin parce que papa était tout à fait contre. Ce qui ne l'a pas empêché de m'envoyer de l'argent tous les mois. Et maman m'écrivait deux fois par semaine. Nous étions très proches l'une de l'autre. Nous l'avons toujours été. Je crois qu'elle redoutait que les choses ne tournent pas bien pour moi là-bas, je le lisais dans ses yeux. Elle avait l'air... comment dire ? d'avoir peur. Mais elle n'était pas de ces mères qui disent à leur fille : « Reste à la maison et attends de rencontrer un gentil garçon. Quel besoin as-tu de courir à Hollywood ? Fais comme moi. Trouve-toi un avocat sympathique et établis-toi. » Non, ce n'était pas son genre. Elle estimait que j'avais tout le temps de faire une fin. J'imagine qu'elle souhaitait me voir tomber un jour sur quelqu'un comme mon père. Quelqu'un de bon, quelqu'un de bien, sur qui l'on puisse s'appuyer, qui gagne beaucoup d'argent et prenne soin de sa famille. On ne rencontre pas de types de cette espèce à Los Angeles. Ils sont trop occupés à se regarder dans la glace. (Lisa prit une profonde inspiration.) Ils étaient vraiment heureux, vous savez. Ils étaient mariés depuis vingt-sept ans, et si je vous disais que je ne les ai jamais entendus se disputer ? Ils n'avaient jamais de scènes de ménage. Maman était sans cesse aux petits soins pour papa. Si nous, les enfants, nous faisions ou disions quelque chose qui aurait pu le contrarier, cela la mettait hors d'elle et elle nous grondait : il travaillait trop dur toute la journée pour que nous lui donnions des raisons de se tourmenter quand il rentrait. Elle le protégeait. C'est qu'elle l'aimait tant ! Il était drôle, voyez-vous. Drôle et chaleureux. Tous mes amis l'adoraient. C'est peu courant, n'est-ce pas ? En général, les garçons sont mal à l'aise avec les pères. Oui, tout le monde l'aimait — et surtout ma mère. (Un sanglot sourd lui échappa.) Et maintenant, elle meurt à petit feu. Elle déambule comme en transe, les yeux fous. On dirait qu'elle se tient des discours sans prononcer de mots. Nous essayons de lui parler mais nous ne savons pas quoi lui dire. (Lisa pleurait à présent, presque sans retenue.) A propos de fous, chuchota-t-elle, la police a retrouvé l'arme du crime. Hier. Un marteau appartenant à papa, caché dans la bouche d'aération. Encore couvert de sang.

Jill la prit par les épaules et la serra contre elle. Lisa pleura sans bruit pendant quelques minutes puis se redressa et s'essuya les yeux.

— Pardonnez-moi, murmura-t-elle. Je me conduis comme une enfant.

— Mais non. Votre existence a été bouleversée de fond en comble. N'importe qui, à votre place, sentirait le sol s'ouvrir sous ses pieds.

Lisa se leva et se mit à marcher de long en large.

— Maman semble curieusement plus calme aujourd'hui. Elle n'a pas voulu assister à l'enterrement, hier. Il n'y a absolument rien eu à faire. Nous espérions qu'en voyant le cercueil mis en terre... enfin, que cela la réveillerait, qu'elle nous dirait ce qui s'est passé. Mais elle s'est obstinée.

— Le choc, Lisa, l'épreuve qu'elle a subie, la chose affreuse dont elle a été témoin, les sévices qu'elle a endurés...

— Je sais tout ça. (Lisa s'immobilisa.) Cela ne rend pas les choses plus faciles.

— Elle ne parle pas du tout ?

Lisa regarda Jill droit dans les yeux.

— Oh ! si, elle parle. Du temps qu'il fait. Du plaisir qu'elle a de nous avoir à la maison, Brian et moi. Elle pose des questions, des tas de questions sur ce que nous faisons. Elle écoute. Elle sait à merveille écouter. Elle nous donne même des conseils. Elle écoute pendant des heures Michael lui parler de sa secte. Mais elle ne dit pas un mot de mon père, et si l'on fait allusion à lui, son regard redevient vide, son expression se fige — et c'est fini.

Jill réfléchit quelques secondes, mais ses pensées étaient confuses et manquaient totalement de cohésion.

— J'imagine que c'est le seul moyen qu'elle a de tenir le coup pour le moment.

— Don Eliot nous a dit qu'elle vous a parlé à l'hôpital, et nous avons pensé que si elle vous voyait, peut-être que... je ne sais pas.

— Je ferai tout ce qui sera en mon pouvoir.

Lisa revint s'asseoir sur le divan et posa sa tête sur l'épaule de Jill, qui la serra contre elle. Elles ne virent ni l'une ni l'autre la porte s'ouvrir. Beth les observa en silence.

— Hello, Jill, lança-t-elle enfin doucement.

Jill tourna vivement la tête. Beth portait un pantalon beige et un léger chemisier de coton. Aucun maquillage ne dissimulait les nombreux hématomes qui marquaient son visage. Les plaies commençaient à se cicatriser, à se décolorer petit à petit. Elle avait un pansement au poignet droit. Quand elle s'approcha, Jill remarqua qu'elle boitait un peu et que sa démarche était raide.

Les deux femmes se jetèrent dans les bras l'une de l'autre. Quand elles se séparèrent, Beth eut un sourire chaleureux.

— Que je suis contente de vous voir ! Vous êtes splendide !

— Je suis affreuse, répondit machinalement Jill. Avec cette humidité, mes cheveux frisent comme de la paille de fer.

— Et les miens deviennent comme des baguettes de tambour ! s'esclaffa Beth. Je parie que vous avez toujours regretté de ne pas les avoir raides, ajouta-t-elle sur un ton de conspiratrice. Et moi, j'ai toujours désiré des boucles. C'est la vie ! Si on s'asseyait ?

Laissant le divan à sa mère et à Jill, Lisa alla s'installer dans un fauteuil à l'autre bout de la pièce.
— Bonjour, ma chérie, lui dit Beth.
— Comment te sens-tu ?
— Très bien, répondit-elle fermement. C'est toi qui n'as pas l'air de tenir la grande forme. Tu devrais faire comme ton frère et aller te reposer un peu. (Lisa eut un instant d'hésitation.) Allez, monte, insista Beth. Jill prendra soin de moi.
— Oui, renchérit Jill. Cela nous donnera l'occasion de bavarder, toutes les deux.
C'est bien cela que vous vouliez, non ? lui demanda Jill dans un regard muet. Lisa parut brusquement comprendre et se leva.
— Voulez-vous que je vous apporte du thé ?
— Pas pour moi, fit Beth en riant. J'en ai été abreuvée à l'hôpital. Je n'ai jamais autant fait pipi de ma vie.
— Pour moi non plus, répondit Jill en souriant.
Elle ne savait plus très bien où elle en était et se sentait un peu décontenancée. Loin de la trouver apathique et repliée sur elle-même, Jill ne se rappelait pas avoir vu Beth Weatherby aussi détendue et expansive. Comme si elle avait totalement chassé la mort de son mari de sa mémoire.
— Comment va David ? demanda-t-elle.
Lisa avait quitté la pièce et on entendait ses pas dans l'escalier.
— Très bien. Surchargé de travail.
— Je m'en doute, fit Beth d'un ton énigmatique. La situation, au bureau, doit être infernale.
Jill fut prise de court. Ainsi, Beth savait... Elle était parfaitement lucide.
— Je ne veux pas que vous me croyiez folle, reprit celle-ci comme si elle lisait dans ses pensées. Je me rends parfaitement compte que tout le monde est sens dessus dessous à cause de moi. Mais je ne suis pas encore prête à parler. Vous comprenez ? (Jill, interloquée, ne put qu'acquiescer.) Je sais ce qui s'est passé ce fameux soir. Je sais qu'Al est mort. Et j'ai bien des choses à raconter. Mais c'est encore prématuré. Il faut d'abord que tout soit clair dans mon esprit. Je vous

demande pardon, ajouta-t-elle après une pause, je sais qu'en restant dans le vague je dois vous agacer prodigieusement mais, je vous le répète, je ne suis pas encore prête. Ne m'en tenez pas rigueur. (Jill hocha de nouveau la tête.) C'est vous qui allez parler. Expliquez-moi un peu pourquoi vous voulez avoir les cheveux plats, petite sotte ! Vous êtes ravissante comme vous êtes.

Jill se mit à rire franchement.

— Je croyais pourtant que vous ne vouliez pas que je vous prenne pour une folle ! s'exclama-t-elle, pas très sûre d'avoir bien choisi ses mots.

Le sourire de Beth la rassura.

— Pourquoi passez-vous votre temps à vous dénigrer ?

— Je ne me dénigre pas, je suis réaliste.

— Quelle idée vous faites-vous de la beauté féminine ? Allez, je serais curieuse de savoir qui sont celles que vous trouvez belles.

— Candice Bergen, dit Jill après un instant de réflexion. Farrah Fawcett. (Elle fit une pause et ajouta en hésitant :) Nicole Clark.

— Candice Bergen ? Oui, elle a un ravissant minois mais un corps plutôt quelconque. Farrah Fawcett a une véritable crinière et des lèvres trop minces mais elle est assez jolie. Nicole Clark... oui, je dois reconnaître que c'est une belle fille. (Elle pouffa.) Mais qui sait ? Elle passe peut-être des heures devant sa glace, comme nous toutes, à regretter que ses cheveux soient comme ci et pas comme ça, que son nez ne soit pas plus allongé ou plus mince, ou que ses cuisses soient un peu trop grassouillettes ?

— Vous les avez vues. C'est l'effet qu'elles vous ont fait ?

— Non, avoua Beth. Je les ai trouvées parfaites. Mais peut-être Nicole fait-elle partie des rares privilégiées qui sont satisfaites de leur image. Elle donne l'impression d'appartenir à la race de ceux qui obtiennent exactement ce qu'ils veulent, n'est-il pas vrai ?

Jill retint son souffle.

— Elle veut David.

— Comment ?

— Je disais qu'elle veut David.
— Qu'entendez-vous par là ?
— Exactement ce que vous avez compris.
— Oh ! Jill, qu'est-ce qui vous fait croire ça ? demanda Beth en riant.
— Elle me l'a dit.
— Quoi ?
— Elle m'a dit qu'elle veut David, qu'elle a l'intention de l'épouser. Et ne me répondez pas que c'était une blague, je vous en prie. Ce n'en était pas une. Elle ne plaisantait pas.
— C'est donc ça que j'ai senti l'autre jour, au club, murmura Beth une fois revenue de sa surprise.
— Cela dure depuis le début de l'été. Depuis le pique-nique. Une véritable guerre des nerfs. L'ennui, c'est que j'ai bien peur que les siens soient plus solides que les miens.
— David est au courant ?
— Oui. J'ai été obligée de le lui dire.
— Pourquoi, au nom du ciel ?
Jill haussa les épaules.
— C'est arrivé comme ça. De toute façon, elle se serait arrangée pour qu'il l'apprenne d'une manière ou d'une autre. Elle a toujours deux fers au feu, à ce qu'il semble.
— Et quelle a été la réaction de David ?
Jill eut un nouveau haussement d'épaules.
— Je ne sais pas. D'abord mi-embêté, mi-flatté, je crois. Et maintenant, surtout flatté. Et si quelqu'un l'embête, c'est moi. Je ne sais pas quoi faire. (Jill se leva et se mit à marcher de long en large.) Je me sens manipulée comme je ne l'ai encore jamais été au cours de mon existence. J'ai l'impression d'être un rat dans un labyrinthe. Quelle que soit la direction que je prenne, j'aboutis à une impasse. Et je me sens totalement désarmée. J'aurais peut-être dû laisser David lui parler dès le début ? Il me l'avait proposé. Sauf que je sais d'avance ce qui se serait passé. Elle aurait été douce comme un agneau, elle se serait mise à pleurer, lui aurait dit à quel point elle était désolée, confuse, qu'elle se sentait si seule à Chicago, qu'elle avait pour lui une

admiration sans borne, qu'il était la personnification de tous ses rêves — bref, le discours qu'elle m'a tenu quand j'ai voulu avoir une explication avec elle. Et David serait resté les bras ballants devant cette malheureuse enfant, si sensible et si vulnérable, non seulement belle à ravir, mais qui est en adoration devant lui — et je me retrouverais exactement au point où j'en suis, incapable de savoir quelle décision prendre. Si j'en fais un drame, je serai l'épouse jalouse et ombrageuse. Si je joue les indifférentes, en espérant qu'elle battra en retraite, elle en profitera pour faire deux pas de géant en avant. Dans les deux cas, le résultat sera le même.

— Pas forcément, rétorqua Beth. Vous oubliez David. Lui aussi a son mot à dire dans cette histoire.

— Je n'oublie jamais David. D'où vient, croyez-vous, que je me fasse un tel sang d'encre ?

Jill se laissa tomber sur le divan à côté de Beth. Les larmes, qu'elle avait vainement essayé de retenir, ruisselaient maintenant sur ses joues.

— Oh ! Jill... murmura Beth en lui prenant la main.

— Je ne me fais pas d'illusions, Beth. Je suis bien placée pour savoir quel genre d'homme il est. Il aime les femmes, c'est un homme à femmes. Je ne l'ignorais pas quand nous nous sommes mariés. Mieux encore : je l'ai compris à l'instant même où j'ai posé les yeux sur lui. Un garçon qui a le physique de David n'a qu'à claquer des doigts et les femmes accourent en bataillons serrés. Je peux en témoigner : quand nous allons quelque part, il est immédiatement au centre de l'attention générale. Pas une de ces dames pour résister à son charme. Si je vous disais que, quelquefois, c'est comme si je n'étais pas là ? Elles m'ignorent, je n'existe pas. Et si elles s'aperçoivent de ma présence, c'est presque encore pis. Elles ont l'air stupéfait et je devine qu'elles se demandent ce qu'un homme aussi séduisant peut bien fabriquer avec une femme aussi terne que moi...

— Voyons, Jill...

— D'accord, je ne suis pas terne. Je ne suis pas un laideron, je ne suis même pas dépourvue d'attraits, j'en conviens, et je n'ai pas de raison de cacher ma figure sous un sac. Mais il est incontestable que je ne suis pas ce que l'on appelle une beauté. Et David n'est pas aveugle. Il s'en rend compte. Voilà : je suis une femme d'apparence tout à fait moyenne, mariée avec un homme très au-dessus de l'ordinaire. Et je n'arrête pas de me demander ce qu'il fait en ma compagnie et combien de temps je réussirai encore à le garder. Il m'arrive, le soir quand nous nous couchons, de lui être reconnaissante d'être là. De penser que j'ai beaucoup de chance...

— C'est lui qui a de la chance, Jill.

Jill sourit et essuya ses larmes.

— J'ai l'impression d'entendre ma mère. (Beth se mit à rire.) Moi aussi j'ai de la chance.

— C'est vrai. David est un garçon adorable. Il m'a toujours plu.

— Il plaît à tout le monde. C'est justement là le problème.

— Tout le monde n'est pas sa femme.

— Etre la femme d'un homme ou sa maîtresse, c'est très différent. Ayant été l'une et l'autre, je crois être qualifiée pour en juger. La maîtresse ne voit que les bons côtés de l'amant, les rendez-vous romantiques et secrets, les soupers fins à deux. Et si jamais il peut passer une nuit entière avec elle, elle est tellement transportée de joie qu'elle ne remarque même pas qu'il ronfle, qu'il sent des pieds ou qu'il tient toute la place dans le lit. Tout lui paraît exaltant — y compris ses travers — parce qu'elle ne sait jamais quand — ou si — elle aura la possibilité de le revoir. C'est de la grande tragédie. Mais pour l'épouse, reprit-elle après un silence, ce serait plutôt une comédie. Une comédie noire. (Ses propres métaphores lui arrachèrent un sourire.) Soudain, elle prend conscience de ses odeurs déplaisantes, de ses habitudes énervantes... tenez, c'est exactement ce que disait la lettre que vous m'avez donnée le jour du pique-nique... Seigneur ! J'ai brisé la chaîne ! Croyez-vous que ce soit la punition immanente ? (Elles éclatèrent toutes les deux du même rire, puis Jill se releva et se remit à faire les cent pas.) Pour l'épouse, il n'y a plus guère de petits soupers fins et si, par extraordinaire, il l'invite à dîner aux chandelles, elle reçoit l'avis de débit de la carte de crédit à la fin du mois et elle a droit à ses jérémiades sur l'argent qui file. D'ailleurs, ces dîners ne se font généralement pas à deux. Il y a les enfants, la famille, les confrères. Et la réalité. Et un beau jour, quand elle regarde son mari... elle l'aime toujours, bien sûr, mais l'adoration aveugle qu'il lisait autrefois dans ses yeux n'est plus là. La petite flamme s'est éteinte. Et il la regrette. Et puis il y a partout — au bureau, dans la rue — des jeunes femmes ravissantes dans les yeux desquelles il retrouve cette adoration. Que faire contre ça ? Comment se battre contre la réalité ?

Jill se tut. Après quelques secondes de silence, Beth demanda :

— David vous a-t-il déjà...

Mais, ne pouvant se résoudre à formuler sa pensée jusqu'au bout, elle n'alla pas plus loin.

— Est-ce qu'il m'a déjà trompée ? Je pense que oui. Au moins une fois. (Elle sentit ses yeux se mouiller de nouveau et sa gorge se nouer.) Mais, et c'est là toute la question, je n'en ai pas la certitude. Et tant que je ne l'ai pas, je me considère comme dispensée d'analyser à fond mes sentiments et de prendre une décision. Si j'étais sûre qu'il couche avec une autre... je ne sais pas ce que je ferais. Et c'est cela qui me fait peur en ce qui concerne Nicole Clark, car il ne lui suffira pas de passer une nuit avec lui et de disparaître ensuite sans bruit. Elle fera en sorte que je le découvre et alors... je ne sais pas. (Désespérée, Jill rejeta la tête en arrière, renifla et s'essuya rageusement la figure.) Mon Dieu ! s'exclama-t-elle. A m'entendre, on dirait que je l'ai déjà perdu ! Mais je ne l'ai pas perdu ! ajouta-t-elle en martelant les mots. Et je ne le perdrai pas.

— Voilà qui est parlé ! fit Beth en sautant sur ses pieds.

Jill se jeta dans ses bras.

— Quelle idiote je fais ! (Elle sortit un kleenex de la poche de sa jupe et se moucha.) Quand je pense à tout ce qui vous est arrivé, et moi je suis là à larmoyer à propos de rien ! C'est à peine croyable !

Beth repoussa une mèche folle qui était tombée sur la figure de Jill.

— Je ne vous ai jamais entendue vous plaindre pour rien. Et ne vous inquiétez pas pour moi, Jill. Tous mes problèmes sont résolus.

Sa voix devint très douce et elle murmura :

— C'est moi, Jill. J'ai tué Al. J'ai tué mon mari.

17

Ses mains tremblaient sur le volant. Elle n'osait pas tourner la clé de contact, se méfiant de ses réactions. Il fallait qu'elle domine ses émotions avant de pouvoir maîtriser quelque chose d'aussi virtuellement dangereux qu'une voiture. Il lui fallait quelques minutes pour réfléchir, pour que ses mains cessent de trembler, pour se pénétrer de ce qu'elle venait d'entendre. « J'ai tué Al. J'ai tué mon mari. » Aussi simplement, aussi directement que cela. Pas de repentir, pas de crise d'hystérie, pas de larmes. Un constat.

Beth ne lui avait donné aucune explication et Jill, pétrifiée, n'avait pas eu l'idée d'en réclamer une. D'ailleurs, juste à ce moment-là, Lisa et son frère Brian avaient fait leur apparition. Beth avait alors lentement fermé les yeux, et quand elle les avait rouverts, ils étaient totalement dépourvus d'expression. Sans qu'il soit besoin de le dire, Jill avait compris que ce qu'elle venait d'entendre devait rester un secret entre elles deux. Trop hébétée pour faire la conversation, elle avait vaguement murmuré quelque chose et, sans savoir comment, s'était retrouvée dehors.

Elle regardait ses mains. Des ongles d'inégale longueur sans forme ni caractère particuliers. Des parcelles de vernis adhéraient encore obstinément, ici et là, aux cuticules. Elle n'avait pas pris la peine de les faire disparaître. La peau était rongée autour des ongles, une vieille habitude dont elle s'était souvent promis de se défaire, mais à laquelle elle se cramponnait comme un enfant à sa couverture. Des mains fermes. Des mains habiles. Ces mains pourraient-elles tuer ?

Elle s'imagina en train de retourner tous les tiroirs de la cuisine à la recherche d'un marteau. (Possédaient-ils même un marteau ?) Elle empoignait le manche, se dirigeait vers la chambre où David dormait, levait le bras très haut... et le marteau retombait, s'immobilisait quelques millimètres au-dessus de la tête de David. Elle ferma les yeux pour chasser cette vision. Non, elle ne pourrait jamais faire ce que Beth Weatherby prétendait avoir fait.

Elle tourna la tête vers la demeure de brique grise. C'était impossible. Absolument impossible que Beth ait commis un acte pareil — à moins d'avoir complètement perdu la tête, à moins d'une dépression nerveuse dont elle ne pourrait être tenue pour responsable. Et pourtant, elle paraissait maintenant si raisonnable, si calme, si maîtresse d'elle-même... Tout cela était absurde, la confession de Beth ne tenait pas debout. En aucun cas, elle ne pouvait avoir assassiné son mari.

Cette question définitivement réglée, Jill démarra et prit la direction de l'autoroute. Pour la première fois depuis qu'elle enseignait, elle regrettait de ne pas avoir de cours à faire. Le semestre d'automne ne commencerait que dans quelques semaines et elle se sentait perdue. Elle avait besoin d'aller quelque part, de faire quelque chose, n'importe quoi, pour ne plus entendre les mots qu'avait prononcés Beth retentir inlassablement dans sa tête.

A la vue d'une cabine téléphonique, elle fit demi-tour, s'arrêta juste devant l'édicule couvert de graffiti et chercha de la monnaie dans son sac. Ses doigts tremblaient toujours. Elle composa le numéro.

— Weatherby & Ross, j'écoute, fit la voix familière de la standardiste.

— David Plumley, s'il vous plaît, demanda Jill, ne sachant même pas ce qu'elle allait lui dire.

— Ici le bureau de M. Plumley.

— Diane ?

— Oui. Vous désirez ?

— C'est moi... Jill.
La secrétaire parut manifestement surprise.
— Oh ! excusez-moi, je n'avais pas reconnu votre voix. Elle n'est pas... comme d'habitude.
Jill s'efforça de prendre un ton plus ferme.
— Est-ce que David est là ?
— Il est avec un client.
— Pourriez-vous l'interrompre, je vous prie ? C'est important.
Pourquoi avait-elle dit ça ? Envisageait-elle de lui parler de Beth ?
Elle eut bientôt David au bout du fil, inquiet, anxieux même.
— Jill ? Rien de cassé, j'espère ?
— Non, non, tout va bien. Je me demandais seulement... Nous pourrions peut-être déjeuner ensemble ? Je viens de m'apercevoir qu'il est presque une heure.
— A une heure, je dois être au tribunal, répondit David d'une voix complètement changée. C'est pour cela que tu as interrompu ma consultation ?
— Je sors de chez Beth.
— Et alors ?
Jill sentit brusquement comme un poids sur ses épaules.
— Alors rien. C'est moi qui ai fait à peu près tous les frais de la conversation.
— Ne pourrions-nous pas en parler à un autre moment ?
Elle hocha la tête, oubliant que David ne la voyait pas.
— Devant quelle cour plaides-tu ? Je pourrais peut-être assister à l'audience.
— Je ne pense pas que ce soit une bonne idée, répliqua vivement David. L'affaire est sans intérêt, tu ne pourrais que t'ennuyer. Écoute... Il faut que je te laisse. On verra ça plus tard.
— Tu rentreras directement après ?
Mais il avait déjà coupé.
— Et voilà ! murmura-t-elle en raccrochant. Rappelez-moi donc un de ces jours.

Elle ne sut jamais ni comment ni pourquoi elle était passée devant le club Rita Carrington mais à la vue du vieil immeuble de brique rouge, elle s'empressa de se garer sur le parking adjacent. Le sang bouillait toujours dans ses veines et menaçait de lui monter à la tête. Peut-être qu'un peu d'exercice l'aiderait à reprendre le contrôle d'elle-même.

Mais en pénétrant dans le vestiaire, elle se rappela qu'elle n'avait pas sa tenue de gymnastique.

— Merde ! soupira-t-elle, accablée, en se laissant tomber sur le banc.

— Hello ! Il y a des siècles qu'on ne vous a pas vue !

C'était Ricki Elfer, en nage et entièrement nue, abstraction faite de la serviette qu'elle avait autour du cou.

— Ces dernières semaines ont été assez mouvementées, répondit tranquillement Jill, tout en se demandant si Ricki avait reconnu la photo de Beth Weatherby qui avait paru dans les journaux et si elle ne se préparait pas à la bombarder de questions.

— A qui le dites-vous ! Vous êtes venue pour une séance ?

— J'ai oublié mes affaires.

— Tant mieux. Venez avec moi. Je déjeune en face avec des amies.

Jill sourit.

— Voilà une excellente idée.

— Parfait ! Le temps de prendre une douche vite fait et je suis à vous.

Jill suivit des yeux le majestueux postérieur de Ricki Elfer qui disparut derrière l'alignement des placards. Curieuse impression, quand même, que d'entretenir une conversation normale avec quelqu'un qui est complètement nu quand on est soi-même habillé, songea-t-elle. Elle ferma les yeux et s'efforça de ne plus penser à autre chose qu'au déjeuner qu'elle allait faire.

— Jill, je vous présente Denise et Terri, dit Ricki en s'asseyant. Oh la la ! Elle nous a épuisées, aujourd'hui !

Jill prit une chaise et salua les deux femmes d'un signe de tête.

— Elle est de plus en plus exigeante, approuva la petite brune qui répondait au nom de Denise.

— Il faut reconnaître qu'elle est sensationnelle, dit Jill.

— Qui ? Rita Carrington ? fit Ricki. Eh bien, heureusement !

— Évidemment. Quand on fait de la gymnastique toute la journée...

— De la gymnastique ? Vous plaisantez ? (Ricki s'esclaffa.) Ce ne sont pas les exercices physiques qui vous donnent des nénés pareils, c'est le bon Dieu. Ou le chirurgien. Et, d'après ce que je me suis laissé dire, Rita Carrington ne croit pas en Dieu.

— Avec un chirurgien, les deux ne font qu'une seule et même personne, remarqua Terri, une blonde mince et athlétique. Mon mari est médecin, ajouta-t-elle en guise d'explication, ce qui déclencha l'hilarité générale.

— Rita s'est fait refaire les seins ? s'étonna Jill.

— Tout... les seins, le ventre, le popotin. Tout a été retendu, raccourci, remonté. Vous n'avez pas remarqué que sa poitrine ne bouge jamais, même quand tout le reste de son corps se balance ? C'est le signe infaillible. Quand elle se tourne à gauche, ses nichons continuent de regarder droit devant eux.

— Il paraît qu'elle s'est aussi fait faire un lifting, renchérit Denise.

— Un lifting ? s'exclama Jill. A son âge ?

— Ses quarante-cinq ans sont partis sans laisser d'adresse.

Ricki se tut. Le garçon venait prendre la commande. Ces dames optèrent pour le menu. Jill jeta son dévolu sur une soupe et une salade de poissons.

— C'est délicieux ! fit Ricki un peu plus tard, en achevant goulument sa mousse au chocolat. Je devrais cesser de faire de la gymnastique, ces séances me donnent un appétit féroce. Et ce flan, Jill, il est bon ?

— Excellent. Vous en voulez un peu ?

— Juste pour goûter, dit Ricki dont la fourchette plongeait déjà dans l'assiette de sa voisine.

Jill prit une gorgée de café qu'elle savoura longuement. Ce déjeuner avait été le remède idéal. Bien supérieur à un tête-à-tête avec son mari ou à une séance au tribunal. Elle essaya de s'imaginer la salle d'audience bourrée de monde, David assis à côté de Nicole Clark. Était-ce la raison pour laquelle il avait cherché à la dissuader de venir? Nicole avait-elle déjà... réservé?

— Que devient votre amie? lui demanda Ricki, impromptu.

— Quelle amie?

— La dame avec qui vous venez en général. Cela fait un bout de temps qu'on ne l'a pas vue.

— Elle est très occupée actuellement.

Somme toute, peut-être que Ricki ne lisait pas les journaux.

— Ça me fait penser que je dois rentrer, s'écria Terri en repoussant son assiette et en terminant précipitamment son café. J'attends des candidates femmes de ménage cet après-midi.

— Bonne chance! soupira Denise avec envie.

— Qu'est devenue Gunilla?

— Qui ça? demanda Jill, étonnée.

— Oui, c'était vraiment son nom. On dirait une des méchantes belles-sœurs de Cendrillon, non? Une petite Suédoise que j'avais depuis six mois. Je l'avais trouvée par une agence. Elle était censée m'aider au ménage et s'occuper de Justin et de Scotty. Eh bien, figurez-vous qu'elle m'a annoncé la semaine dernière qu'elle ne se sentait pas la vocation d'aide maternelle et que ça ne lui disait rien de prendre soin de gosses de deux et cinq ans. Cette fois, j'ai décidé de prendre une femme de ménage plutôt qu'une jeune fille au pair. La première candidate doit arriver à 3 heures et il est... presque 3 heures.

— Mon Dieu! (Denise sortit quelques billets de son sac et les posa sur la table.) Je ne m'étais pas rendu compte qu'il était si tard. Il faut que je passe chercher Rodney à l'école.

— Je pense que nous devons toutes rentrer, dit Jill sans enthousiasme.

— Finissez votre café, répliqua Ricki Elfer. J'ai encore quelques minutes.

Après de grands au revoir, Denise et Terri s'éclipsèrent.

— Alors, Ricki, vous avez pris une décision ? lui demanda Jill. Vous vous faites ligaturer les trompes ou vous voulez un bébé ?

— La raison l'a emporté. Paul va se faire faire une vasectomie.

Jill fut sincèrement étonnée.

— Mais alors, vous ne pourrez plus « vivre votre vie », comme vous disiez ?

— C'est bien possible que j'aie dit ça. Il m'arrive parfois de débiter les pires insanités.

— Vous ne le trompez pas ? insista Jill, un peu déçue.

— Non, répondit Ricki, brusquement sérieuse. Pas Paul. Les autres, oui. Mais quand on tombe enfin sur un type bien — et Paul est un type bien — on ne prend pas de risques idiots. C'est mon troisième mari et le premier dont je suis fière. Vous comprenez ce que je veux dire ? Lorsque c'est du solide et qu'on est tant soit peu intelligente — je ne suis pas toujours intelligente mais je ne suis pas non plus toujours stupide — on ne le gâche pas comme ça.

Elles échangèrent un sourire et finirent leur café en silence.

David ne cessait de se tourner et de se retourner dans le lit.

— Tu n'arrives pas à t'endormir ? lui demanda Jill, gênée par ses sauts de carpe.

— J'ai trop mal. Je suis courbaturé de partout.

Jill s'assit et lui caressa le flanc.

— Tu veux que je te masse ?

Après une seconde de silence, David se mit précautionneusement sur le ventre.

— Oui, ça me fera peut-être du bien.

Jill s'installa à califourchon sur son dos et posa les mains sur ses épaules.

— Ouille ! Tu me fais mal !

— Je n'ai encore rien fait.

— Pas aux épaules, au dos. Tu m'écrases. Tu pèses une tonne.

— Merci beaucoup ! (Elle changea de position pour se mettre à genoux à côté de lui.) Où as-tu mal ?

— Demande-moi plutôt où je n'ai pas mal.

— Combien de parties de squash as-tu faites ?

— Trois. Et c'est du tennis en salle, pas du squash.

— Si tu veux mon avis, tu as trop forcé après être resté aussi longtemps sans t'exercer.

— Tu m'as fichu un complexe de culpabilité — aïe ! vas-y plus doucement ! — à propos de tout cet argent gaspillé. J'ai essayé d'amortir ma mise de fonds.

— Si je comprends bien, c'est ma faute.

— Exactement.

David se retourna brusquement.

— Comme masseuse, tu ne vaux pas tripette, dit-il en souriant.

Et, la prenant par la taille, il l'attira contre lui.

— Avec qui as-tu joué ?

— Avec Pete Rogers, un stagiaire. Oh ! mon Dieu ! Je suis rompu. (Il lui posa un baiser sur la joue.) Je suis désolé pour le petit dîner aux chandelles que tu avais proposé. Ça aurait été gentil.

Elle haussa les épaules.

— Oh ! C'était juste une idée qui m'était passée par la tête sur le moment.

— Désolé, ma chérie, mais j'avais besoin de me défouler et de taper sur quelque chose. L'enterrement d'Al m'avait mis les nerfs à vif. A propos, tu ne m'as pas raconté ce que Beth t'a dit.

— Ma foi, pas grand-chose. (David allait-il s'apercevoir, comme toujours, qu'elle mentait ?) C'est plutôt moi qui lui ai fait la conversation.

— Elle va bien finir par parler, fit David distraitement. Et après, qu'as-tu fait de ton après-midi ?

— Je suis allée au cours de gymnastique. J'ai rencontré là une femme très sympathique...

— C'est très bien. (Ce qui signifiait en clair : Ça ne m'intéresse pas du tout. Jill connaissait bien ce ton. Elle s'obstina néanmoins.) Elle se trouvait devant un dilemme : devait-elle se faire ligaturer les trompes ou avoir un bébé ? (Comme David gardait le silence, elle murmura :) Il me semble que nous avons, nous aussi, à faire un choix du même genre.

— Et qu'est-ce qu'elle a décidé ? demanda David, soudain tendu.

— Son mari va se faire faire une vasectomie, répondit-elle à regret.

— Ça me paraît une excellente idée.

— Ne plaisante pas, David. Je parle sérieusement.

— Moi aussi, fit-il en la regardant dans les yeux. Je te l'ai déjà dit : je ne veux plus d'enfants. J'en ai déjà deux dont je m'occupe peu et mal. Je suis navré, Jill. Je sais que c'est ce que tu aimerais, mais il faut regarder la vérité en face : je ne suis pas du bois dont on fait les pères de famille et je n'ai ni l'énergie ni la patience — ni le désir — de recommencer cette expérience.

— Tu as l'air bien décidé.

— Je suis décidé.

— Et qu'est-ce que tu fais de moi dans tout ça ?

— Que souhaites-tu exactement ?

— Être avec toi, répondit-elle d'une voix à peine audible.

— Eh bien, tu es avec moi, dit-il en l'embrassant sur le front.

— Je t'aime.

— Moi aussi, je t'aime, ma colombe. Maintenant, tourne-toi, viens dans mes bras et dors.

Elle obéit et se serra contre lui.

Ainsi, son sort était réglé. Elle n'aurait pas d'enfants. Elle ferma les yeux. Elle ne reprochait rien à David. Il avait le droit de ne pas vouloir faire deux fois la même expérience. Elle n'était même pas étonnée. Sa décision, elle la connaissait d'avance.

— Excuse-moi, chérie, il faut que je change de position.

Elle se déplaça pour lui libérer le bras. En temps normal, ils se seraient retournés de concert, sans effort et sans même y penser. Mais, ce soir, elle resta obstinément de son côté du lit, seule et recroquevillée, dans une attitude qui n'était que le reflet de son état d'âme.

18

Elle éprouvait un sentiment de déjà-vu quasiment insupportable... la grande table, les chaises inconfortables, la fumée et ces voix usées, faisant des discours plus usés encore, qui répétaient mot pour mot ceux qu'elle avait entendus l'année précédente : « Une nouvelle année universitaire commence... Le semestre d'automne est peut-être le plus important car il donne le la, pour ainsi dire, aux études qui... Nous accueillons avec joie... etc. » Ceux qui étaient assis autour de la vieille table couturée de balafres n'étaient sans doute pas très différents des gens de la télévision qu'elle retrouvait autrefois autour de tables identiques, pour les conférences de programmes hebdomadaires. Leurs centres d'intérêt étaient les mêmes : beaucoup de ses collègues venaient, eux aussi, de la télévision ou de la radio. Et pourtant ils étaient différents. Il leur manque quelque chose, se dit-elle. Tous ces visages portaient, comme le sien sans doute, les stigmates de l'ennui et d'une profonde lassitude. Finalement, ce qui faisait défaut à tous ces gens, c'était un but, une ambition qui ne se limite pas à accomplir sa tâche de la journée. Ils avaient beau, pour la plupart, se consacrer avec le plus grand dévouement à leur métier, ce qui les animait n'était pas du tout du même ordre. Et ce qui lui manquait tellement, c'était justement cette vitalité qu'ils n'avaient pas, ce besoin de se battre pour se faire écouter, pour obtenir que leurs idées soient acceptées, mises en boîte et diffusées.

Elle s'absorba dans la contemplation du plancher. Décidément, elle était mal partie. Si elle nourrissait déjà de pareilles pensées le premier jour du semestre, ce n'était pas de bon augure.

Le coup de téléphone arriva au beau milieu du long exposé de Jack McCreary sur les dernières restrictions de crédits. Jill se croyait en toute bonne foi en train de suivre avec attention ces explications aussi monotones que familières. Mais quand on lui tapota l'épaule, elle quitta brusquement la réunion de production qu'elle était en train de dominer de son autorité, stupéfiant tous les participants par le brio et l'audace de ses propositions, et retrouva la réalité, la petite salle surpeuplée du campus où elle étouffait.

— On vous demande au téléphone, lui murmura à l'oreille une secrétaire. Il paraît que c'est important.

Jill se leva et la suivit, très étonnée.

— Sur la 3, lui dit-elle en se rasseyant derrière son bureau.

Jill prit le combiné et appuya sur le bouton qu'elle lui avait indiqué.

— Allô !

— Nous sommes dans un sacré merdier, lui dit David sans autre préambule.

— De quoi parles-tu ?

— Beth vient d'avouer.

— Quoi ?

— Tu as bien entendu. Beth Weatherby est passée aux aveux. Elle prétend que c'est elle qui a tué Al.

Jill se laissa tomber sur une chaise. Toute activité avait cessé dans le bureau, on n'entendait plus aucun bruit de machine ; les secrétaires ne cherchaient même pas à dissimuler leur curiosité.

— Je n'en crois pas un mot. C'est insensé ! murmura-t-elle, tandis qu'elle entendait encore la voix de Beth résonner à ses oreilles : « C'est moi, Jill. J'ai tué Al. »

— Pas plus que le reste, continua David.

Jill s'agrippa à sa chaise.

— Qu'est-ce qu'elle a dit encore ?

David s'éclaircit la gorge.

— Qu'elle a agi en état de légitime défense.

— De légitime défense? Tu veux dire qu'Al l'aurait attaquée?

— Non, elle reconnaît qu'il dormait profondément quand elle a commencé à frapper.

— Je ne comprends pas.

— Elle prétend que cela faisait vingt-sept ans qu'il la battait — non, mais tu te rends compte? — et que le soir du meurtre, ivre et fou de rage, il s'est couché en lui promettant de lui faire son affaire une fois pour toutes au réveil. Est-ce qu'elle espère vraiment que quelqu'un ajoutera foi à un pareil tissu d'insanités?

Jill voyait encore Al Weatherby dansant amoureusement avec Beth, s'esclaffant à ses plaisanteries, la présentant fièrement à ses amis et à ses invités, la tenant par la main, s'asseyant à côté d'elle chaque fois qu'il le pouvait, la consolant au bridge quand elle avait mal joué... David avait raison : personne ne la croirait. Parce que c'était incroyable.

— Elle doit être en train de faire une sorte de dépression nerveuse, dit Jill posément. Je suppose que Don plaidera la folie passagère.

— Je ne connais pas ses intentions. Il est aussi désorienté que nous tous. Elle ne l'a même pas consulté avant de faire cette confession. Elle a tout simplement tenu une conférence de presse improvisée. Don l'a appris par la radio. Même ses enfants n'étaient pas au courant. Elle a mis tout le monde devant le fait accompli. Le bureau est sens dessus dessous. Personne ne fait plus rien. Je travaillerai sans doute tard, ce soir.

— Jason et Laurie viennent dîner à la maison, lui rappela-t-elle aussitôt, surprise de voir qu'elle pouvait encore penser à de pareilles vétilles.

— Merde! jura-t-il entre ses dents. Bon, je vais faire mon possible pour rentrer.

— Elle me l'avait dit, marmonna Jill pour elle-même. Mais je ne l'avais pas crue.

— Comment ça, elle te l'avait dit? Qu'est-ce qu'elle t'avait dit? De quoi parles-tu?

Jill prit soudain conscience d'avoir parlé à haute voix. David avait un ton affolé, furieux même.

— La semaine dernière, quand je suis allée la voir, lui expliqua-t-elle à contrecœur, appréhendant sa réaction.

— Que t'a-t-elle dit exactement ?

— Elle ne m'a parlé ni de légitime défense ni de mauvais traitements. Elle m'a juste dit qu'elle l'avait tué.

— Elle lui a juste dit qu'elle l'avait tué ! Et tu n'as pas jugé ça assez important pour m'en avertir ? Pour en avertir Don ? Ou ses enfants qui t'avaient demandé expressément de les aider ?

— Ne te fâche pas, David, je t'en prie. J'étais complètement abasourdie. Je ne savais plus à quel saint me vouer. J'ai pensé que, peut-être...

— Tu n'as pensé à rien, un point c'est tout ! s'exclama violemment David. Comment as-tu pu rester bouche cousue quand tout le monde s'arrachait les cheveux autour de toi ?

— Il ne m'appartenait pas d'en parler. Beth disait qu'elle avait besoin d'un peu de temps pour réfléchir et j'ai supposé qu'elle était sous le coup d'une dépression, qu'elle avait perdu la tête...

— Elle avait besoin de temps pour concocter cette fable grotesque, oui ! Et, grâce à toi, elle a disposé de toute une semaine pour la mettre au point. Maintenant, il ne lui reste plus qu'à plaider la folie passagère, et elle ne franchira probablement jamais la porte d'une prison. Mais, entre-temps, elle aura traîné dans la boue le nom et la mémoire d'un homme extraordinaire. Ces maudits journaux vont en faire leurs choux gras. C'est le genre d'histoires dont ils raffolent : l'éminent maître du barreau battait sa femme depuis un quart de siècle... Ils vont s'en donner à cœur joie.

— Calme-toi, David...

— Mais comment as-tu pu faire ça ? Ne rien dire, même à moi ?

Jill avala sa salive.

— J'avais l'intention de t'en parler. Je t'ai appelé au bureau ce jour-là. Mais tu étais occupé, tu ne pouvais pas me voir, et après je n'en ai plus eu le courage. Beth m'avait fait cet aveu sous le sceau du secret et je ne pouvais pas me résoudre à trahir sa confiance. J'espérais que tu devinerais, comme d'habitude, que je te cachais quelque chose et que tu insisterais comme tu l'as fait... (Elle s'interrompit. Pour Nicole Clark, acheva-t-elle en silence.) Qu'avais-tu de si important en tête pour ne pas t'apercevoir que j'avais quelque chose sur le cœur?

— Qu'est-ce que tu racontes? Insinuerais-tu que c'est moi qui suis coupable de ne pas avoir deviné ce que Beth t'avait dit? Que j'aurais dû comprendre qu'il y avait anguille sous roche?

— Mais non, bien sûr que non.

Si, justement. Avant, tu devinais tout...

— Il faut que je te quitte, reprit-il après un long et pesant silence. Je t'avais appelée pour te mettre au courant. J'ignorais que, pour toi, c'était de l'histoire ancienne.

— David...

Mais David avait déjà raccroché. Jill resta une minute sans faire un mouvement. Enfin, reposant le combiné, elle se leva et, dédaignant les regards intrigués des secrétaires, sortit du bureau.

L'atmosphère qui régnait dans la salle à manger était lourde. David était arrivé au moment où Laurie et Jason commençaient à se disputer sur les mérites d'une quelconque formation musicale et sa grimace avait suffi à dissuader Jill d'ouvrir la bouche.

— Tu ne peux pas faire tenir ces mômes tranquilles? a-t-il maugréé en s'asseyant.

Elle n'avait pas sourcillé mais la surprise des enfants ne lui échappa pas. Il ne lui parlait jamais sur ce ton — pas en leur présence, en tout cas. Sans mot dire, elle sortit le plat du four à micro-ondes et le posa devant lui.

— Qu'est-ce que c'est? demanda-t-il sans même y jeter un coup d'œil.

— Du rôti de porc.

— Combien?

— Comment ça, combien? Combien de kilos?

— Non. Combien d'argent?

Jill s'assit, prise de court par cette question inattendue.

— Je ne me rappelle pas. Cela fait quelque temps déjà que je l'avais au congélateur.

David regarda les assiettes de ses enfants.

— Tu n'arrêtes pas de répéter sur tous les tons qu'ils ne mangent rien. Alors, pourquoi acheter de la viande si chère en pure perte ?

— Je m-m-mange, bégaya Jason.

— Je n'ai pas très faim, murmura Laurie.

— Ce n'est pas dramatique, fit vivement Jill, l'appétit soudain coupé. Moi non plus, je n'ai pas faim.

— Bravo ! Eh bien, moi, j'ai une très bonne idée. La prochaine fois que vous viendrez dîner, les enfants, on fera flamber une poignée de billets !

— Oh ! Papa ! s'écria Laurie.

— Fais-moi grâce de tes « Oh ! Papa ! », ma jeune amie. Tu as l'air d'un squelette ambulant et j'en ai assez de te voir comme ça. Tu ne quitteras pas la table tant qu'il restera quelque chose dans ton assiette.

Les yeux de Laurie s'emplirent de larmes et, baissant la tête, elle contempla fixement son assiette. Tout le monde retenait son souffle. Finalement, elle attrapa sa fourchette à contrecœur, la piqua dans un morceau de viande et la porta à sa bouche. Mais elle n'acheva pas son geste. Elle lâcha sa fourchette et sortit en courant de la pièce.

Jill la suivit aussitôt dans la chambre, en dépit des vives protestations de David. Elle la retrouva assise sur le lit, les yeux fixés sur le miroir qui lui faisait le regard vide. Sa lèvre inférieure tremblait, l'autre était rigide.

— Laurie...

— Laisse-moi tranquille !

Jill hésita.

— Je voulais seulement te dire qu'en réalité ce n'est pas contre toi que ton père est en colère.

— Alors, il cache bien son jeu !

— Les grandes personnes sont bizarres, tu sais. Elles ne disent pas toujours ce qu'elles pensent et elles ne rabrouent pas toujours ceux qu'elles ont envie de rabrouer. Parfois même, elles ne savent pas exactement pourquoi elles sont en colère et elles se défoulent sur n'importe qui, sur la cible la plus proche. Ce soir, il s'est trouvé que c'était toi. (Laurie regardait toujours droit devant elle.) En vérité, c'est moi qui suis visée. Il se passe actuellement des événements graves qui font perdre la tête à tout le monde. (Elle essaya de déchiffrer l'expression de Laurie, mais sans succès.) Je voulais simplement que tu saches que tu n'y es pour rien.

Jill attendit quelques secondes et se dirigea vers la porte.

— Merci, fit Laurie d'une toute petite voix.

Surprise, Jill se retourna. La fillette était toujours immobile, le regard obstinément fixé sur le miroir au point que Jill douta un instant d'avoir bien entendu.

Dans la salle à manger, le père et le fils n'avaient pas bougé de leur place et le silence était à couper au couteau. Cédant à la faim ou à l'intimidation, Jason avait liquidé tout le contenu de son assiette. Pour la première fois depuis qu'elle le connaissait, il eut l'air content de la voir.

— Alors, comment s'est passée cette journée de rentrée? lui demanda-t-elle, sans prêter attention à son mari.

D'un seul coup, Jason prit le même air écœuré que son père.

— Emmerdant. Superemmerdant!

— *Très* emmerdant! Super est un préfixe intensif qui sert à former des mots, fit David d'un ton cinglant. Il ne peut pas s'employer comme adverbe. En ce qui me concerne, j'en ai supermarre de votre argot de potache! Je trouve ça superemmerdant!

Jason considéra son père comme si le malheureux avait subitement perdu la tête.

— Qui est ton tuteur en classe? demanda Jill pour détourner la conversation.

— M. Fraser. Il est O.K.!

— La richesse de ton vocabulaire me stupéfie, laissa tomber David, sarcastique.

Cette fois, Jason baissa la tête, au bord des larmes.

— Tu ne crois pas que ça suffit pour aujourd'hui ? fit Jill, exaspérée. Est-ce que tu te serais recyclé dans la grammaire, par hasard ? Si tu es encore en colère contre moi, bon, engueule-moi tant que tu voudras. Mais tes enfants ne sont pas venus pour que tu passes tes nerfs sur eux. Tu nous as gâché la soirée avec ton cabotinage. Regarde dans quel état sont ces gosses maintenant. Au lieu d'une, tu as réussi à mettre quatre personnes de mauvaise humeur.

— Je ne suis pas un gosse, gronda Jason sans s'emmêler la langue, pour une fois.

— Oh ! ça suffit comme ça ! s'emporta David. Es-tu bête au point de ne même pas comprendre qu'on prend ta défense ?

— J'ai pas besoin d'elle pour me défendre ! cria Jason qui repoussa sa chaise en regardant Jill avec fureur. Est-ce que je t'ai demandé quelque chose ? poursuivit-il en s'adressant à elle. Tu ne peux pas fermer ta grande gueule ?

Et il se rua hors de la pièce, laissant Jill décontenancée. Elle ne savait pas ce qui la déconcertait le plus : la férocité de cette diatribe ou la soudaine facilité d'élocution de Jason.

— Eh bien, voilà un cas de transfert classique, fit-elle en commençant à débarrasser la table. Tu es fâché contre moi, mais comme tu ne veux pas me faire une scène devant les enfants, c'est sur eux que tu passes ta colère. Là-dessus, Jason se met à son tour en colère contre toi, mais comme il n'a pas le courage de dire son fait à son propre père, c'est à la méchante belle-mère qu'il s'en prend. Tu devrais être satisfait : j'ai finalement eu droit à une engueulade, après tout.

Jill s'en alla à la cuisine avec une pile d'assiettes. Au bout de quelques minutes, David la rejoignit avec la sienne, à laquelle il n'avait pour ainsi dire pas touché.

— Je n'ai pas très faim, moi non plus, dit-il en la posant sur la paillasse. Je vais aller m'excuser auprès des enfants, ajouta-t-il comme Jill ne réagissait pas.

— Ce ne serait pas une mauvaise idée, convint-elle, tout en se demandant s'il en ferait autant pour elle.

— Je te demande pardon... (Elle leva vers lui des yeux pleins d'espoir, déjà prête à tout oublier.) ...pour le dîner, précisa-t-il en sortant.

Il était un peu plus de 8 heures quand l'interphone grésilla. Jill était dans le bureau, plongée dans la rubrique des petites annonces. (« Cherche dieu grec grand et musclé aimant danser sous pluie d'or et parlant un peu français. ») David était parti depuis un quart d'heure pour ramener les enfants. Elle se précipita dans la cuisine où était branché l'interphone.

— Oui ?

— Jilly ? C'est moi... Don Eliot. David est là ?

Le cœur de Jill se mit à battre la chamade. Elle était brusquement envahie d'un affreux sentiment de culpabilité.

— Il est allé reconduire les enfants mais il ne va sûrement pas tarder à rentrer. Montez et attendez-le ici.

— Entendu. Nous arrivons.

Jill appuya sur le bouton commandant l'entrée de l'immeuble et alla entrouvrir la porte de l'appartement. Don était-il déjà au courant de l'aveu qu'elle avait fait à David ? Allait-il, lui aussi, la traiter en renégate, en alliée perfide qui avait trahi leur confiance ?

Le déclic de la porte de l'ascenseur qui s'ouvrait et se refermait, immédiatement suivi d'un bruit de voix, interrompit ses réflexions. Ce ne fut que lorsqu'ils apparurent à l'angle du couloir qu'elle prit la mesure exacte de ce que Don avait dit une minute auparavant : « Nous arrivons. » Il avait employé le pluriel.

— Hello, Don ! dit-elle en lui serrant la main.

— Hello, Jilly !... Vous vous souvenez de Nicki, bien sûr ?

Époustouflante dans une robe aux dégradés mauve et noir, Nicole Clark entra à son tour. La voilà chez moi, songea Jill en avalant péniblement sa salive. Elle va envahir mon territoire, regarder mes affaires, juger mon goût en silence, toucher, examiner, laisser sa marque comme le chien qui pisse au pied d'un réverbère. Elle vient violer mon intimité comme un voleur dans la nuit. Oui, voilà ce qu'elle est. Un voleur dans la nuit.

— Bien sûr qu'elle se souvient de moi, dit Nicole avec une assurance tranquille.

Elle alla directement dans le séjour, et quand Jill se sentit enfin le courage de la suivre, elle la trouva déjà confortablement installée.

19

Quand elle entendit la clé tourner dans la serrure, Jill se leva de son fauteuil — Don occupait l'autre et Nicole était assise entre eux deux sur le divan — pour aller au-devant de David.

— Don est là, lui souffla-t-elle.

Sans attendre de plus amples explications, il gagna le séjour, posant au passage son portefeuille et ses papiers sur la chaîne hi-fi. Comme elle était derrière lui, Jill ne put savoir quelle avait été sa réaction en apercevant Nicole.

— Depuis quand êtes-vous là, vous deux ? s'exclama-t-il avec aisance en s'asseyant dans le fauteuil qu'elle venait de quitter.

Jill avait l'impression d'être une intruse sous son propre toit. Devait-elle s'installer en compagnie de ces trois avocats ou les laisser discuter entre eux et se réfugier dans sa chambre comme une bonne petite épouse ?

— Alors, Jill, qu'est-ce que tu fabriques ? lui lança David comme s'il lisait dans ses pensées. Tu restes plantée là ou tu t'assieds ?

Le seul endroit où elle pouvait s'asseoir était sur le divan à côté de Nicole. Comme ça, son mari aurait tout loisir de faire la comparaison. Son jean collant et ses mules roses ne faisaient pas le poids en face de la somptueuse robe de soie et les talons aiguilles de Nicole Clark.

— Je vais préparer du café, dit-elle en battant en retraite dans la cuisine.

La voix de Don lui parvint :

— Nous sommes arrivés il y a une demi-heure environ. Peu après votre départ.

— Il a fallu que je raccompagne les gosses chez leur mère.

— C'est ce que Jill nous a dit, remarqua Nicole.

Jill trouva hautement déplaisant d'entendre son nom dans la bouche de cette femme. Elle versa vivement le café moulu et l'eau dans la machine et attendit. Après cette demi-heure passée à se casser la tête pour parler de tout et de rien, elle était impatiente de connaître la raison de cette visite inattendue.

— Alors ? Que m'annoncez-vous ? (C'était la voix de David.). Une nouvelle catastrophe ?

— J'ai renoncé à assurer la défense de Beth Weatherby, répondit Don sur un ton solennel.

— Il est bourrelé de remords, s'empressa d'expliquer Nicole. Je lui ai suggéré de passer chez vous pour que nous en discutions.

— Vous avez bien fait. Qu'est-il arrivé ?

Quand Jill revint dans le séjour, Don était en train de commenter la confession de Beth.

— D'abord, en tant qu'avocat et ami, je suis consterné qu'elle ait pu faire des aveux publics sans même m'avoir consulté...

— Elle nage en pleine confusion, intervint impulsivement Jill en posant le plateau sur la petite table de verre. Elle ne sait plus très bien ce qu'elle fait.

— Je pense, quant à moi, qu'elle le sait parfaitement.

Elle crut entendre David. Mais en fait, c'était Nicole qui avait dit ça. A contrecœur, Jill alla s'asseoir à côté d'elle — le plus loin possible.

— Quoi qu'il en soit, continua Don sans relever l'interruption, il me serait déjà extrêmement difficile, dans ces conditions, d'assurer sa défense, même si le nom d'Al Weatherby m'était totalement inconnu. Mais le fait que l'homme qu'elle affirme avoir assassiné était l'un de mes meilleurs amis, ajouté au fait qu'elle invente des mensonges aussi monstrueux pour tenter de se justifier...

— Comment savez-vous que ce sont des mensonges ? demanda Jill.

— Allons donc, Jill, tu ne crois tout de même pas ce qu'elle raconte sur Al ! fit David, stupéfait.

— En effet, c'est très difficile à croire. Mais que Beth ait imaginé cette histoire de toutes pièces n'est pas moins difficile à avaler. Franchement, au point où nous en sommes, je ne sais que penser.

— Eh bien, moi, je le sais, riposta avec force Don Eliot. Je connais... je connaissais Al Weatherby depuis presque aussi longtemps que Beth. C'était l'un des hommes les plus aimables, les plus doux qu'il m'ait jamais été donné de rencontrer. Il aurait pris une araignée dans son mouchoir pour la chasser plutôt que de l'écraser. Et vous voudriez me faire croire qu'il aurait maltraité sa femme pendant vingt-sept ans ?

— Vous oubliez que Jill est une amie intime de Beth, mon cher, dit David d'une voix posée.

Heureuse de se sentir soutenue par lui, Jill lui sourit. En pure perte : David ne la regardait pas.

— Très bien, alors ! s'écria Don Eliot comme si le problème allait être définitivement résolu. Depuis le temps que vous la connaissez, vous a-t-elle jamais dit qu'Al la rouait de coups ? Lui avez-vous jamais vu des meurtrissures ? Vous a-t-elle jamais donné l'impression d'être une femme battue ?

— Non.

— Dans ce cas...

Don se tut, laissant Jill tirer elle-même la conclusion.

— Elle protège peut-être quelqu'un... Michael, par exemple...

— Michael a une centaine de petits copains de sa secte qui sont prêts à jurer qu'il ne les a pas quittés un seul instant ni de jour ni de nuit. Ils ne sortent jamais autrement qu'en groupe, vous le savez bien. Ils dorment même ensemble — par terre. Non, c'est la chemise de nuit de Beth qui était couverte de sang, pas la robe safran de Michael. Ce sont ses empreintes à elle qu'on a relevées sur le marteau. C'est elle la meurtrière, Jilly.

Elle l'a reconnu. Nous sommes bien obligés de l'admettre.

— Quel est l'avis général ? interrogea David.

— Qu'elle a perdu la tête, répondit Nicole. Victime d'une sorte de dépression nerveuse, si vous voulez. Au bureau, tout le monde estime qu'elle a été prise d'un coup de folie.

— Et vous ? Qu'en pensez-vous, Nicki ?

— Comment savez-vous que je ne partage pas cette opinion ?

— Parce que c'est une explication trop facile. Trop simple. Pour ma part, j'ai du mal à me faire à l'idée qu'une femme jusque-là parfaitement saine d'esprit ait perdu la raison du jour au lendemain. Une dépression ne va pas sans symptômes bien particuliers et, en l'occurrence, nous n'en avons pas le moindre signe clinique.

— Je suis d'accord, approuva Nicole. Pour moi, elle n'a pas fait de dépression et elle n'était pas battue. Elle lit trop de romans, c'est tout.

— Que voulez-vous dire ? demanda sèchement Jill.

— C'est la grande mode, aujourd'hui, répliqua Nicole sur un ton un rien condescendant. On tue son mari, on proclame qu'il vous maltraitait depuis des années, on plaide la démence passagère et on est acquittée.

— Si ce n'est pas Al qui l'a frappée, comment expliquez-vous ses blessures ?

— Pour une partie d'entre elles, elle se les est infligées elle-même. Les autres lui ont été portées par Al qui, attaqué en plein sommeil, a essayé de se défendre, déclara Nicole avec assurance.

— Vous devriez travailler pour le procureur !

Nicole reposa sa tasse sur la table et s'adressa à David.

— C'est certainement un cas intéressant pour l'accusation, dans la mesure où elle refuse de plaider la folie passagère. Elle a donné pour instruction à ses avocats — Bob Markowitz et Tony Bower, soit dit en passant — de s'en tenir à la légitime défense.

— Quoi ? hurla David.

— Elle affirme qu'elle avait toute sa raison et elle

entend plaider non coupable parce que, selon ses dires, si elle ne l'avait pas tué, c'est lui qui l'aurait fait.

— Pendant qu'il dormait du sommeil du juste, fit Don Eliot avec un sourire méprisant.

— Mais qu'est-ce que cela signifie? s'insurgea Jill. Je n'en crois pas mes oreilles! C'est vous, des juristes, qui parlez comme ça? (Elle s'en prit directement à David.) Tu répètes sans arrêt qu'un avocat n'a pas le droit de juger son client, qu'il a pour seul devoir de le défendre au mieux de ses capacités et que s'il s'érigeait en juge et en juré, ce serait la fin de toute justice!

— C'est un tout autre cas de figure, répliqua son mari sur un ton mordant.

— Ce que vous venez de dire est une profonde vérité, Jilly, reprit Don Eliot, et, si curieux que cela puisse vous paraître, nous disons exactement la même chose. Un avocat n'a pas le droit de s'ériger en juge. Que mon client soit coupable ou innocent n'entre pas en ligne de compte parce que mon devoir se borne à le défendre de mon mieux. Ce que, dans la circonstance, je serais incapable de faire. Mis à part l'intérêt personnel que j'ai dans l'affaire — n'oubliez pas que l'homme qu'elle a tué était mon associé et mon ami —, je suis persuadé que Beth ment comme un arracheur de dents. Sa vue me fait horreur.

— Alors, d'où vient que vous ayez des remords? riposta Jill.

Nicole répondit à sa place:

— Il ne devrait pas en avoir. C'est lui qui a conseillé à Beth de prendre Markowitz et Bower pour défenseurs. Ils se sont montrés assez éloquents pour obtenir son maintien en liberté sous caution.

— Qu'en pensent ses enfants? demanda David.

Nicole haussa les épaules.

— Qu'elle a perdu le nord. Ils espèrent, naturellement, parvenir à la convaincre de plaider la folie passagère avant l'ouverture du procès.

— Et c'est ce qu'elle fera, dit David, très sûr de lui. D'ici là, la presse s'en sera donné à cœur joie à propos de cette soi-disant légitime défense et quand l'affaire viendra devant le tribunal, on ne trouvera pas un juré sachant lire et écrire pour affirmer qu'elle a le cerveau dérangé.

— Ainsi, vous ne la croyez pas folle du tout ? intervint Nicole.

— Elle est aussi futée qu'un renard, oui ! Ce que je crois ? Qu'elle voulait se débarrasser d'Al, Dieu sait pour quelle raison — l'argent, un autre homme, peut-être. Toujours est-il que, ce soir-là, il s'est couché tôt et qu'elle a sauté sur l'occasion. Et le tour est joué : un mari est mort, une femme battue est née !

Il se mit à rire.

— Qu'est-ce que cela a de si drôle ? demanda Nicole, devançant Jill.

— Ma foi, toute cette affaire tend à prouver la folie. Quiconque a connu Al sait qu'il était incapable de faire ce dont elle l'accuse. Il faut donc bien qu'elle ait perdu la tête pour imaginer qu'on puisse ajouter foi à une histoire aussi ridicule. Ce qui nous ramène à la case départ : la dame est folle.

— Une folle aussi futée qu'un renard, renchérit Nicole, reprenant à son compte l'expression de David comme pour établir une connivence entre eux.

Jill eut l'impression d'être devenue soudain transparente comme si Nicole avait prononcé une formule magique destinée à les faire disparaître, Don et elle. Il ne restait plus que deux personnes dans la pièce : son mari et Nicole Clark. Jill observait son manège avec admiration. Nicole réussit même à verser une ou deux larmes, baissa les yeux et continua :

— Un homme comme lui ! Non seulement il est mort, mais son nom et sa mémoire sont traînés dans la boue. C'est injuste. Il a été si bon pour moi, vous savez, dit-elle, s'adressant cette fois directement à Jill comme à une confidente. Il m'aidait, il me donnait des conseils, il m'expliquait comment m'y prendre pour impressionner favorablement. C'est lui qui m'a proposé d'entrer au cabinet lorsque j'aurais été admise au barreau. Il avait même décidé d'assister à mon intronisation parce que mon père ne pouvait pas venir. (La voix de Nicole s'étrangla.) Qui pourrait croire que cet homme-là était un monstre et qu'il a martyrisé sa femme pendant plus de vingt-cinq ans?

— Personne, lui assura David, visiblement ému par cette tirade qui paraissait improvisée.

— Ses enfants aussi sont scandalisés et horrifiés par ces accusations, renchérit Don Eliot, touché lui aussi.

— Et vous? demanda Nicole à Jill.

Bien joué, se dit-elle, comprenant que sa réponse risquait de l'isoler définitivement des autres.

— Franchement, je ne sais que penser.

En fin de compte, elle préférait dire les choses honnêtement plutôt qu'essayer de se mettre dans leurs bonnes grâces au prix d'un mensonge. David n'affirmait-il pas qu'à partir du moment où un témoin commence à mentir, il est perdu? Mais qu'allait-elle donc chercher là? Elle était chez elle, dans sa propre salle de séjour, pas devant un tribunal! Pendant quelques instants, personne n'ouvrit plus la bouche.

— Qui veut de mon gâteau au chocolat? demanda-t-elle à la cantonade pour détendre l'atmosphère. J'en avais fait un pour le dessert mais nous n'en sommes pas venus à bout.

La proposition fut poliment déclinée.

— Quel âge ont vos enfants, David? demanda Nicole.

David dut réfléchir quelques secondes.

— Jason a douze ans et Laurie quatorze, finit-il par répondre. Le mauvais âge, quoi!

Nicole eut un sourire entendu.

— Tu es trop dur avec eux, fit Jill.

— Il en faut bien un pour se montrer un peu sévère.

Nicole vola au secours de David:

— J'imagine qu'il ne doit pas être facile de se tenir à égale distance du laxisme et de l'autoritarisme.

— Vous avez des enfants? lui demanda Jill à brûle-pourpoint.

La jeune femme se mit à rire.

— Oh non! Pas même de frères ou de sœurs. En ce qui concerne les enfants, je suis un peu vieux jeu, voyez-vous. Je préfère trouver un mari d'abord.

A toi de jouer, semblait-elle dire. Jill releva le défi:

— Autrement dit, vous auriez envie d'en avoir?

— Oh ! oui, sûrement. A mon avis, une femme ne s'accomplit vraiment qu'après avoir fait l'expérience de la maternité.

— On ne fait pas un bébé pour faire une expérience.

Nicole battit en retraite :

— Non, bien sûr, ce n'est pas ce que je voulais dire. Je pense simplement qu'il manque quelque chose à la femme qui n'en a pas eu.

Jill ne répliqua pas. Pour la première fois depuis le début de la soirée, elle avait l'impression d'avoir marqué un point.

— Dites-moi, Jilly, fit alors Don Eliot reprenant la conversation là où il l'avait laissée, en tant qu'amie intime de Beth Weatherby, n'avez-vous pas eu le sentiment d'une trahison en entendant sa confession à la radio et non de sa propre bouche ? Après tout, vous avez essayé de lui venir en aide. Vous êtes allée la voir.

Sentant ses joues s'embraser, Jill fit des vœux pour que Don, absorbé par ses pensées, ne remarquât pas son embarras.

Mais rien n'échappait à Nicole.

— Ça ne va pas ? lui demanda-t-elle aussitôt.

— Elle était au courant, répondit David posément.

— Au courant de quoi ? s'écrièrent en chœur Don et Nicole.

Jill s'éclaircit la voix.

— Beth m'a dit qu'elle avait tué Al quand je lui ai rendu visite la semaine dernière.

Un silence pétrifié s'ensuivit. Jill baissa les yeux. Le jury était de nouveau réuni. Verdict : la prévenue est reconnue coupable. Sentence : la mort par humiliation.

— Je ne comprends pas, dit Nicole.

— Moi non plus, déclara Don tristement.

— Vous n'êtes pas les seuls, renchérit David, franchissant la frontière invisible qui les séparait tous les trois de Jill, l'abandonnant à son sort dans un canot de sauvetage qui faisait eau de toutes parts.

— C'est venu tout à la fin, tenta-t-elle d'expliquer. Je m'attendais à tout sauf à ça. Inutile de dire que cela m'a fait un choc. (Jill avait beau scruter leurs visages, elle n'y décelait aucune marque de sympathie.) Elle m'a seulement déclaré qu'elle avait tué Al. Comment? Pourquoi? Je ne lui ai pas demandé de détails. Comme je ne savais ni quoi penser ni quoi faire, je n'ai rien fait du tout. Je ne me sentais pas le droit de parler.

Don Eliot secoua la tête.

— Je ne sais pas, Jill. (C'était la première fois depuis qu'ils se connaissaient qu'il ne l'appelait pas Jilly.) Vraiment non, je ne comprends pas. Vous me décevez énormément.

— Elle ne m'a même rien dit à moi, Don, lâcha David.

— Je suis sûre que si Jill a gardé le silence, c'est par une sorte de loyauté mal placée, intervint Nicole, prenant avec feu sa défense. Beth est une amie à elle, après tout, et Jill n'est pas juriste. Elle n'envisage pas la question avec la même optique que nous. Elle a dû avoir l'impression qu'en parlant elle trahirait la confiance d'une amie. C'était une situation délicate. Je ne sais pas si, à sa place, j'aurais agi différemment.

Don Eliot se leva et rajusta sa cravate.

— Décidément, les femmes trouvent toujours le moyen de se tenir les coudes. Maintenant, il faut absolument que je rentre.

Jill resta assise, trop stupéfaite pour parler. Que Nicole soit venue à son secours la laissait sans voix. Alors d'où venait qu'elle avait envie de l'étrangler?

Nicole s'était levée à son tour et avait suivi Don. Jill finit par se mettre debout, elle aussi, et les rejoignit à la porte.

— Désolée de vous avoir fait faux bond vendredi au tennis, disait Nicole à David. Mais j'ai retenu un court pour mercredi à 5 heures et demie. Ça vous va?

— En principe, oui.

Don Eliot était déjà parti en avant.

— A demain. Au revoir, Jill. Contente de vous avoir vue.

Jill ne répondit rien. Si seulement elle pouvait contenir la rage qui montait en elle jusqu'au moment où elle entendrait la porte de l'ascenseur se refermer! David resta un instant à la porte tandis qu'elle rentrait dans l'appartement. Elle était en train d'empiler rageusement les tasses sales dans le lave-vaisselle quand elle le vit passer, en route vers leur chambre.

— Où vas-tu ?

— Me déshabiller et prendre un bain si tu veux bien, répondit-il, sarcastique.

— Je ne veux pas, justement.

— Eh bien, il va falloir que tu te fasses une raison parce que je me passerai de ton approbation.

— Il vaudrait mieux que nous ayons une petite conversation, dit-elle en claquant la porte du lave-vaisselle et en lui emboîtant le pas.

— A propos de quoi ?

Sa voix avait monté d'un ton.

— De beaucoup de choses. D'abord, pourquoi raconter à Don que j'étais déjà au courant pour Beth ? Tu n'avais pas besoin de me mettre dans cette situation.

— Que voulais-tu faire ? Mentir ?

— Pourquoi pas ? Aurais-tu le monopole du mensonge, par hasard ?

— De quoi parles-tu ?

— De tes petites parties de tennis avec Nicole Clark ! Tu as peut-être oublié que tu prétendais jouer avec un stagiaire...

— Arrête de crier, Jill. J'en ai assez supporté pour aujourd'hui.

— Tu m'as menti !

— Et qu'est-ce que j'aurais dû faire ? explosa-t-il. Dès qu'il est question de Nicki, tu deviens paranoïaque...

— Paranoïaque ! Voilà une femme qui jette son dévolu sur mon mari, qui vient me le dire en face...

— Oh ! pour l'amour de Dieu, Jill, quand vas-tu enfin te lasser de répéter la même chose ! Tu l'as entendue tout à l'heure : elle s'est rangée de ton côté ! Elle t'a défendue !

— Je n'ai pas du tout besoin que cette garce me défende ! hurla Jill qui comprenait maintenant la réaction de Jason envers elle. Je suis tout à fait capable de me défendre toute seule. Je n'ai rien à faire d'une petite étudiante de quatre sous qui parle de moi à la troisième personne comme si je n'étais pas là et fait semblant de me soutenir pour avoir l'air objective et généreuse. Elle est prête à n'importe quoi pour se parer de toutes les vertus à tes yeux, David, et si par la même occasion elle peut me porter ombrage, eh bien, c'est faire d'une pierre deux coups.

— Je n'écouterai pas un mot de plus.

Jill le suivit pas à pas, d'abord dans le bureau, puis dans la salle à manger, puis de nouveau dans le séjour.

— David, crois-tu que c'était une simple coïncidence si elle a parlé de cette partie de tennis juste au moment où j'arrivais à la porte ? Tu ne penses pas qu'elle s'est arrangée pour être sûre que je l'entende ?

— Non, je ne le pense pas, rétorqua David avec véhémence. L'esprit de Nicki ne fonctionne pas comme le tien.

— Voilà enfin quelque chose de vrai ! Tu ne vois pas qu'elle nous manipule, aussi bien toi que moi ? Tu ne le sens pas ? Ou bien, simplement, tu t'en moques ?

— Tu es ridicule ! riposta son mari d'une voix où la colère le disputait à la tristesse. Je sors. J'ai besoin de prendre l'air.

— Non, David, je t'en prie ! l'implora-t-elle comme il ouvrait la porte.

— A tout à l'heure.

Et la porte se referma derrière lui.

20

Jill regarda la pendule pour la quatrième fois en l'espace de quatre minutes. Il était exactement 11 h 45. Cela faisait maintenant près de trois heures que David était sorti.

Elle ne savait que faire: l'attendre? aller dormir? Dormir... Drôle de mot! Elle pouvait se mettre au lit, bien sûr, mais certainement pas dormir.

Où était-il? Où avait-il pu aller sans emporter ses papiers sur lui? Elle était descendue vérifier dans le parking que la voiture était toujours là. Rassurée, elle était remontée. Le portefeuille, avec tout son argent et ses cartes de crédit, était également là où il l'avait posé en rentrant après avoir reconduit Jason et Laurie. Autrement dit, il déambulait la nuit, tout seul, dans les rues de Chicago. S'il était attaqué, ses agresseurs, furieux de le trouver sans un sou, se vengeraient sur lui. Ils le battraient. A mort peut-être. Prise de panique, Jill faillit appeler la police. Mais elle savait d'avance ce qu'on lui répondrait: rappelez-nous dans vingt-quatre heures s'il n'est toujours pas rentré. Au lieu de quoi elle avait téléphoné à sa belle-mère, espérant trouver David chez elle. Mais après quelques minutes d'entretien à propos de la pluie et du beau temps, elle avait compris qu'il n'était pas là. Prise au piège, elle avait passé la demi-heure suivante à écouter les doléances de Mme Plumley qui se plaignait de tout, de l'inflation aussi bien que de l'immeuble qu'on menaçait de construire dans le voisinage. Dès que Jill avait réussi à raccrocher, elle s'était empressée d'appeler la sœur de David. Celle-ci ne savait pas non plus où il était car elle entonna son rituel comment-va-mon-frère-ton-époux ? Après quoi, Jill préféra laisser la ligne libre, au cas où David, ayant des ennuis, essaierait de la joindre. Jusqu'à présent, le téléphone était resté muet.

Au cours de la dernière heure, elle avait eu l'esprit occupé de Nicole Clark. Jill se demandait ce qui serait pour elle le plus terrible : apprendre par la police que l'on avait retrouvé quelque part le corps mutilé de son mari, ou par Nicole qu'il avait passé la nuit avec elle. L'idée la mettait mal à l'aise. Il est vrai que Nicole Clark la mettait également mal à l'aise. Peut-être aurait-elle dû se taire, ne pas mordre à l'appât que celle-ci lui avait tendu, feindre d'ignorer que David jouait au tennis avec elle et qu'il avait menti ? Mais elle n'avait pas pu. A partir du moment où l'on accepte un mensonge, on est forcé de les accepter tous si l'on veut leur conférer une certaine crédibilité.

Et pourtant, qu'avait-elle obtenu en étalant ainsi les choses au grand jour ? Elle n'avait réussi qu'à s'aliéner un peu plus son mari, à le chasser de sa propre maison, fatigué et écœuré. Et, qui sait, à le pousser dans les bras de Nicole Clark ?

Était-ce là qu'il se trouvait en ce moment ?

Assez ! se dit-elle. C'est ridicule de perdre son temps à se torturer. S'il est allé chez Nicole, de toute façon, il n'y a plus rien à faire.

Toute cette journée avait été catastrophique d'un bout à l'autre, et elle en était la première responsable. Si seulement elle s'était abstenue de rapporter à David la confession de Beth ! Elle aurait dû prévoir sa réaction. Elle connaissait l'attachement, l'admiration qu'il vouait à Al Weatherby. Il avait même pleuré, lui qui n'avait pas versé une larme lors du décès de son propre père. Pourquoi s'était-elle ainsi obstinée à lui exposer ses doutes ? N'aurait-elle pas pu convenir, tout simplement, qu'Al était incapable de se conduire d'une manière aussi monstrueuse, et attendre les explications de Beth? David allait en faire une affaire personnelle maintenant. Et après tout, c'était bien naturel.

Elle se surprit à faire les cent pas dans le couloir. Décidément, elle lui rendait la vie impossible, elle le harcelait alors qu'il n'avait besoin que d'un peu de paix et de tranquillité. Et d'un solide soutien. Il avait déjà suffisamment de problèmes — son ex-femme, ses enfants, des journées harassantes au bureau, ses ennuis d'argent. A quoi étaient venues s'ajouter la mort d'Al, ses lamentations à elle à propos de son travail et sa jalousie toute neuve. Il ne manquait plus que cette histoire. Pour lui, rentrer à la maison, ce n'était sûrement pas la joie.

Il fallait aviser. Tout d'abord cesser d'être aussi suspicieuse ou, à défaut, garder ses soupçons pour elle, ne pas tiquer ouvertement chaque fois qu'il prononçait le nom de Nicole Clark, faire marche arrière en ce qui concernait Al et Beth, et ne pas clamer ses divergences de vue sur les toits. Puis éviter de dénigrer Elaine et poursuivre ses efforts pour amadouer les enfants. Si elle ne pouvait rien sur ce qui se passait au bureau, du moins pouvait-elle essayer de rendre la maison aussi attrayante que Nicole Clark.

Elle soupira. Restait la question de son travail. Là aussi, il faudrait qu'elle se fasse une raison. Elle n'avait pas le choix et gémir n'avancerait à rien. David devait éprouver au moins autant d'ennui à l'entendre répéter que son métier l'assommait qu'elle-même à l'exercer. Mais il fallait bien prendre les choses comme elles étaient. David n'en était pas responsable. Il n'y pouvait rien. Le nouveau semestre commençait, autant s'y atteler avec plaisir.

Si seulement il voulait bien rentrer...

La sonnerie du téléphone retentit.

Jill se précipita dans la chambre. Ce ne pouvait pas être la police, se disait-elle en passant d'un bond de l'autre côté du lit, puisque David n'avait pas ses papiers sur lui. Même si on l'avait retrouvé mort dans un coin, on n'aurait pas pu l'identifier aussi rapidement. A moins, bien sûr, qu'un officier de police l'ait reconnu...

— Allô!

— Jill, je te demande pardon.
— David ! Où es-tu ?
— Au bureau. Je t'ai réveillée ?
— Réveillée ? Tu veux rire ? Je suis à moitié morte d'inquiétude.
— Excuse-moi...
— Mais que fais-tu au bureau ?
Elle l'imagina haussant les épaules.
— Je n'en sais vraiment rien. J'ai marché, marché. Et soudain, en levant la tête, je me suis aperçu que j'étais arrivé là. Le gardien de nuit m'a laissé passer. Naturellement, je n'avais pas la clé.
— Je me suis fait un sang d'encre à me demander où tu pouvais bien être.
— Je suis parti de la maison sans un sou en poche, tu te rends compte ? Voilà ce que c'est que de jouer les grandes coquettes.
— Ça va ?
— Bien sûr. Seulement très fatigué. J'ai abattu un travail monstre. Comme il n'y avait personne et que c'était calme, j'ai réussi à mettre tous mes analytiques à jour. Et tu sais quelle corvée c'est pour moi. Tu ne te sens pas le courage de venir me chercher, par hasard ? ajouta-t-il timidement, après un silence. C'est un sacré culot de ma part de te demander ça, mais je ne sens plus mes jambes, je n'ai pas d'argent et...
— Et ?
— Et j'ai envie de te voir. Vraiment.
— Je serai là dans cinq minutes.
Jill raccrocha, s'empara des papiers au passage et sortit en trombe. Tout allait s'arranger. Elle éviterait à l'avenir tous les pièges que lui tendrait Nicole. Elle ferait en sorte que tout aille bien et qu'ils vivent heureux désormais.

Dès le lendemain matin, les choses commencèrent à se gâter.
Pour la première fois depuis qu'elle le connaissait, David ne se réveilla pas à l'heure. Autrement dit, étant donné le temps qu'il passait dans la salle de bains, elle

serait fatalement en retard. A 9 heures moins 10, elle appela le secrétariat de l'université pour les avertir que, ne se sentant pas bien, elle n'assisterait pas au début des conférences pédagogiques. Elle avait horreur d'utiliser ce genre d'excuse. Sa mère prétendait que ça portait malheur.

— Tu veux que je te prépare un petit déjeuner ? proposa-t-elle à David quand il fut enfin prêt.

— Tu plaisantes ! Je devrais déjà être parti depuis longtemps.

— Justement. Un peu plus, un peu moins...

— Après tout, pourquoi pas ? Des œufs brouillés, c'est trop te demander ?

— Pas du tout, répondit-elle, enchantée d'avoir l'occasion de s'occuper de lui.

Pendant qu'elle allait chercher les œufs dans le réfrigérateur, David décrocha le téléphone.

— Diane Buck, s'il vous plaît. Diane ? Je ne serai pas là avant une demi-heure. J'avais un rendez-vous pour le petit déjeuner qui s'éternise. Dites à Dough Horton que j'arriverai dès que je pourrai, O.K. ? Merci.

Jill cassa les œufs dans un bol, y ajouta un peu de lait, les assaisonna et commença à les battre. Les propos de David la mettaient mal à l'aise. Il mentait avec une telle aisance, il était si convaincant !

— Tu veux un toast ? lui demanda-t-elle en versant les œufs dans la poêle.

— Pourquoi pas ? Au point où j'en suis...

Quand Jill lui apporta son petit déjeuner dans la salle à manger, elle le trouva plongé dans la rubrique économique du journal.

— C'est prêt, dit-elle en souriant.

Il posa le journal à côté de son assiette.

— Oh ! merci. Ça m'a l'air rudement bon.

— J'espère que ça n'en a pas seulement l'air.

Il en prit une bouchée et déclara aussitôt :

— C'est délicieux. Tu n'en veux pas ?

Jill contempla son jus d'orange.

— J'ai décidé de me mettre au régime.

— Ah oui ? Pourquoi ?

— Je pense que ça ne me ferait pas de mal de perdre deux ou trois kilos.

David reprit son journal.

— Tu as peut-être raison. Mais fais attention à ne pas te laisser dépérir.

Jill eut un petit rire étranglé. Mais pourquoi donc était-elle si nerveuse ?

— Il n'y a guère de risque. David...

Il leva les yeux de son journal.

— Oui ? Qu'y a-t-il ?

— Je voulais seulement te dire que je regrette de ne pas t'avoir mis au courant pour Beth...

— N'en parlons plus.

— Parlons-en au contraire. Je ne voudrais pas que cette histoire reste entre nous.

— Mais non, voyons.

— Je t'aime. Je t'aime tellement ! murmura-t-elle.

— Moi aussi. Viens ici...

Jill se leva d'un bond et alla se jeter dans ses bras. Il lui caressa les cheveux.

— Moi aussi, j'ai des excuses à te faire. Je me suis conduit comme le roi des cons.

Jill sentit les larmes lui monter aux yeux.

— Du moment que tu es toujours le roi... dit-elle en reniflant. Tu as une journée très chargée, aujourd'hui ?

— Ni plus ni moins que d'habitude.

— Je pensais qu'on pourrait peut-être aller au cinéma, ce soir.

— Ce soir ? Impossible, j'ai trop de travail.

— Je croyais que tu avais abattu pas mal de besogne cette nuit ?

— C'est vrai mais, malheureusement, il m'en reste encore beaucoup plus. J'ai bien peur que tu ne me voies guère dans les semaines qui viennent. Tant que je ne serai pas à jour...

— Et vendredi soir ?

— Qu'est-ce qu'il y a vendredi ?

— Un dîner. Chez mes parents. Tu ne te rappelles pas qu'ils nous ont invités ?

— Oh ! mon ange, je suis navré, mais je ne peux pas. Ça m'était en effet complètement sorti de l'idée.

— Le dîner n'est prévu que pour 8 heures. Et je pourrais même passer te prendre au bureau.

— Ce n'est pas la question. (David s'interrompit et Jill devina aussitôt que ce qui allait suivre ne serait pas de son goût.) Je t'en prie, ne le prends pas mal. Je ne sais pas très bien comment te l'expliquer, connaissant tes sentiments à son égard...

— A l'égard de qui ?

Mais elle avait deviné la réponse.

— De Nicole Clark.

— Qu'est-ce que Nicole Clark vient faire là-dedans ?

— Eh bien, justement, c'est vendredi qu'elle est reçue au barreau.

— Elle t'a demandé d'être présent ?

— Son père ne peut pas venir. Elle n'a personne.

— Et son copain, Chris je ne sais quoi ? Celui qui l'a accompagnée chez Eliot, l'autre soir ?

— Ce n'est qu'une simple relation. Il ne représente rien pour elle.

— Et toi, tu représentes quelque chose ?

— Je pense que oui, répondit-il doucement. Écoute-moi, Jill, s'il te plaît. C'est la dernière fois que je me mets dans cette situation, je te le jure. Cela étant dit, tu te trompes sur Nicki. Je ne pense pas qu'elle soit manœuvrière et calculatrice. Évidemment, il faudrait que je sois idiot ou aveugle — ce que je ne suis pas — pour ne pas m'être aperçu qu'elle est amoureuse de moi. Pour ma part, je ne vois en elle qu'une jeune et brillante avocate, doublée d'une petite fille charmante et solitaire. Cela ne va pas plus loin et n'ira jamais plus loin, je te le promets. Et ce serait malhonnête, aussi bien vis-à-vis d'elle que vis-à-vis de toi, de laisser courir son imagination. Désormais, elle ne viendra plus me voir plaider, je ne l'inviterai plus à déjeuner, nous ne jouerons plus au tennis ensemble. J'assisterai à la cérémonie de vendredi parce que je le lui ai promis, et après c'est fini.

Jill baissa les yeux. Elle n'aurait pas demandé mieux que de lui faire la réponse qu'il attendait mais elle en était incapable : les mots ne sortaient pas.

— Je ne savais pas que la cérémonie d'inscription se déroulait le soir, se contenta-t-elle de dire.

— Non, elle a lieu l'après-midi.

— Tu l'emmènes dîner après ?

— Pas seulement moi. Nous serons cinq ou six. Pour la féliciter et lui souhaiter la bienvenue chez nous.

— C'est très gentil de votre part, fit Jill d'une voix neutre.

— Mais essaie donc de comprendre, je t'en supplie ! Il n'y a rien entre nous. Il n'y a jamais rien eu. Et, à partir de vendredi, il y en aura encore moins.

— Moins que rien ? C'est une contradiction dans les termes.

— Que veux-tu que je te dise de plus ? J'ai été d'une franchise totale et je ne vois pas ce que je pourrais encore ajouter. Le reste t'appartient. Mais c'est peut-être trop te demander que de comprendre.

— Oui, c'est trop. Mais j'essaierai quand même.

David la serra très fort dans ses bras.

— Je t'aime.

— Je t'aime aussi.

— Et je suis terriblement en retard. Ce pauvre Dough Horton doit être en train de cracher des flammes de fureur, à force d'attendre.

— Tu n'auras qu'à tout mettre sur mon dos.

— Je ne m'en priverai peut-être pas, fit David en s'en allant. Appelle-moi tout à l'heure.

La porte claqua.

Restée seule, Jill réfléchit à ce qu'elle venait d'apprendre. Elle passa et repassa les excuses de David dans sa tête, comme si elles avaient été enregistrées sur bande magnétique. Marche avant, stop, marche arrière, relecture... Il avait la voix mélodieuse et apaisante, pleine de compréhension pour ce qu'elle ressentait. Je suis conscient qu'elle est amoureuse de moi, avait-il dit, ou quelque chose de ce genre. Quand avait-il eu cette subite révélation ? La veille au soir, dans le séjour ? Ou avant, au cours d'un de leurs déjeuners ? Après tout, c'était sans importance. Ce qui comptait, c'était la décision qu'il avait prise de mettre un terme au petit jeu de Nicole. A partir de vendredi, toute la douleur du monde qu'elle portait sur ses épaules s'envolerait. Vendredi... La semaine allait être longue... Sur une brusque impulsion, Jill s'empara du téléphone.

— Allô !

— Beth ?

— Non, c'est Lisa. Jill ?

— Oui. Comment allez-vous, Lisa ? Et comment va votre mère ?

— Très bien, merci. C'est le reste de la famille qui s'écroule.

— Oh ! Lisa...

— Je présume que vous êtes au courant de sa confession ?

— Oui.

— Et des accusations qu'elle porte contre mon père ?

— Oui.

— Alors... qu'en pensez-vous ? demanda-t-elle d'un ton qui frisait l'hystérie.

— Je... je ne sais que penser.

— Elle prétend qu'il la battait, reprit Lisa plus doucement, chuchotant presque, comme si elle craignait qu'on ne l'écoute. Qu'il la maltraitait et la brutalisait depuis toujours. Elle le présente comme une espèce de fou dangereux, de monstre qui menaçait sa vie. Ce n'est pas possible, Jill ! J'ai grandi dans cette maison. Aurais-je pu vivre dix-neuf ans sous le même toit qu'un monstre sans m'en rendre compte ? Comment aurions-nous pu, mes frères et moi, ne nous apercevoir de rien si ce qu'elle affirme comportait ne serait-ce qu'une parcelle de vérité ? Non, c'est impensable. Aucun de nous trois n'a jamais rien remarqué. Je n'ai jamais entendu de cris dans la nuit, je n'ai jamais vu ma mère couverte de bleus. Tout ce que j'ai vu, c'était un mari tendre et aimant, un père qui n'a jamais donné ne serait-ce qu'une fessée à un seul de ses enfants, même quand ils le méritaient. Et, croyez-moi, nous étions parfois vraiment insupportables ! Je ne l'ai jamais vu en colère. Mon Dieu, Jill ! Ce qu'elle dit n'a aucun sens !

— Vous est-il plus facile de croire que votre mère ment ?

— Non ! s'exclama Lisa avec l'accent du désespoir. Je

ne comprends pas pourquoi elle raconte tout ça. A moins...

— A moins qu'elle ne soit folle ? acheva Jill tranquillement.

— Il n'y a pas d'autre explication possible. Je connais mes parents. Mon père était tout aussi incapable de battre ma mère que...

Elle ne termina pas sa phrase.

— Que votre mère de le tuer.

— A moins qu'elle ne soit devenue folle, sanglota Lisa. Mais je n'arrive pas à le croire ! Je ne sais plus où j'en suis. On vit avec des gens, on se figure qu'on les connaît, qu'on sait tout d'eux jusqu'au jour où on est forcé de se rendre à l'évidence : on ne sait rien. Rien. Strictement rien.

— Que dit votre mère ?

— Pourquoi ne le lui demandez-vous pas vous-même ? La voilà qui vient, justement.

Il y eut un temps mort pendant lequel le téléphone changeait de main.

— Jill ?

— Beth ? C'est incroyable à quel point votre voix et celle de Lisa se ressemblent !

— C'est assez normal. Comment vous portez-vous ?

Jill se mit à rire.

— Moi ? A merveille. Et vous ?

— Je ne me suis encore jamais sentie aussi bien. Alors, Jill, quelle est votre opinion ? Suis-je folle ou suis-je une menteuse ?

— Je ne sais pas pourquoi, mais mon instinct me dit que vous n'êtes ni l'une ni l'autre.

— Parce que vous êtes mon amie, répliqua Beth aussitôt.

— Je suis prête à vous écouter, si toutefois vous avez envie de parler.

— Voulez-vous ce soir ?

Surprise par cette invitation impromptue, Jill ne répondit pas tout de suite.

— Si vous êtes occupée, reprit Beth, nous pouvons bien entendu remettre cela à une autre fois.

Il ne lui fallut pas longtemps pour faire le tour de la

question : David avait du travail et ne rentrerait pas avant 10 heures. Rien ne la retenait à la maison, sinon la peur. Mais de quoi avait-elle peur ? Rien de ce que Beth pouvait avoir à lui dire ne risquait de la faire souffrir.

— Ce soir, ce sera parfait.

21

La porte de la maison était déjà ouverte quand Jill arrêta sa Volvo grise dans l'allée. Beth la guettait.

— Mon Dieu que je suis contente de vous voir, Jill! dit-elle en l'embrassant. Entrez. Lisa nous a préparé du thé. Pour les Américains de race blanche le thé doit être l'équivalent du bouillon de poule chez les gens de couleur. Il suffit d'en boire une gorgée pour que tous vos problèmes s'évanouissent.

— Quelle merveille ce serait, vous ne trouvez pas?

— Comment va David? demanda Beth en la précédant dans le salon.

Lisa se leva aussitôt pour l'accueillir.

— Il travaille jusqu'à des heures impossibles. Hello, Lisa. Il paraît que vous nous avez fait du thé? J'en prendrais volontiers une tasse.

— Comment le voulez-vous?

— Nature. Je me suis mise au régime.

— Pourquoi, au nom du ciel? s'exclama Beth.

Jill se mit à rire.

— Oh! vous, vous êtes vraiment une amie!

Lisa lui en tendit une tasse.

— Et toi, maman?

— Avec du lait et du sucre, ma chérie.

Elles s'installèrent toutes les trois à peu près comme la semaine précédente: Jill et Beth sur le divan, Lisa en face d'elles. Ai-je l'air aussi nerveuse que cette petite? se demanda Jill.

— J'ai prévenu Lisa, commença Beth, que vous alliez venir écouter ma version de la vie que j'ai menée avec son père. Elle est déjà au courant de presque tout mais elle tient à l'entendre encore une fois. Évidemment, je lui ai fait grâce de certains détails que je ne vous épargnerai pas, Jill. J'ai toujours essayé de la protéger, mais puisqu'elle ne cesse de me répéter qu'elle est une grande fille, maintenant, je suppose qu'il est temps qu'elle connaisse l'histoire dans toute son horreur. Brian est en haut. Il ne veut rien savoir, lui. Il préfère penser que je suis folle. Vous êtes vraiment sûre de vouloir entendre mon récit, Jill ?

— J'en suis sûre.

— Je commencerai par le commencement, par ma rencontre avec Al, il y a vingt-huit ans. Je vous en ai déjà parlé et je vous demande de m'excuser si je me répète, mais je trouve plus facile d'observer l'ordre chronologique pour y insérer les petits détails de la vie quotidienne.

Elle s'interrompit, but un peu de thé et reposa la tasse sur ses genoux.

— Comme vous le savez déjà, j'étais très jeune quand nous nous sommes mariés. Je venais d'avoir dix-huit ans. Al avait douze ans de plus que moi. Nous avions fait connaissance à la banque. J'étais caissière, il était client. Il passait une ou deux fois par semaine, toujours habillé avec recherche. Du moins, c'est ce qu'il me semblait. Je l'ai remarqué tout de suite. Il était si aimable ! Toujours souriant. Il plaisait à tout le monde. Et cela n'a pas changé. (Elle prit une profonde inspiration.) Il me plaisait à moi aussi. Je lui souriais furtivement quand je croyais qu'il ne me regardait pas mais, un jour, il s'est retourné et m'a surprise. Dès lors, il vint régulièrement à mon guichet.

« J'ai été folle de lui tout de suite. Je le trouvais tellement séduisant ! Et puis, il était plus âgé que moi. Et il était avocat. Seigneur ! Ce que j'ai pu être impressionnée quand il me l'a appris ! Et j'avais l'air de l'intéresser, ce qui était encore plus extraordinaire que tout. Moi qui n'avais même pas terminé mes études secondaires ! Mon manque d'instruction lui a toujours fait honte. Mais mes parents n'avaient pas d'argent et, à l'époque, on n'attachait pas tant d'importance à l'école. Il valait mieux avoir un emploi. J'espérais pouvoir reprendre mes études après notre mariage, mais les enfants sont arrivés si vite... et Al... enfin, nous racontions à tout un chacun que je les avais reprises à temps partiel et que j'avais finalement décroché mon diplôme de fin d'études secondaires. Al n'en demandait pas plus. Il ne voulait surtout pas que je passe pour une demeurée, et puisque cela semblait avoir tant d'importance pour lui et que je voulais le voir heureux, j'ai joué le jeu. Mais je ne m'y suis jamais faite. J'avais peur qu'on me pose des questions auxquelles je serais incapable de répondre. J'ai donc mis un point d'honneur à lire tous les livres sur lesquels je pouvais mettre la main et à me tenir au courant de l'actualité. Mais j'anticipe...

« Nous avions commencé à sortir ensemble. Je n'en revenais pas de ma chance. Seule ma mère ne partageait pas mon bonheur. Notre mariage l'a consternée. Quand elle est morte, Al ne m'a même pas laissée aller à l'enterrement ! Depuis, mes frères ne m'ont plus jamais adressé la parole. Je m'interroge... Peut-être savait-elle... peut-être avait-elle senti la cruauté, la brutalité qui étaient en lui ?

« Moi, tout ce que je voyais, c'était un garçon charmant, plein de confiance en soi, toujours content, accommodant et d'humeur égale. Et voilà ! Autant pour les impressions premières...

« Nous nous sommes donc mariés. Pas en grande pompe. Ma famille n'est pas venue et Al n'en avait pas. D'anciens camarades d'école à lui nous ont servi de témoins. Puis nous sommes allés dîner dans un restaurant quelconque. Je me rappelle que j'ai été étonnée : je m'étais figuré qu'il ferait les choses en grand. Mais cela m'était bien égal parce que j'étais maintenant Mme Alan Weatherby. Ma famille, le restaurant, et même le fait que nous ne partions pas en voyage de noces, tout cela n'avait aucune importance. J'avais épousé l'homme de mes rêves, comme on dit, et c'était la seule chose qui comptait.

« La violence éclata dès notre nuit de noces.

« J'étais vierge, évidemment. J'étais même rarement sortie avec des garçons. Mais c'était Al qui avait insisté pour que nous attendions d'être mariés. Moi, j'aurais fait tout ce qu'il m'aurait demandé. Puisqu'il voulait patienter, nous avons patienté. Je ne sais pas au juste ce que j'avais envisagé, mais je suppose que j'étais semblable à toutes les jeunes filles. Je pensais que ce serait peut-être un peu douloureux, mais, pour l'essentiel, merveilleux. Que nous nous caresserions, que nous nous embrasserions, qu'il serait doux, compréhensif et tendre. Mais je me trompais. Il n'y eut ni caresses, ni baisers, ni tendresse. Ce fut épouvantable. J'avais l'impression d'être au lit en compagnie d'un étranger. Ce n'était plus le même homme. Finis les sourires, l'affection. Il était devenu brutal. Méchant même. Il me pinçait, me meurtrissait et quand j'essayais de lui échapper, il recommençait, plus durement. Il m'a forcée et, après avoir pris son plaisir, il m'a retournée et fessée comme une petite fille. Des claques violentes, qui faisaient mal. Je pleurais, je me débattais, ce qui ne faisait qu'attiser sa fureur. Il m'a tordu le bras si fort que j'ai cru qu'il allait le casser. Quand je l'ai supplié de me dire pourquoi il s'en prenait aussi cruellement à moi, il s'est mis à crier, m'accusant de lui avoir menti, prétendant qu'il était visiblement loin d'être le premier. J'ai essayé de le raisonner. Pour toute réponse, il m'a giflée. Je ne savais plus quoi faire. J'avais l'impression — très sincèrement — que c'était ma faute et que, d'une manière ou d'une autre, j'étais responsable de ce qui m'arrivait. Et j'ai fini par lui demander pardon. C'était toujours moi qui m'excusait. Cela d'ailleurs devait devenir un rituel.

« Chaque fois que nous faisions l'amour — curieuse expression ! — il me frappait. Au début, ce furent de simples fessées. Mais petit à petit, à la place de ses mains, il employa des brosses, puis des ceintures. Plus tard, quand les enfants furent assez grands pour se rendre compte que c'était leur mère qui criait, il me bâillonna et m'attacha les mains derrière le dos. Et il prenait toujours grand soin de ne frapper qu'aux endroits où les traces pouvaient être dissimulées. Sauf, bien sûr, si cela pouvait prendre les allures d'un accident. Il était passé maître dans ce genre de mise en scène. J'étais devenue, comme on dit, « prédisposée aux accidents ». Je me cognais, je me brûlais, j'avais toujours des bleus quelque part mais, aujourd'hui, personne ne s'en souvient. Cela arrive à tout le monde, n'est-ce pas, de se faire un bleu un jour ou l'autre... Et il fut un temps où j'avais si bien réussi à tourner mes maladresses en ridicule que c'était devenu un sujet de plaisanteries au cabinet. " Que vous êtes-vous fait à la jambe ? " me demandait-on. Et je répondais sur un ton guilleret : " Oh ! vous me connaissez. J'ai encore trébuché sur quelque chose. "

« Je trébuchais parce que Al me faisait des croche-pied. Je me brûlais les doigts quand il me les tenait de force sur le grille-pain. Je me suis fait une entaille à la main quand mon mari y a promené un couteau, parce que j'avais raté un grand chelem au bridge...

Jill poussa une exclamation étouffée et baissa la tête, honteuse. D'une certaine façon, elle l'avait toujours su. Voilà de quoi elle avait eu peur : de l'entendre dire tout haut, d'apprendre que c'était vrai.

— Quand j'ai été enceinte de Brian, poursuivit Beth, j'étais folle de joie... Dieu sait pourquoi ! Je pensais peut-être qu'en donnant à Al le fils qu'il espérait — je l'imaginais du moins — il se calmerait et cesserait de me brutaliser. Il ne voudrait pas faire de mal à une femme enceinte. Il ne voudrait pas faire de mal à son enfant.

« Il ne m'a jamais battue autant que quand je lui ai annoncé la nouvelle. Il était fou de rage. Je ne me rappelle même plus ce qu'il m'a dit. Je ne me rappelle que les coups. La plupart dans le ventre. Il m'a même fait dégringoler une volée d'escalier en guise de final. J'ai vraiment pensé qu'il allait me tuer ce soir-là. Je crois même que je l'espérais.

« Je ne sais pas comment Brian a survécu jusqu'au terme de ma grossesse, mais il a survécu. Et moi aussi. Pourtant, les corrections que je continuais de recevoir ne perdaient rien de leur violence. Lisa est née quelques années plus tard, puis Michael, six ans après elle. Dans l'intervalle, j'en ai perdu plusieurs. Au total, j'ai fait quatre fausses couches.

« Maintenant, mon histoire devient un peu monotone. Vingt-sept ans de sévices, ce n'est jamais que vingt-sept ans de sévices et la suite ressemble beaucoup au début. Le cabinet d'Al a pris peu à peu de l'importance. Sa réussite a été spectaculaire, ainsi qu'il l'avait toujours prophétisé. Tous les ans nous emménagions dans une maison plus grande. Tout le monde considérait Al comme un faiseur de miracles, et moi comme la plus heureuse des femmes.

« C'est ce qui m'a toujours stupéfiée chez lui : cette faculté qu'il avait de se transformer, sur l'instant, de Dr Jekyll en Mr Hyde. En public, il n'y avait pas d'homme plus charmant. Je n'ignorais pas qu'il était adoré de tous. Je n'avais pas oublié que je l'avais adoré moi-même. Quelle force il avait malgré ses airs frêles ! Il faisait de l'haltérophilie, vous savez. Ça donne des muscles. (Beth s'arrêta brusquement et se mit à rire.) Tout est là, en définitive. Tous nos problèmes, toutes nos peurs viennent de ce fait tout bête que les hommes sont physiquement plus forts que nous. Le plus faible d'entre eux peut venir à bout de la plus robuste des femmes. C'est là le fondement de toutes les injustices. L'égalité du salaire, l'égalité devant l'emploi, l'égalité des droits — tout ce pourquoi nous luttons — se ramène en réalité à une lutte contre la suprématie physique de l'homme. Tout le reste en découle. »

Beth s'éclaircit la gorge et, coupant court à ces digressions, revint à son propos.

— J'en étais arrivée à redouter qu'Al soit aimable avec moi en public. Plus il s'était montré gentil, plus il tapait fort en rentrant. Plus il faisait preuve d'attentions, plus il était méchant ensuite. Vous vous rappelez comme ma lettre — la chaîne d'amitié — l'avait fait rire ? Eh bien, il ne l'a plus trouvée aussi drôle en privé. Pas drôle du tout, même. Elle m'a coûté très cher.

« Il ne me permettait pas d'avoir des amies. Vous étiez la seule, Jill. Nous nous comprenions instantanément, sans avoir besoin de nous voir ou de nous parler tous les jours. Al ne pouvait pas s'y opposer. Et il sentait sûrement qu'il aurait été dangereux d'essayer.

« Comment vous dire ce que cela a été avec les

enfants ? Je vivais dans la terreur qu'ils ne découvrent la vérité, qu'il ne lui suffise plus de faire de moi son souffre-douleur et qu'il tourne sa fureur contre eux. Pendant toutes ces longues années, je ne l'ai pas critiqué une seule fois. Je ne songeais qu'à les protéger. Je ne me permettais même pas d'avoir un différend avec lui devant eux. Je l'aurais payé cher, vous vous en doutez. Mon mari était le pôle de toute mon existence et, naturellement, c'est le souvenir qu'ils en ont. Et voilà pourquoi ils ont tant de mal aujourd'hui à admettre la vérité. (Beth regarda sa fille qui pleurait.) Je suis sûre que Lisa vous a dit qu'elle n'a jamais vu ses parents se disputer, qu'ils n'avaient même pas de ces querelles comme en ont normalement tous les couples. (Elle se tut un instant, plongée dans ses pensées.) Sauf peut-être Michael. Je l'ai toujours soupçonné d'avoir plus ou moins compris ce qui se passait. Quoi au juste ? Je l'ignore. Mais je me suis toujours demandé s'il n'avait pas abandonné ses études et rejoint sa secte à cause de ça.

« En un sens, j'ai été contente qu'ils quittent Chicago. Je les ai poussés à partir — à l'insu d'Al, bien entendu : il m'aurait tuée s'il l'avait su. Je voulais les éloigner de lui, les éloigner de la maison. Au moins, je n'avais plus à me faire de soucis pour eux. Évidemment, Al n'en avait que les mains plus libres, si j'ose dire. Il n'avait plus besoin de se contrôler.

Jill ouvrit la bouche mais Beth répondit à sa question avant même qu'elle l'eût formulée :

— Vous allez me demander pourquoi je suis restée avec lui, n'est-ce pas ? (Jill hocha la tête.) Tout le monde me le demande. Évidemment, c'est la première question qui vient à l'esprit et je me la suis posée moi-même cent fois. Seule une autre femme ayant vécu pareil enfer pourrait peut-être le comprendre. Mais il ne faut pas oublier que j'étais très jeune et très désemparée quand je me suis mariée. A mes yeux, cet homme était le centre de l'univers. J'ai même pensé au début que ce devait être ça, le mariage. Que les femmes acceptaient les coups, que c'était dans l'ordre des choses. Et j'étais trop fière. Reconnaître que ma mère avait eu raison ? Retourner dans ma famille après tout le tapage que j'avais fait ? D'ailleurs, il m'avait juré qu'il me retrouverait n'importe où si j'avais le malheur de m'enfuir. Qu'il me retrouverait et me tuerait. J'étais absolument terrifiée.

« Et puis, bien sûr, je me disais que c'était ma faute. Cet homme si merveilleux, si admirable, que tout le monde aimait, se montrait merveilleux et admirable avec tout le monde sauf avec moi. J'en déduisais que je devais donc être la seule à blâmer. Dieu m'est témoin des efforts que j'ai faits pour m'améliorer ! Je suis devenue un cordon-bleu hors ligne. J'étais aux petits soins pour lui. Mais il trouvait toujours à redire. Et les enfants ! Il n'arrêtait pas de me répéter que j'étais une mauvaise mère. Il menaçait de me les prendre si je le quittais. Il prétendait que je n'aurais aucune chance devant un tribunal, que personne ne me croirait. Et il avait raison. Personne ne me croit. »

Jill déglutit avec difficulté.

— Moi, je vous crois, dit-elle doucement.

Un long silence suivit.

— Moi aussi, murmura Lisa en allant brusquement se jeter dans les bras de sa mère.

Beth, les yeux pleins de larmes, la serra étroitement contre sa poitrine et se mit à la bercer comme un enfant. Sans la lâcher, elle tendit une main à Jill, qui la lui étreignit très fort. Elle reprit la parole d'une voix plus ferme, moins désespérée.

— La nuit où j'ai tué Al n'a pas été différente des autres sauf qu'il avait bu quelques verres de trop, ce qui lui arrivait rarement. Dieu sait qu'il n'avait pas besoin d'alcool pour exciter sa méchanceté.

« C'était un vendredi. Je préparais le dîner. Il m'a appelée d'un bar et a commencé à m'injurier : j'étais un boulet qu'il traînait, une mauvaise mère, une joueuse de bridge pire encore... tout et n'importe quoi ! Voilà ce que j'étais. Puis il m'a annoncé qu'il rentrait. Je savais qu'il allait me battre. Il s'enhardissait de plus en plus depuis le départ de Michael et ses violences devenaient de plus en plus raffinées. Sa prudence l'abandonnait petit à petit, il faisait des mensonges qui risquaient même de le confondre. Comme le jour où il vous a raconté que je me faisais du souci parce que Lisa était la maîtresse d'un homme marié. On aurait dit qu'il ne s'inquiétait plus d'être découvert. Presque comme s'il mettait les gens au défi de percer son secret. J'ai pensé qu'il allait me tuer et j'étais terrifiée.

« Je vous ai téléphoné. »

A nouveau, Jill baissa la tête, honteuse. Beth se dégagea doucement de l'étreinte de Lisa pour la regarder en face.

— Non, je vous en prie, ne vous faites aucun reproche. Comment auriez-vous pu savoir? C'est l'erreur que j'ai commise pendant des années: je m'accusais, moi, de ce dont il était coupable, lui! Voilà où vous mènent de pareils sévices. Voilà ce que je ne pourrai sans doute jamais pardonner à Al. Voilà pourquoi je l'ai tué. Pas à cause des mauvais traitements qu'il m'a fait subir. Non. A cause de ce qu'il a fait de mon âme. A cause de la terreur dans laquelle il m'a fait vivre, de l'avilissement, de la destruction de tout mon être. Quand je suis devenue plus lucide, quand j'ai compris que je n'étais pas fautive, que si quelqu'un n'était pas normal, c'était Al, il était trop tard. Mon âme était morte.

« Quand il est rentré, ce soir-là, il m'a trouvée assise à l'attendre. Il n'a pas perdu de temps. Les coups sont partis aussitôt, plus forts que jamais. J'ai compris qu'il allait me tuer. Il m'avait prise à la gorge et il serrait. De toute évidence, il ne se souciait même pas de laisser des traces visibles de son œuvre. Fait sans précédent, j'ai essayé de me défendre. Il a trouvé ça très drôle. Ridicule. Il s'est mis à me griffer et, finalement, je suis tombée par terre, à moitié évanouie. Il m'a donné des coups de pied dans les côtes comme si je n'étais qu'un ballot de linge sale. Et puis, brusquement, il s'est arrêté, déclarant qu'il était fatigué, qu'il allait se coucher et qu'il m'achèverait en se réveillant.

« Il est monté. Je suis restée longtemps allongée sur le sol, tout le corps meurtri. J'ai fini par me décider à monter, moi aussi, pour essayer de dormir un peu. Est-ce que je savais déjà que j'allais le tuer? Je me rappelle seulement avoir pensé qu'il ne se réveillerait sans doute pas de la nuit et que, le lendemain, ce serait oublié — du moins provisoirement. Je me suis déshabillée, j'ai mis ma chemise de nuit et je me suis allongée à côté d'Al, prête à mourir si c'était cela qu'il voulait.

« Mais il s'est passé quelque chose d'étrange en moi. J'ai pris conscience que je ne voulais pas mourir. Et que je n'étais pas obligée de continuer à accepter les coups. Qu'il m'était égal que l'on me croie ou non. Si je le quittais, il mettrait sa menace à exécution : il me retrouverait et me tuerait. Les accidents, ce sont des choses qui arrivent, se plaisait-il à répéter. Je n'avais qu'une seule façon de survivre : le tuer la première. Légitime défense.

« C'est ce que j'ai fait.

« A partir de cet instant, je ne me souviens plus très bien des détails. Je suis allée chercher le marteau. Je l'ai frappé. Je me rappelle avoir remarqué tout à coup que ma chemise de nuit était pleine de sang. J'ai compris qu'il était mort. Je me rappelle que j'en ai éprouvé un véritable soulagement. Je ne me rappelle pas, en revanche, avoir caché le marteau dans la bouche d'aération, mais c'est sans doute ce que j'ai fait. Mes avocats voudraient que je plaide la démence passagère. Selon eux, j'aurais agi dans un moment de folie. Après tout, peut-être. Mais je ne le crois pas, reprit-elle après une pause. Pour vous dire la vérité, Jill — pardonne-moi Lisa —, je suis convaincue que ce soir-là, je n'avais jamais été aussi saine d'esprit depuis vingt-sept ans. »

22

Le téléphone sonna juste au moment où Jill se préparait à sortir.

— Naturellement! maugréa-t-elle en se précipitant dans la cuisine.

Il était déjà 10 heures et demie. Son cours commençait dans une demi-heure. Si elle tardait plus de cinq minutes encore, elle serait définitivement en retard. Et cela ferait plutôt mauvaise impression, dès le deuxième jour de la rentrée. Elle qui avait résolu de démarrer du bon pied — avec conscience et enthousiasme!

— Allô!

— Jill?

— Oui. Qui est à l'appareil?

— Irving. Irving Saunders.

— Comment vas-tu? Et l'Afrique, c'était bien?

— Comme d'habitude. Tumulte et chaleur à crever. Écoute, j'ai une grande nouvelle pour toi.

— Ah?

Jill agrippa le combiné avec autant d'énergie que si le plancher devait brusquement s'effondrer sous ses pieds.

— Tu ne me demandes pas laquelle?

— Laquelle? répéta-t-elle comme une somnambule.

— Nous préparons une nouvelle série d'émissions. Soixante minutes d'actualités: scandales, révélations en tout genre et quelques séquences sur la population de la ville de Chicago. Titre: « L'Heure Chicago », l, apostrophe, h — qui sonne exactement comme *Leur Chicago,* l,e,u,r. Ce qui est en fait le sujet. Tu ne trouves pas ça bien ? Allô ? Tu es toujours là ?

— Je t'écoute.

— On a besoin de toi.

— Quoi ?

— A vrai dire, il y a un petit problème quand même. Deux, en réalité.

— Tu as besoin de moi ?

— Oui.

— Eh bien, tu m'as.

Irving Saunders éclata d'un grand rire.

— Je t'adore, Jill ! Toi, au moins, tu ne fais pas de manières !

— Je commence quand ?

— Eh ! Attends un peu. Il faut d'abord qu'on règle ces petits problèmes. Ils ont leur importance, tu ne trouves pas.

— Vas-y.

— Eh bien, en premier lieu, c'est une émission-test. On tourne un sujet et on attend de voir comment réagissent la direction et le public. Tu connais la musique. Si ça marche, on démarre en grand à la mi-saison. Autrement dit, ce que je te propose, c'est un coup d'essai — sans autre engagement.

— Je comprends.

— Nous commençons la réalisation dans quinze jours. Il me faut ta réponse définitive le plus vite possible.

— Je te l'ai déjà donnée.

— Mais... et l'université ?

— Je ne vois pas pourquoi on me ferait des objections : ce sont des travaux pratiques d'une valeur inappréciable. Et il ne s'agit que de quelques semaines. De toute façon, c'est mon problème et je m'en arrangerai. (Elle respira un grand coup et regarda l'heure.) Mais d'où me vient la désagréable impression qu'il y a autre chose ?

— De ce qu'il y a autre chose, probablement.

— Tu as gardé le meilleur pour la fin ?

— Comme toujours. Tu es prête ?

— Je ne serai pas payée à mon tarif habituel ?

— Non, ce n'est pas ça. La question d'argent pourra s'arranger, j'en suis sûr.

— Comme toujours, dit-elle en l'imitant. O.K. ! Alors ? Qu'est-ce que c'est ?

— Le sujet de ta séquence...

— Qui est ?

— Les femmes battues, répondit Irving après une hésitation.

— Les femmes battues ?

La voix de Jill était tombée de plusieurs octaves.

— La situation dans ce domaine à Chicago. Les statistiques. Les motivations. La jurisprudence. (Silence.) Des exemples. (Nouveau silence.) Ce n'est pas un hasard si je tiens à ce que ce soit toi qui réalises cette enquête. En fait, c'est la raison de mon coup de téléphone. Je serai franc. La direction n'aime pas faire appel à des réalisateurs indépendants. Nous avons des soucis financiers comme partout ailleurs. Mais je me suis mouillé. Tu as envie de revenir et j'ai envie que tu reviennes. Quand on a commencé à parler de ce nouveau programme, j'ai immédiatement pensé à toi. Et après l'assassinat de Weatherby, quand sa femme s'est mise à alerter l'opinion, tu étais toute désignée. C'est le cabinet de ton mari qui s'en occupe, tu connaissais la victime et j'ai supposé que tu connaissais aussi sa femme. Cela t'ouvre des portes qui resteraient fermées à d'autres. Peut-être que non, après tout, mais je tenais là un argument de poids. Et j'ai réussi à convaincre la direction que tu étais la seule personne capable de faire ce boulot.

— Beth Weatherby est mon amie, murmura Jill.

— Comprends-moi bien, Jill. Il ne s'agit pas de faire toute une séquence sur elle. Les questions de droit m'intéressent davantage. Mais il est bien évident que l'affaire Weatherby constituera soit le point de départ, soit le cadre de l'émission : peut-on invoquer la légitime défense dans un cas pareil ? La folie passagère serait-elle, en droit, une meilleure excuse ? L'acquittement de Beth Weatherby aurait-il pour conséquence de délivrer à toutes les femmes se trouvant dans une situation analogue un permis de tuer ?

— Un certificat de mariage délivrerait-elle aux hommes un permis de tuer ? rétorqua Jill.

— Je savais que tu étais la personne qu'il nous fallait ! fit Irving avec satisfaction. Tu penses pouvoir t'en charger ?

— Je ne sais pas. Compte tenu des circonstances, David ne verra pas ça d'un bon œil.

— Je m'en doute. C'est pourquoi je te laisse quelques jours de réflexion. (Comme Jill demeurait muette, il ajouta sans nécessité :) Je ne sais pas quand je pourrai te faire signe à nouveau si ta réponse est négative.

— Je comprends.

— Appelle-moi jeudi dans l'après-midi.

— Entendu.

— Salut.

— Au revoir.

Jill reposa l'écouteur et se perdit dans la contemplation du carrelage. Pourquoi se retrouvait-elle toujours dans de pareils pétrins ? A croire qu'on la pourchassait. (Tiens ! Voilà Jill Plumley et, Dieu me pardonne, on dirait qu'elle a eu deux jours de tranquillité d'affilée ! Alerte générale ! Tout le monde aux postes de combat ! A l'attaque !) David n'allait pas aimer ça du tout. Il préférerait certainement la voir à cent lieues du scandale Weatherby et de ses ramifications juridiques. Et Beth ? Comment réagirait-elle ?

Et si elle refusait ? Irving lui avait fait clairement comprendre qu'elle ne recevrait plus d'autres propositions d'ici longtemps. La chance frappait à sa porte, c'était une occasion inespérée. Elle n'avait pas revu Beth depuis cette extraordinaire visite, la semaine dernière, et elle n'avait pas eu le temps d'en parler à David. Il avait travaillé tous les soirs jusqu'à des heures impossibles — c'était le vendredi qu'il était rentré le plus tôt, après le dîner en l'honneur de Nicole Clark — et il n'avait même pas dételé pendant le week-end.

Il fallait qu'elle consulte, et David et Beth... Comme Irving ne lui avait accordé que jusqu'à jeudi et qu'on était déjà mardi, elle devait le faire d'urgence.

Elle sursauta en regardant la pendule. 11 h 20 ! Pendant combien de temps était-elle restée au téléphone ?

Depuis combien de temps gardait-elle les yeux fixés sur le carrelage ?

Elle se précipita dehors. Avec un peu de veine, et s'il n'y avait pas trop de circulation, elle pouvait encore arriver au campus avant la fin de son premier cours.

Elle était aussi étonnée que lui par sa nouvelle apparence.

— Qu'est-ce que tu as fait à ta figure ? lui demanda David en se levant de son bureau.

— Je suis passée chez Saks. Il y avait une journée spéciale maquillage. M. Claridge en personne m'a donné des conseils sur ce qui me convenait. (Jill se mit à rire, gênée.) Enfin, bref, ils vous font ça tout de suite, sur place. Qu'en penses-tu ? Il y en a trop ?

David tourna autour d'elle, examinant son visage comme un objet de curiosité.

— Non, il n'y en a pas trop. Tu sais que j'aime te voir maquillée. Seulement je n'ai pas l'habitude que tu en mettes autant.

— C'est bien ce que je disais. Tu trouves que c'est trop.

— Mais non ! fit-il en riant. Je trouve que c'est juste ce qu'il faut et que ce monsieur...

— Claridge.

— Que ce M. Claridge a fait du très bon travail. J'ai été surpris parce que tu ne te maquilles jamais, c'est tout. Mais ça me plaît.

— Il m'a montré comment m'y prendre.

— C'est bien, dit-il en l'embrassant. Et c'est pour ça que tu es venue ?

Jill hésita.

— Euh... oui et non. J'ai terminé mes cours à 4 heures. J'ai fait un tour chez Saks et j'ai pensé que, puisque j'étais dans le quartier, ce serait une bonne idée de venir te montrer que je m'étais transformée en reine de beauté pendant que tu te tuais à la tâche. Et de voir, par la même occasion, si je ne pouvais pas convaincre mon toujours-aussi-séduisant époux d'emmener sa femme toute neuve dîner quelque part.

— Oh ! Jill...

— Ne dis pas non, David, s'il te plaît. On n'a qu'à aller en face, au *Winston's.* Cela ne prendra pas longtemps.

— Mais regarde mon bureau ! Tu vois toute cette paperasse qui attend ?

— Je n'ai jamais vu ton bureau autrement.

— Je suis désolé, ma chérie, mais je ne peux pas.

— C'est important, David. Il faut que je te parle.

On frappa à la porte et Nicole apparut, éblouissante.

— Oh ! pardon ! fit-elle précipitamment. Je vous croyais seul. Comment allez-vous, Jill ?

Jill eut soudain l'impression que son maquillage était un acide qui lui rongeait la peau. Elle se sentait dans la situation du clown dont on interrompt le numéro pour faire place à l'attraction principale. M. Claridge, songea-t-elle, pourrait prendre quelques leçons auprès de la nouvelle associée de son mari !

— Très bien, très bien. Je vous félicite doublement : pour votre inscription au barreau et pour votre entrée au cabinet.

— Vous êtes trop aimable. Ça a été un grand jour pour moi. Et j'ai été si heureuse que votre mari assiste à la cérémonie ! J'avais besoin de soutien.

— Qui n'en a pas besoin ? répliqua Jill en souriant à David.

Elle fut quelque peu désarçonnée en l'entendant déclarer :

— J'emmène ma femme dîner rapidement. Je ne serai pas absent plus d'une heure. Avez-vous quelque chose d'urgent à me demander ou cela peut-il attendre à demain ? Mais vous serez peut-être encore là tout à l'heure ?

Persuadée que Nicole allait répondre que, bien sûr, elle serait là, Jill fut surprise d'entendre :

— Non, je rentre chez moi. Je suis fatiguée et rien ne presse. Contente de vous avoir vue, Jill. Bonne soirée.

Ainsi, David lui avait parlé, comme promis. J'aurais dû le laisser faire dès le début, se dit Jill. Cela m'aurait sans doute épargné des mois de tracas.

Assis l'un en face de l'autre, ils grignotaient leur salade.

— Bon, fit David d'une voix ferme. Il me semble que nous avons épuisé tous les sujets : le temps qu'il fait, les exploits de M. Claridge, tes nouveaux étudiants... Vas-tu te décider enfin à m'expliquer pourquoi nous sommes là ? Tu as eu une journée intéressante, je te l'accorde mais, jusqu'à présent, je n'ai rien entendu sortir de ta bouche qui mérite d'être qualifié d'important. Non pas que je trouve sans importance de te voir, ajouta-t-il en lui prenant la main. Bien au contraire. Je suis très content que tu m'aies mis en demeure de t'inviter à dîner.

Jill eut un grand sourire. Décidément ce maquillage avait été une riche idée. Même si elle avait l'impression d'avoir la tête de quelqu'un d'autre sur les épaules, c'était manifestement une tête qui plaisait à David.

— Irving a téléphoné, dit-elle en faisant un sort à sa dernière feuille de laitue.

— Ah ?

Cette fois, la curiosité de David était éveillée.

— On lance une nouvelle émission. Pour le moment, ce n'est qu'un essai, mais si les indices de satisfaction sont bons, elle devrait être programmée régulièrement dans le courant de l'année.

— Quel genre d'émission ?

— Un magazine d'actualités sur Chicago, ses habitants, etc. Et...

— Mais pourquoi donc tant de chichis avant de m'annoncer ça ? C'est merveilleux ! Tu vas faire exactement ce que tu veux, et sur place. C'est fantastique ! Est-ce que je prends tes désirs pour des réalités ? poursuivit David devant la mine soucieuse de Jill. On te l'a proposé, non ?

Elle acquiesça.

— Oui.

— Alors, pourquoi fais-tu cette tête ?

Jill but un peu d'eau tandis que le garçon leur apportait le plat de résistance. Du poulet au gingembre accompagné de pâtes vertes qu'elle entreprit distraitement d'enrouler autour de sa fourchette.

— J'aime beaucoup ce restaurant. A une époque, nous y venions très souvent, tu te rappelles ?

— Je me rappelle. Mais toi, tu as oublié ma question.

— Non, mais je ne suis pas sûre d'avoir envie d'y répondre.

— Mais qu'est-ce qu'ils veulent que tu fasses dans cette émission, à la fin ? Que tu travailles de nuit ?

— Non, non ! dit-elle vivement.

— Tu peux me l'écrire sur un bout de la nappe et me le passer discrètement sous la table, lui proposa David, gamin.

Jill se mit à rire.

— Je ne vois pas comment te le dire sans le dire... Je ne sais pas pourquoi j'en fais une montagne. Je suis sûre que tu n'y verras aucune objection. C'est complètement idiot de ma part.

— Jill...

Il commençait à être franchement exaspéré.

— On veut me confier une séquence sur les femmes battues. (L'expression de David changea aussitôt.) Pour être plus précise, il s'agirait de traiter non seulement du phénomène en général mais de Beth Weatherby en particulier. Sa décision de plaider la légitime défense ouvrirait des perspectives juridiques passionnantes, qui fourniraient la matière d'une émission non moins passionnante.

— Tu peux en être sûre, laissa tomber David sur un ton lourd de sarcasme. Et, comme par hasard, on a pensé à toi ?

— Non, c'est un choix tout à fait délibéré. Irving ne me l'a pas caché.

— Et qu'a-t-il dit quand tu lui as opposé une fin de non-recevoir ?

Jill reposa sa fourchette mais continua de le regarder fixement.

— Je ne lui ai pas opposé une fin de non-recevoir. Je lui ai répondu que j'allais réfléchir.

— Réfléchir à quoi ?

— Ce n'est pas si simple, David. C'est peut-être ma dernière chance.

— Ne dis pas de bêtises ! On a toujours une autre chance, tu le sais aussi bien que moi.

— Et si j'acceptais ? Où serait le mal, après tout ?

— Où serait le mal ! s'exclama David avec une véhémence qui la surprit. Mais ce serait exploiter ton amitié avec Beth, exploiter la mémoire d'Al — m'exploiter, moi aussi, nom de Dieu !

— Toi ? Je ne vois pas comment.

— Sans moi, tu n'aurais jamais rencontré Al Weatherby.

— Tu oublies que j'ai fait sa connaissance exactement comme j'ai fait la tienne. Dans le cadre de mon travail.

— Et ton travail est la seule chose qui compte, n'est-ce pas ? s'écria-t-il, furieux. Moi, Beth, Al, peu importe à qui cela peut nuire.

— Pourquoi irais-je nuire à qui que ce soit ?

— Allons, Jill, tu n'es pas une enfant ! Tu sais parfaitement bien que si tu réalises cette émission, quelqu'un en pâtira. Sinon, pourquoi aurais-tu demandé un délai de réflexion ?

— Parce que je voulais d'abord en parler avec toi et avec Beth.

— Eh bien, tu connais maintenant ma réaction. C'est une saloperie. Je répugne à tout ce qui peut étayer les ignobles allégations de Beth et je m'opposerai avec la dernière énergie à ce que ma femme y participe. Et Beth ? Qu'éprouvera-t-elle en voyant que tu cherches à profiter de son amitié pour revenir à la télévision ?

— Je n'ai rien cherché, David. On est venu à moi.

— Si tu acceptes, je ne vois pas très bien la différence !

— Beth ne pensera certainement pas que je veux profiter d'elle.

David secoua la tête.

— Non, probablement pas. Cela pourrait faire son jeu. Naturellement, poursuivit-il après une courte pause, tu es consciente que pas un avocat au monde ne l'autoriserait à paraître à l'antenne ?

— C'est évident, dit-elle, enchantée de pouvoir lui

donner raison sur un point. Je ne le lui demanderai d'ailleurs pas. Si j'ai bien compris Irving, on insistera surtout sur les aspects moraux et juridiques de son acte, et sur ses motifs.

— C'est admirable, railla David. Ainsi, ta décision est prise. (Elle ébaucha un signe de dénégation.) Qui essaies-tu de tromper, Jill ? Elle était déjà arrêtée quand tu es venue au bureau. (Il repoussa son assiette.) Ce n'est pas mon opinion que tu veux, c'est mon absolution. Tu veux que je te dise : « Mais bien sûr, vas-y ! Détruis ce qui reste de la réputation d'un homme merveilleux. Sers-toi de moi, de la firme, de qui tu veux, je suis avec toi. » Eh bien, non, je ne peux pas te tenir ce langage. Je ne suis pas d'accord pour le faire et je ne suis pas d'accord pour que tu le fasses.

Ils s'affrontèrent du regard.

— Et si je décidais malgré tout d'accepter ? Je pense sincèrement pouvoir rendre justice à tout le monde sans salir la mémoire de quiconque.

— Réveille-toi, Jill ! Cesse de te mentir à toi-même.

— Je ne crois pas que ce soit le cas.

— Alors, tu es peut-être trop naïve pour faire de la télévision. (David se leva et posa 30 dollars sur la table.) Il faut que je retourne au bureau. Finis de dîner, prends ton temps. A tout à l'heure. (Il se pencha et l'embrassa sur le front.) Ne m'attends pas si tu veux te coucher.

Jill resta assise, le nez baissé sur son assiette. Son appétit s'était envolé.

— Cela ne vous plaît pas ? lui demanda le garçon.

— Si, c'est très bon, mais je ne me sens pas bien.

Le garçon avait l'air sincèrement désolé.

— Vous voulez du thé, peut-être ?

Jill secoua la tête.

— Non, merci. Je ne veux rien.

23

Jill aurait été incapable de dire à quel moment précis elle avait compris que Nicole Clark était devenue la maîtresse de son mari. Elle n'était sûre que d'une chose : c'était une réalité qui faisait maintenant partie de sa vie.

Pendant l'interclasse de la matinée, elle s'était réfugiée dans la salle des professeurs où elle s'efforçait de s'absorber dans la lecture du journal. On avait retrouvé dans un meublé deux hommes et trois femmes tués à coups de couteau. La police supposait qu'il s'agissait d'une affaire de drogue. Un homme avait massacré sa femme et ses deux enfants sur l'ordre du Christ qui lui était apparu en rêve. Une femme encore avait été abattue par son mari, jaloux d'un sourire qu'elle avait adressé au facteur. Jill tourna la page. Une femme avait été condamnée à deux ans de prison moins un jour pour avoir fracassé le crâne de son bébé. Un couple, dont trois enfants étaient déjà morts dans des circonstances suspectes, affirmait devant le tribunal qu'ils se considéraient comme d'excellents parents et qu'ils continueraient de procréer, à moins que le Bon Dieu en décide autrement.

Écœurée, Jill replia le journal et le lança sur la table. Aujourd'hui, même les petites annonces et la rubrique « Rencontres » n'arrivaient pas à l'intéresser. Son mari couchait avec une autre.

La nuit précédente, il s'était glissé dans le lit, faisant mine de croire qu'elle dormait, sans la caresser ni se pelotonner contre elle pour chercher la chaleur de son corps. Après s'être tourné et retourné quelques minutes, il avait fini par trouver une position confortable et n'avait pas tardé à sombrer dans le sommeil. Quand sa respiration était devenue lente et régulière, Jill s'était redressée pour jeter un coup d'œil à la pendulette. Il était presque une heure du matin. Dix minutes à peine s'étaient écoulées depuis qu'elle avait entendu la clé tourner dans la serrure. David était entré directement dans la chambre, s'était déshabillé et couché aussitôt. Pourtant, il fleurait si bon le propre qu'elle avait eu l'absolue certitude qu'il s'était donné le plus grand mal pour éliminer de sa peau certaines odeurs indésirables. Comme celles d'après l'amour, par exemple. La dernière fois qu'elle avait senti chez lui ce parfum de propreté, c'était quelques semaines auparavant, quand il l'avait appelée du bureau en pleine nuit pour lui demander d'une voix si tendre de venir le chercher. Et elle se rappelait aussi combien elle avait été nerveuse le lendemain matin, se mettant en quatre pour lui faire plaisir, masquant, refoulant dans son inconscient la certitude qu'il avait couché avec Nicole.

Ces dernières semaines n'avaient été que mensonge. « Avez-vous quelque chose d'urgent à me demander ou cela peut-il attendre jusqu'à demain ? A moins que vous ne soyez encore là... — Non, je rentre. Je suis fatiguée, rien ne presse. » Cette petite scène qu'ils lui avaient jouée au bureau n'était qu'une comédie. Un dialogue codé. David travaillait tard le soir, comme du temps d'Elaine. Les mots avaient changé mais le travail était le même. Et la plus grande surprise de Jill, c'était d'en être aussi peu surprise.

Elle bâilla, se leva, s'approcha lentement du téléphone et composa un numéro.

— Allô !

— Maman ?

— Jill ? Tout va bien ?

Jill sourit.

— Allons, maman ! Tu ne vas tout de même pas me faire croire que tu as deviné que ça n'allait pas rien qu'à ma façon de dire « maman » !

— Mais bien sûr que si ! Pour une mère, c'est l'enfance de l'art. Où es-tu, d'abord ?

— A l'université. Dans la salle des professeurs.

— C'est bien la preuve que quelque chose ne tourne pas rond. Tu ne me téléphones jamais de ton lieu de travail. De quoi s'agit-il ? De David ?

Jill essaya de refouler ses larmes.

— Je suis juste un peu déprimée, maman, c'est tout. Je ne sais pas pourquoi.

— Tu as envie de m'en parler ?

— Je n'en sais rien.

— Viens donc dîner ce soir à la maison. Ton père va à son club, je serai seule et très contente de te voir. Si je comprends bien, David a recommencé à travailler tard le soir ?

— Oui, répondit Jill dans un souffle.

— Eh bien, c'est parfait. Je t'attends.

— A quelle heure ?

— 6 heures et demie ?

— Entendu.

— A tout à l'heure, ma chérie.

Jill raccrocha. Que lui dirait-elle exactement ? Qu'elle avait vu juste ? Que David, qui n'avait eu aucun scrupule à tromper sa première femme, n'en avait pas davantage à tromper la seconde ? Que tout se déroulait absolument selon ses prédictions ? Seigneur ! Les hommes étaient-ils donc à ce point prévisibles ? Se comportaient-ils tous conformément à on ne sait quel schéma inscrit dans le ciel ? Le monde entier était-il une construction de fou ? Ou était-elle la seule à n'avoir plus sa raison ?

— Tu es au courant de ce qui est arrivé à Sarah Welles ? lui demanda sa mère, dès le pas de la porte.

Cette jeune reine de l'écran représentait la dernière en date des tentatives faites par Hollywood pour remplacer Marilyn Monroe dans l'imagination des foules.

— Non. Que lui est-il arrivé ?

— Elle est morte ! Tu n'as pas entendu la radio ? On ne parle que de cela.

— Je n'ai rien écouté aujourd'hui. Que s'est-il passé ? Elle s'est suicidée ? On l'a assassinée ?

— Ni l'un ni l'autre. Un accident stupide. Elle se lavait les cheveux dans son lavabo. Il semble qu'en relevant la tête, elle se soit cogné à un de ses robinets en or massif. Assommée, elle a perdu connaissance.

— Et elle en est morte ?

— Pas directement. Elle s'est noyée dans son lavabo. Tu imagines ça ? Il était plein et sa tête est tombée dans l'eau ! A vingt-six ans ! Quand même, lorsqu'on a des robinets en or, on doit avoir les moyens d'aller chez le coiffeur !

— C'est épouvantable, fit Jill, en suivant sa mère dans la cuisine. Ça vous fait froid dans le dos. Cela montre bien que nous ne sommes pas maîtres de notre destin. Voilà une jeune femme qui a tout pour être heureuse. Elle se fait un shampooing et une minute plus tard, elle est morte. Comme Janet Leigh sous la douche dans *Psychose*.

— Sauf que si Janet Leigh n'avait pas commencé par voler cet argent, elle n'aurait pas fini dans ce motel sordide. Ce qui prouve que nous avons quand même un certain contrôle sur notre existence, ma chérie. Il y a des accidents, c'est sûr. Des accidents tragiques. Mais cela fait partie de la vie. Fin de l'homélie maternelle. Est-ce que tu as faim ?

— Oui, répondit Jill en souriant.

— Voilà qui est bien ! J'ai un ragoût dont tu me diras des nouvelles. Assieds-toi.

Jill prit place devant la table ronde de la vaste et confortable cuisine de son enfance.

— Tu ne vas pas te décider un jour à changer ce papier ? fit-elle en contemplant les murs recouverts d'un imprimé vert et marron — pendules et fleurs des champs.

Si loin qu'elle plongeât dans ses souvenirs, elle n'en avait pas connu d'autre. Et il était encore en parfait état.

— Mais nous l'avons changé l'année dernière, répliqua sa mère en posant devant elle une assiette fumante.

— Vous avez trouvé le même ? s'exclama Jill.

— C'est incroyable, n'est-ce pas ? Ils en avaient encore en stock. Ça doit être un classique. (Elle éclata de rire et s'assit à côté de sa fille.) Prends un peu de pain.

— Mais pourquoi avez-vous choisi le même? demanda Jill, stupéfaite.

— Parce que ton père l'aime bien, répondit simplement sa mère.

— Et c'est tout ?

— C'est suffisant, il me semble.

Jill soupira et reposa sa fourchette.

— Depuis combien de temps êtes-vous mariés ?

— Cela fera trente-huit ans en janvier.

— Trente-huit ans... C'est long.

— Tout est relatif. Le temps passe si vite.

— Et tu es heureuse ?

Jill était consciente de ce que sa question avait de simpliste mais elle ne voyait pas comment la formuler autrement.

Sa mère haussa les épaules.

— On dit que ce sont les vingt-cinq premières années les plus dures. Que veux-tu que je te réponde ? On dit aussi qu'un mariage parfait est quelque chose qu'aucune personne saine d'esprit ne désirerait. On accepte ce qu'il faut bien accepter et on fait avec, comprends-tu ? Il y a des moments où l'on est heureux, d'autres où on l'est moins. Mais ce qui vous soutient quand on se sent vraiment très malheureux, c'est l'idée que puisque ça allait bien avant, ça ira bien de nouveau. Certaines années sont meilleures que d'autres. Mais il faut faire confiance à son instinct. Se dire : si je me suis mariée avec lui, il devait y avoir une raison. Et avec un petit effort, on arrive à se la rappeler. Si on a aimé un homme au point de l'épouser, cet amour n'a pas pu s'envoler entièrement. En cherchant bien, on finit en général par le retrouver.

— Et l'amour, c'est tout ce que tu exiges ? demanda Jill, avec juste ce qu'il fallait d'ironie.

— Bien sûr que non. Tu es assez grande pour savoir qu'on a aussi besoin de tolérance, d'estime réciproque et de philosophie. Et de chance, aussi. Regarde ton frère. Il s'est marié à vingt ans, Emily en avait dix-sept.

Il y a seize ans de cela et ils continuent à se tenir par la main. Au point que, quelquefois, c'en est même gênant. Mais le désir physique n'est pas tout. Ça compte, bien sûr, mais ce n'est pas l'essentiel dans le mariage. Il y faut quelque chose de plus. Il est beau garçon ? Et puis après ? Ce ne sont pas les beaux garçons qui manquent. C'est un amant parfait ? C'est vrai pour beaucoup d'hommes. (Elle sourit.) Surtout, ne va pas répéter tout ça à ton père ! Un mariage réussi est fait de tant de choses ! Et même les meilleurs ont leur part de très mauvais moments. Il faut savoir à quoi l'on tient le plus et ce qu'on est prêt à sacrifier. Certaines personnes sont trop exigeantes. (Elle s'interrompit et hésita avant de demander :) David est-il trop exigeant, Jill ?

— Je ne sais pas, gémit Jill, la tête posée sur la poitrine de sa mère. Je ne sais pas.

Elle téléphona à Beth pour lui proposer de passer la voir. Celle-ci accepta avec empressement et, à 9 heures, Jill arrivait devant la maison de brique grise qui lui était à présent familière. Elle resta encore un instant assise dans sa voiture, ruminant les paroles de sa mère. « Arrête de te considérer comme un ver de terre qui aurait miraculeusement décroché une étoile ! Tu es intelligente. Tu es belle. Tu es capable de faire n'importe quoi. L'étoile, c'est toi ! Et ne ris pas. Ce n'est pas la mère qui parle. Regarde-le une bonne fois, ton grand prix. Il est peut-être beau, il fonctionne sans doute bien mais, à part ça, que t'a-t-il apporté ? Es-tu heureuse ? Je te retourne ta question. »

Elle ouvrit la portière mais ne se décida pas encore à sortir. Comment les choses avaient-elles pris cette tournure ? Elle n'était ni stupide ni veule. Elle n'était pas de ces écervelées dont le bonheur dépend d'un homme. Du moins n'avait-elle pas débuté comme ça. Petite fille intelligente et sûre d'elle, elle était devenue une jeune femme non moins intelligente et non moins sûre d'elle, pleine de talent et de ressource. A l'époque où elle s'était mariée, elle était censée avoir une personnalité indépendante et connaître assez les ficelles pour ne pas tomber dans les pièges habituels. Et c'était pourtant exactement ce qui lui était arrivé : elle était tombée dans le plus banal de tous.

Qu'est-ce qui poussait donc les femmes à se retrouver dans cette situation ? Ou dans une situation encore bien pire, se dit-elle, en songeant à ce que Beth Weatherby avait souffert pendant des années. Pourquoi se complaisaient-elles dans le rôle de victimes consentantes ? Beth aurait-elle raison ? Tout s'expliquerait-il par la supériorité physique de l'homme ? Le processus du conditionnement social commençait-il au berceau ? « Et puis, au diable ! », s'écria-t-elle à haute voix. Elle pouvait rester là à couper les cheveux en quatre, à rationaliser, analyser et philosopher jusqu'à l'aube, elle aboutirait toujours à la même et unique conclusion : elle voulait David. Et elle ferait n'importe quoi pour le garder. Oui, pour le garder, elle était prête à se transformer des pieds à la tête, à se retourner comme un gant s'il le fallait. Elle déjouerait les manœuvres de Nicole Clark et, en cas d'échec, elle attendrait simplement que David se lasse. De Nicole comme des autres. S'il n'était pas heureux chez lui, elle en était certainement en partie responsable. Eh bien, elle changerait.

Elle sortit de la voiture et claqua la portière, espérant que l'air de la nuit chasserait de son esprit les images indésirables qui s'y bousculaient et qui menaçaient de la rendre à moitié folle. Sarah Welles était morte en se lavant les cheveux. Rien n'avait de sens. Tout en ce bas monde était pour le moins vaguement absurde. Pourquoi sa propre vie échapperait-elle à la règle ?

Beth avait accepté d'emblée l'idée de l'émission.

— Faites-la, Jill, s'était-elle écriée. C'est important. Répétez ce que je vous ai dit. Allez-y. Cela en réveillera peut-être certaines.

Cette approbation sans réserve n'avait fait que rendre le problème plus épineux. Jill avait décidé que si la réaction de Beth était aussi négative que celle de David, elle déclinerait la proposition d'Irving. D'autant plus que David avait probablement raison — Irving la relancerait à nouveau, sinon cette année, du moins l'année prochaine.

Elle rangea sa Volvo à côté de l'emplacement qui aurait dû être occupé par la Mercedes, et se dirigea d'un pas rapide vers l'ascenseur, tenant fermement ses clés à la main comme une arme, prête à parer à toute agression. Elle ne pensait pas vraiment que quelqu'un la guettait, embusqué dans les parages, mais quoi ? Sarah Welles ne s'attendait pas non plus à se noyer dans le lavabo de sa salle de bains !

Elle savait que David n'était pas rentré mais elle fut néanmoins déçue de trouver l'appartement désert. Elle commença par éclairer toutes les pièces avant d'aller s'allonger dans sa chambre.

Elle décrocha le téléphone et appela David sur sa ligne privée. Il était un peu plus de 10 heures et demie. Qu'allait-elle lui dire ? Viens... j'ai décidé de ne pas faire cette émission. S'il te plaît, renonce à Nicole et rentre à la maison.

Jill laissa sonner dix fois. Pas de réponse. Elle raccrocha et refit le numéro. Elle laissa sonner encore dix fois avant de renoncer. Il était peut-être déjà sur le chemin du retour ? Elle se débarrassa de ses chaussures. Peut-être tout ça n'était-il que le fruit de son imagination, quelque chose qu'elle avait forgé de toutes pièces, histoire de se faire un peu de mauvais sang parce que la vie devenait trop monotone ? Elle n'avait à la vérité aucune preuve de cette liaison. Aucune « preuve matérielle », comme aurait dit David, n'indiquait qu'il faisait autre chose que ce qu'il prétendait faire tous les soirs. Depuis la mort d'Al Weatherby, la firme était incontestablement sens dessus dessous. La quantité de dossiers en attente qui submergeaient le bureau de son mari était vraiment prodigieuse. C'était compréhensible, et même louable, qu'il se sente obligé de travailler avec acharnement pour tout mettre à jour. Elle n'avait que de vagues présomptions et des conclusions tirées à la légère pour étayer ses soupçons. David n'était pas coupable. Elle n'avait rien à lui reprocher. Elle ne pouvait s'en prendre qu'à elle-même si elle se rendait malheureuse.

Le téléphone sonna. Jill décrocha. Elle éprouvait une étrange sensation de vertige.

— Allô !

— Bonsoir, mon cœur. (La voix de David était à la fois tendre et enjouée.) Je t'ai réveillée ?

— J'ai dû m'assoupir un moment.

Elle s'éclaircit la gorge et détourna les yeux du plafonnier qui l'éblouissait.

— Excuse-moi, chérie. Je voulais seulement te prévenir que je m'apprête à rentrer.

— Où es-tu ?

— Où veux-tu que je sois ? demanda-t-il d'un ton surpris. Au bureau, bien sûr.

— Je t'ai appelé... il y a une demi-heure environ, ajouta-t-elle en regardant l'heure.

— Tu m'as appelé ? Pas ici.

— J'ai laissé sonner dix fois, j'ai raccroché et j'ai recommencé.

— Eh bien, c'est que le téléphone n'a pas marché... Attends ! Quel imbécile je suis ! Je l'avais débranché et je viens seulement de remettre la prise. Je l'avais coupé dans l'après-midi pour ne pas être dérangé et ça m'était complètement sorti de la tête. Je suis navré, mon chou.

— Il n'y a pas de mal. (Une larme glissait sur la joue de Jill.) A tout de suite.

Elle reposa le combiné et resta quelques minutes immobile, assise au bord du lit. Elle voyait David dans une chambre inconnue, au mobilier indéfinissable où Nicole Clark allait et venait d'une démarche langoureuse. Elle s'approchait de David qui, l'air vaguement coupable, n'avait pas encore lâché le téléphone, et lui posait doucement la main sur l'épaule. Elle le voyait caressant cette main et regardant Nicole avec un sourire triste. Comme il l'avait fait six ans auparavant, alors que Jill, à la place de Nicole, l'entendait tenir pratiquement le même discours à Elaine.

24

Jill vérifia son maquillage, le vérifia encore une deuxième, puis une troisième fois, en s'efforçant de se rappeler tous les conseils que lui avait donnés M. Claridge. Éclairer les yeux, dessous et sur les côtés, mettre un soupçon de mascara, beaucoup de fard à paupières et, pour finir, faire briller les lèvres. Mais d'où lui venait cette envie de se débarbouiller ?

Quand elle entendit la clé tourner dans la serrure, elle se précipita pour s'inspecter dans la glace de la tête aux pieds. Son déshabillé était neuf, lui avait coûté très cher et lui allait comme un bavoir à un dindon. Il y avait bien longtemps qu'elle avait renoncé aux froufrous. Elle ne s'y était jamais sentie à l'aise et rien n'était changé aujourd'hui. Mais David avait exprimé un jour son goût pour les lingeries vaporeuses et bien qu'elle eût froid aux pieds et aux bras, bien qu'elle eût préféré un pull-over et des chaussettes, elle s'obstina, tirant les épaules en arrière pour essayer de remplir les délicieux falbalas de son corsage généreusement échancré.

La porte claqua. Jill prit une profonde inspiration et se dirigea vers l'entrée. La rencontre de David Plumley et de la Femme-Femme, pensa-t-elle avec l'impression d'être la doublure balourde d'une Raquel Welch anémique. Mais qu'est-ce que je cherche, avec cette tête et dans cette tenue ridicule ? Tu cherches à reconquérir ton mari, répondit une petite voix intérieure. Et si cette tactique ne donne rien, eh bien, tant pis, cela ne peut pas faire de mal.

— Hello ! fit David. Qu'est-ce que tu fais debout à cette heure-ci ?

— Il est à peine minuit, répliqua-t-elle d'une voix de gorge.

— Il ne fallait pas m'attendre, dit-il en entrant dans la cuisine pour jeter un coup d'œil sur le courrier.

Elle l'y suivit et l'entoura de ses bras.

— Il n'y a que des factures.

Il lui tapota gentiment les mains.

— Qu'est-ce que c'est que cette odeur ?

Le cœur de Jill commença à battre à grands coups.

— Je viens d'essayer de nouveaux sels de bain...

— Non, ce n'est pas ça. Ça sent le chocolat...

— Oh ! J'ai fait un gâteau.

— Bonne idée ! s'exclama David en allant s'asseoir dans la salle à manger. Je peux en avoir un morceau ?

— Bien sûr, répondit-elle tout en se demandant pourquoi, au lieu de l'entraîner dans la chambre toutes affaires cessantes, il avait brusquement une fringale de gâteau au chocolat.

La tenue qu'elle portait n'avait pas pu totalement échapper à son attention. Il avait dû remarquer qu'elle s'était fardée, parfumée. Il devait comprendre pourquoi elle l'avait attendu. La dernière fois qu'ils avaient fait l'amour remontait à plusieurs semaines. Il ne pouvait pas ignorer ce qu'elle essayait de lui dire.

Elle sortit le gâteau et en coupa deux tranches.

— Tu veux un peu de café ?

— Non, répondit-il sans se retourner. Cela me réveillerait et je n'ai qu'une seule envie : dormir. Je prendrai plutôt un verre de lait.

« Je n'ai qu'une seule envie : dormir »... Eh bien, tu vois, il a effectivement remarqué ton déshabillé, ton maquillage, toute cette mise en scène ridicule. Et voilà sa réponse. Humiliée jusqu'à la moelle, Jill rentra d'un pas résolu dans la salle de bains, fit couler l'eau chaude et se frotta le visage à en avoir la peau en feu. Après quoi elle alla dans la chambre, enfila un chandail, une paire de grosses chaussettes de laine, ses mules roses avachies et, ainsi accoutrée, retourna à la cuisine, remplit un verre de lait et le posa sur la table, devant son mari, avec le gâteau.

— Merci, dit distraitement David. Je croyais que tu suivais un régime, ajouta-t-il avec un sourire en la voyant mordre dans son gâteau.

Rien n'indiquait qu'il se soit aperçu qu'elle s'était changée. Jill haussa les épaules. Elle s'était trompée en pensant que se camoufler sous le fard et les dentelles mousseuses ne pourrait pas faire de mal. Cela faisait mal. Très mal. Elle reprit une bouchée de gâteau.

David imita son exemple.

— Il est bon.

— Merci.

Voilà comment on touche le cœur d'un homme...

— Eh bien, pourquoi m'as-tu attendu ?

— Je voulais te voir, répondit-elle franchement, admirant le vert profond des yeux de David.

Il était plus beau que jamais. Éprouverait-elle donc toujours, à le regarder, ce même frisson de plaisir ?

— C'est très gentil, mon amour, mais tu n'aurais pas dû. Tu as l'air fatigué et Dieu sait si, dans l'état où je suis, je ne peux pas être d'une compagnie très agréable.

Jill baissa les yeux et s'efforça d'oublier qu'il lui trouvait l'air fatigué.

— Tu penses que cela va encore durer longtemps comme ça ? lui demanda-t-elle d'une voix posée.

— Pas trop, j'espère.

— Il me semble que c'est de pis en pis.

— Cela ne m'amuse pas plus que toi, tu sais. Je suis absolument épuisé.

— Trop épuisé pour faire l'amour ? (Comme il ne répondait pas, elle ajouta :) Il y a un bon bout de temps que cela ne nous est pas arrivé.

— Oh ! Jill, ne commence pas, je t'en prie ! Tu ne vois pas que je tiens à peine debout ?

Je n'y suis pour rien, espèce de salaud ! avait-elle envie de crier. Au lieu de quoi, elle répliqua :

— Excuse-moi. C'est seulement que tu me manques.

David se rasséréna.

— Tu me manques aussi, mon ange.

Jill termina sa part du gâteau.

— Alors, qu'as-tu dit à Irving ? C'est bien aujourd'hui que tu devais lui rendre ta réponse, non ?

— Oui.

— Eh bien ?

Elle demeura muette. Elle regrettait maintenant de ne pas s'être mise au lit plus tôt.

— Tu as accepté, n'est-ce pas ?

— Oui.

David croisa les mains derrière la tête.

— Qu'est-ce que je peux dire maintenant ?

— J'en ai parlé à Beth. Elle m'a encouragée.

— Je l'aurais parié.

— Elle veut que je fasse cette émission. Elle considère que c'est important.

— Je n'en doute pas.

— Je partage son avis, David.

— Cela saute aux yeux.

Il se leva.

— Puisque nous avons abordé le sujet, j'aimerais qu'on en discute ensemble.

— J'ai dit tout ce que j'avais à dire à ce propos, Jill.

— Moi pas.

David se rassit.

— Eh bien, je t'écoute.

— Je veux que tu comprennes pourquoi je tiens à tourner ce documentaire.

— Non. Ce que tu veux, c'est le comprendre toi-même.

— Je t'en prie, ne te crois pas obligé de parler à ma place. Je sais ce que je veux dire et je suis capable de m'exprimer sans ton aide.

— Écoute, Jill, je suis vraiment crevé. Alors, vas-y et laisse-moi me coucher. Tu sais très bien que tu n'arriveras pas à me faire entrer dans tes vues.

Jill avala péniblement sa salive.

— J'ai vu Beth à plusieurs reprises ces dernières semaines. Elle va beaucoup mieux. Ses hématomes ont à peu près complètement disparu. Ses côtes sont encore douloureuses mais, dans l'ensemble, elle n'est pas mal du tout.

— Certainement beaucoup mieux qu'Al, remarqua David d'un ton sarcastique.

— J'y crois.

Il y eut un silence.

— Tu crois à quoi ?

— A sa version des faits. Je lui ai parlé, je l'ai écoutée, et je la crois.

— Tu crois quoi ? répéta David. Qu'Al la battait ? Qu'elle était une malheureuse victime qui, un beau soir, a perdu la tête ?

— Elle n'a pas perdu la tête. Elle affirme qu'elle n'a pas agi en état de démence, même passagère. C'est aussi mon opinion. Elle est parfaitement saine d'esprit. Elle a fait ce qu'elle devait faire. Elle n'avait tout simplement pas le choix. C'était une question de vie ou de mort.

David se leva si brutalement que sa chaise se renversa.

— Quoi ? Je me demande si j'ai bien entendu !

Jill se leva à son tour, écartelée entre le désir d'apaiser son mari et sa volonté de tenir bon.

— David, je ne veux pas me disputer avec toi...

— Mais qu'est-ce qui t'arrive ces derniers temps ? Je commence à me demander si ce n'est pas toi qui es atteinte de folie passagère !

— David...

— Qu'entends-tu au juste quand tu affirmes que tu la crois ?

— Je crois qu'Al lui faisait effectivement toutes ces choses qu'elle raconte.

— Lesquelles, exactement ?

Il avait insisté sur le mot « exactement ».

— Qu'est-ce que tu veux que je te dise ? s'exclama Jill qui se mit à marcher nerveusement de long en large. J'essaie de répondre à tes questions mais tu ne fais que me rabrouer !

— Mais, bon Dieu, Jill, tu connaissais Al ! Et très bien même. Combien de fois avons-nous joué au bridge avec lui, combien de fois est-il venu dîner à la maison ? Tu as vu comment il se comportait avec Beth...

— En public.

— Si je te suis bien, il était un mari tendre et aimant en public — et un monstre dans l'intimité ?

— C'est ce que dit Beth. Moi, je dis simplement que je la crois.

— Il y a encore quelques semaines, tu ne savais que penser.

— A ce moment-là, je n'avais pas compris.

— Compris quoi ?

— La personnalité d'Al ! Mais où tout cela nous mène-t-il, David ? Nous tournons en rond.

— Tu voulais que je comprenne. Eh bien, O.K. ! Vas-y ! C'est l'occasion ou jamais. Fais-moi comprendre comment Al a pu berner la terre entière pendant plus de vingt-sept ans. Fais-moi comprendre comment ma femme peut ajouter foi aux propos d'une meurtrière rusée et calculatrice plutôt qu'au témoignage de ses propres yeux et de ses propres oreilles.

Jill cessa de faire les cent pas et baissa la voix, s'efforçant de recouvrer son calme.

— Je l'ai écoutée, David. Réellement écoutée. Elle ne jouait pas la comédie. Elle ne mentait pas. Ou alors, il aurait fallu qu'elle fût une actrice de génie.

— Tout le monde peut le devenir quand sa vie est en jeu. Ne t'est-il pas venu à l'esprit que si ce qu'elle t'a raconté était vrai, tout le reste de ce qui la concerne serait un mensonge ? Cela fait quatre ans que tu la connais. Si elle a pu te mystifier pendant quatre ans, pourquoi ne le ferait-elle pas aussi bien maintenant ? (Jill faillit protester, mais ses idées étaient trop confuses.) Pourquoi ne t'a-t-elle pas fait ses confidences plus tôt ? Pourquoi ne l'a-t-elle pas tout simplement quitté ?

— Elle était terrorisée. Elle avait peur qu'il ne veuille la tuer.

— T'a-t-elle jamais donné l'impression d'avoir peur ? D'être une victime ?

Jill réfléchit.

— Oui, la dernière fois que nous avons joué au bridge, déclara-t-elle enfin.

Le regard de David, un instant troublé, s'éclaira aussitôt : il avait trouvé la réponse.

— Elle était troublée parce que Lisa avait une liaison avec un homme marié. Al nous a expliqué...

— Oui, il nous a expliqué. Il avait toujours une explication toute prête. Seulement, c'était faux. Il n'y avait pas d'homme marié dans la vie de Lisa. Et Beth ne s'était pas coupée. C'était Al qui l'avait blessée. Maintenant que j'y pense, beaucoup de choses m'apparaissent sous un jour nouveau. Tiens ! Lors du pique-nique, elle m'a donné des comprimés contre les maux d'estomac. Elle m'a dit qu'elle souffrait d'un ulcère depuis des années...

— Seigneur ! Tu cherches vraiment la petite bête !

— Je la crois, David.

— Ses propres enfants ne la croient pas.

— Si. Lisa.

— Sans doute parce que, sinon, il lui serait trop pénible de supporter ce qui est arrivé.

— Ou, peut-être, parce qu'elle sait que c'est la vérité.

— Balivernes, Jill ! Je ne veux plus entendre un mot là-dessus.

— Pourquoi prends-tu ça comme une attaque personnelle ? Cela n'a rien à voir avec toi !

— Bien sûr que si ! Al Weatherby était mon ami, mon guide et mon confrère. Je l'aimais, cet homme, nom de Dieu ! Et ma femme, qui le connaissait et avait aussi de l'affection pour lui, applaudit des deux mains à toutes les calomnies dont on l'accable. Pis encore : à t'entendre, on dirait qu'il a eu le sort qu'il méritait.

— Non, je...

— Si, tu crois qu'il était le monstre que sa femme décrit... tu le crois ou tu ne le crois pas ?

— Je crois...

— Réponds par oui ou par non.

— Arrête, David. Je ne suis pas à la barre des témoins.

— Réponds à ma question.

— Je crois que Beth dit la vérité.

— Qu'Al était un monstre ?

— Cette fois encore, tu parles à ma place.

— A ton avis, Beth a eu raison de faire ce qu'elle a fait ?

— Je pense qu'elle n'avait pas le choix.
— Elle ne pouvait pas décrocher son téléphone et appeler la police ?
— Tu sais bien que la police est totalement impuissante dans les affaires de ce genre...
— Selon toi, elle a eu raison de faire la justice elle-même ?
— Ne crie pas comme ça, s'il te plaît.
— Réponds à ma question ! Trouves-tu qu'elle a eu raison de faire la justice elle-même ?
— C'était de l'autodéfense !
David la dévisagea d'un air éberlué.
— Je n'en crois pas mes oreilles.
— David, quand un homme tue sa femme, c'est de ses poings qu'il se sert le plus souvent.
— L'homme dont tu parles était en train de dormir !
— Elle aurait été sans défense contre lui autrement. En état de veille, il l'aurait tuée. Elle n'avait pas le choix.
— Nous avons toujours le choix. C'est aussi cela, être adulte.
Lui tournant le dos, David regarda par la fenêtre et se perdit dans la contemplation de la ville. Après avoir laissé passer quelques minutes, Jill s'approcha de lui et lui caressa le dos.
— Non, s'il te plaît, fit-il sans se retourner.
— David, ce n'est pas une raison pour nous fâcher...
Il fit brusquement volte-face.
— Tu ne vois donc pas ce que tu es en train de faire ?
Jill recula.
— Qu'est-ce que je fais ?
— Tu tournes simplement toute ma vie en dérision.
— Mais en quoi ? Je ne comprends pas, murmura-t-elle, sincèrement interloquée.
— Je suis avocat ! Et tu m'expliques que tout ce en quoi je crois, tout ce à quoi je me consacre n'est qu'une vaste plaisanterie. Qu'il est on ne peut plus normal que les gens fassent leur propre justice...
— Je dis seulement que je crois au récit de Beth. Comment peux-tu être à ce point sûr qu'il n'y a pas la moindre parcelle de vérité dans ce qu'elle affirme ?

— Parce que je connaissais Al !
— Tu ne vivais pas avec lui.
— Comme si c'était nécessaire !
— Tu n'as même pas l'ombre d'un doute ?
— Pas l'ombre. Al était un homme bon et respectable. La question ne se pose pas pour moi. Mais même si j'avais un doute, même si j'acceptais ces mensonges ridicules comme étant la vérité, ce serait sans rapport avec le problème.
— Le problème étant... ?
— Le problème étant que Beth Weatherby a assassiné son mari de sang-froid.
— Non, si c'est un cas de légitime défense !
Sans la regarder, David fit demi-tour et se dirigea vers la porte. Jill le suivait des yeux en silence. Il s'arrêta brusquement.
— Je sors un instant.
— Oh non, David, je t'en supplie...
— Pardonne-moi, Jill. J'ai la tête qui éclate. Je suis fatigué, furieux — très furieux — et j'ai besoin d'un peu de temps pour retrouver mes esprits. En fait, dit-il en se mettant à rire, j'ai surtout besoin d'une boisson forte.
— S'il te plaît, David, ne t'en va pas, l'implora Jill en s'efforçant de maîtriser sa voix. Va te coucher. Je ne t'ennuierai plus avec tout ça.
— Je ne peux pas. Je serais incapable de dormir. Il faut que je prenne l'air. Que je marche... que je fasse quelque chose.
— Où iras-tu ? Il est plus de minuit. Tu ne peux pas te promener dans les rues de Chicago à cette heure-ci.
— Alors je prendrai la voiture.
— Je peux venir avec toi ?
— Non.
— David, je t'en conjure... Tu ne peux pas passer ton temps à me fuir après chaque discussion ! Ne pouvons-nous simplement tomber d'accord sur notre désaccord ?
David ouvrit la porte.
— La prochaine fois que tu auras l'occasion de voir ta chère amie, dis-lui donc qu'elle a beaucoup plus de chances de s'en tirer en plaidant la folie passagère.
La porte se referma.

Refoulant ses larmes, Jill revint dans la salle à manger. Elle remit la chaise debout et s'y laissa lourdement choir. Pourquoi tout dégénérait-il en criailleries et en scènes, à présent ? Quand donc apprendrait-elle à fermer sa bouche ? Distraitement, elle se mit à manger ce que David avait abandonné sur son assiette. Puis elle se rendit dans la cuisine et avala le reste du gâteau jusqu'à la dernière miette.

25

Jill se tournait et se retournait dans son lit, essayant de trouver une position confortable. Rien à faire. En désespoir de cause elle s'assit, alluma et regarda la pendule. Il était plus de 2 heures du matin. Et David n'était toujours pas rentré.

Elle sentait monter en elle la panique, les signes avant-coureurs de la crise d'angoisse. Du calme. Dommage qu'elle n'ait pas sous la main un de ces comprimés à goût de craie qu'affectionnait Beth. Allonge-toi. Ça va passer. Elle reposa la tête sur l'oreiller et respira plusieurs fois à fond. Détends-toi. David allait sûrement rentrer, ivre et repentant. Il n'allait pas passer toute la nuit dehors. Oh! mon Dieu! Je vous en supplie, pas dehors toute la nuit!

De nouveau tendue, l'estomac noué, elle se répéta : Détends-toi. Il va rentrer. Il ne lui ferait quand même pas ça. Il traversait simplement une période très pénible et il fallait avouer qu'elle ne lui facilitait pas les choses. Mais il s'en sortirait. Ils s'en sortiraient tous les deux. Il rentrerait, parce qu'il savait qu'elle n'avait pas oublié cette autre nuit, il y a bien longtemps, où il était parti d'une autre maison après une dispute, et complètement saoul, était allé frapper à une autre porte. La sienne.

Jill ouvrit tout grand les yeux, la respiration courte et saccadée. Inutile de se leurrer : elle n'arriverait pas à dormir.

Elle se leva et alla brancher la télévision dans le bureau. Le visage de Cary Grant jeune surgit, occupant tout l'écran, et elle reconnut immédiatement le film : *I Was a Male War Bride*, de Howard Hawks. Une excellente comédie, très drôle. Elle courut chercher son pull-over dans sa chambre et revint s'installer dans un gros fauteuil pour se plonger dans un univers où les couleurs, bien réelles, ne troublaient en rien les sentiments en noir et blanc qui ont cours au royaume de la féerie.

Elle s'efforça de concentrer son attention sur Cary Grant et Ann Sheridan, et de chasser la vague silhouette qui se profilait à l'arrière-plan. Mais celle-ci se faisait de plus en plus nette et finit par occuper tout l'écran, comme si l'opérateur avait changé d'objectif pour que cette personne apparaisse en surimpression sur les autres. Jill la contemplait, comme paralysée, incapable même d'un geste pour changer de chaîne.

C'était Nicole, endormie, se retournant dans son lit où flottait encore l'odeur de David. Nicole, qui faisait le même rêve qu'elle avait fait autrefois en cette nuit lointaine, qui rêvait d'une parade défilant en fanfare. Les tambours étaient si assourdissants qu'elle ouvrait les yeux. Maintenant, elle était réveillée, mais elle entendait toujours battre les tambours.

L'image se recomposa et Nicole, qui se levait et se dirigeait vers la porte, se métamorphosa en Jill, Jill qui s'approchait en chancelant de la fenêtre. Que se passait-il ? Qui était là, dans la rue ? Il faisait froid. On était au beau milieu de la nuit !

Des coups ébranlaient la porte, auxquels se mêlaient d'autres bruits. Des aboiements furieux. Réveillé, le gros doberman donnait l'alerte et la voix stridente de la logeuse retentissait :

— Qu'est-ce qui se passe ici ? Allez-vous-en ou j'appelle la police !

— Où est Jill ? hurlait David.

— Allez-vous-en ou j'appelle les flics, vous m'entendez ?

— Non ! Attendez ! cria Jill en dévalant l'escalier. Il vient chez moi.

— Pas à 3 heures du matin quand même!

— Je vous en prie, Mme Everly, vous voyez bien qu'il est ivre. On ne peut pas le laisser aller Dieu sait où dans un état pareil.

— Il est bien arrivé jusqu'ici, non?

— Oui, répondit Jill avec une fermeté dont elle fut la première étonnée. Et il y restera. Je suis navrée qu'il vous ait réveillée. Je vous promets que cela ne se reproduira plus. Mais laissez-le entrer.

La propriétaire battit en retraite avec son chien qui continuait de gronder. Au moment où elle refermait sa porte, Jill s'aperçut qu'elle étreignait un impressionnant fusil de chasse, à l'aspect menaçant.

— Elle aurait pu te tuer! s'exclama-t-elle.

Elle le fit entrer et prit tout à coup conscience du spectacle qu'elle lui offrait avec ses cheveux sales, sa peau luisante de sueur et brûlante de fièvre, sa chemise de nuit en flanelle. Pourquoi fallait-il qu'il ait choisi justement ce moment-là pour venir chez elle?

— Je suis passé voir comment tu allais, fit-il en la prenant dans ses bras.

Elle se laissa aller contre lui, respirant l'odeur d'alcool qu'il dégageait. Ses mèches blondes caressaient son front moite, et elle pensait : Il est dans mes bras!

— Je dois être laide à faire peur, murmura-t-elle, au moment même où il s'exclamait :

— Que tu es jolie!

— Tu peux monter l'escalier? (Elle s'était rendu compte tout à coup que c'était elle qui le soutenait.) Tu peux marcher?

Il ne répondit pas mais se laissa guider. Ils montèrent lentement, se heurtant au mur, se cramponnant à la rampe. Enfin, ils arrivèrent au premier. A peine dans l'appartement, il s'écroula par terre.

— David?

Il leva les yeux vers elle. Elle avait l'impression d'être une géante.

— Tu es si jolie! dit-il.

— Tu veux un café? Je vais mettre de l'eau à bouillir, je n'en ai que pour une minute. Ça va?

Il sourit. Jill se rua dans la cuisine, remplit une bouilloire, la posa sur la plaque de la cuisinière, mesura la dose de café pour une tasse. Il était là. David... réellement là. Plus rien ne comptait — qu'elle ne l'ait pas vu de la semaine, qu'elle ait eu la grippe et qu'il ne soit pas passé prendre de ses nouvelles. Peu importait qu'il fasse nuit noire, que Mme Everly la flanque demain à la porte, que sa femme soit en train de se ronger d'inquiétude en se demandant où il pouvait être à pareille heure. Il était là, chez elle, et ce n'était pas un rêve. Il ne sait d'ailleurs sûrement pas où il est, se dit-elle en retournant précipitamment dans la pièce. Elle s'agenouilla à côté de lui. Il avait les yeux clos.

— David, tu m'entends ?

Il souleva les paupières.

— Oui.

— Tu sais où tu es ?

— Chez toi.

— Tu sais qui je suis ?

Elle retint son souffle.

— La plus belle fille que j'aie jamais rencontrée.

Elle sourit et se passa la main dans les cheveux. Pourquoi fallait-il qu'elle soit si horrible à voir, ce soir ?

— Tu sais comment je m'appelle ?

David eut un grand sourire.

— Je suis peut-être saoul mais pas fou. Tu es la femme que j'aime ! Tu es Jill.

— Ma foi, je voulais en être sûre, s'écria-t-elle joyeusement. Comme tu n'arrêtes pas de dire que je suis jolie, j'ai pensé que tu n'y voyais peut-être pas très clair.

— C'est vrai, mais tu n'en es pas moins belle pour ça.

— Tu ne devrais pas rester assis par terre, tu vas prendre froid. Viens... je vais t'aider à t'étendre sur le lit. (Elle essaya de le soulever par les aisselles, mais autant vouloir remettre debout une statue de pierre.) Tu ne crois pas que tu pourrais m'aider un peu, David ?

— Qu'est-ce que tu veux que je fasse ? demanda-t-il avec un sourire désarmant.

— Soulève tes fesses, simplement, et tâche de te mettre sur tes pieds.

— Soulever les fesses, c'est mon point fort, fit-il.

Jill se mit à rire, tandis qu'il s'efforçait de suivre ses instructions et réussissait enfin à se redresser.

— Très bien, dit-elle pour l'encourager.

Elle l'amena, titubant, jusqu'au lit.

— Bon. Maintenant, lâche-moi.

— Pas question, répliqua-t-il en la faisant tomber avec lui sur le lit.

Elle était dans ses bras. Retenant son souffle, elle ne cessait de se répéter : Ce n'est pas un rêve. Faites que ce ne soit pas un autre rêve!

Ils étaient parfaitement immobiles, lui trop ivre pour bouger, elle, ayant trop peur qu'il ne bouge.

Elle s'aperçut au bout de quelques minutes qu'elle n'arrivait plus à respirer. Son nez était complètement bouché et elle avait des étourdissements. Quel beau couple nous faisons! se dit-elle, et l'idée la fit rire. Elle se redressa et s'assit avec précaution, prenant soin de ne pas faire de mouvements brusques qui auraient pu le déranger. Pourquoi était-il venu? Et pourquoi était-il ivre à ce point?

Il s'était peut-être disputé avec Elaine. Mais à quel sujet? Elle prit un kleenex et se moucha le plus discrètement possible, mais sans résultat. Ses narines refusaient obstinément de se dégager. Et son nez devait sans doute être aussi rutilant qu'une voiture de pompiers. Mais pourquoi avait-il choisi cette nuit pour venir? Au fond, c'était peut-être aussi bien qu'il fût ivre.

Que s'était-il donc passé pour qu'il se soit mis dans un état pareil? Avait-il rompu avec Elaine? Cette idée lui donna le vertige et elle se mit debout trop brutalement : David se dressa sur son séant. Oh non! Ne t'en va pas! Ne rentre pas chez toi, s'il te plaît!

— Où vas-tu?

Il n'avait pas le ton de quelqu'un qui s'apprête à partir.

— L'eau est en train de bouillir, chuchota-t-elle d'une voix enrouée. Je ne me rappelle plus si tu prends du lait ou du sucre.

— Moi non plus, répondit-il en souriant.

— Je crois que tu as intérêt à le prendre noir.

Elle disparut dans la cuisine, non sans s'être retournée pour s'assurer qu'il était bien là.

Elle versa l'eau sur son café et se prépara pour elle-même une tasse de thé. La vapeur de l'eau bouillante, pénétrant ses narines, lui dégagea momentanément les sinus, et elle put enfin respirer un instant librement.

Elle entendit David bouger, se lever... elle se précipita dans la chambre, une tasse dans chaque main.

— Mais qu'est-ce que tu fais ?

— Les toilettes... balbutia-t-il.

— Par là, lui dit-elle en lui désignant la salle de bains du menton.

Avec un sourire, il s'approcha d'elle et l'embrassa en plein sur la bouche. Jill sentit ses jambes mollir. Si elle ne posait pas tout de suite ces deux tasses quelque part, elle allait les lâcher !

Il s'écarta d'elle, comme dans un film au ralenti.

— Mon Dieu, que tu es mignonne ! déclara-t-il. (Et soudain, il ajouta d'un air égaré :) Les toilettes ?

— Par là, répéta Jill en le suivant après avoir déposé les tasses au pied du lit. Ça va ? Tu pourras te débrouiller tout seul ?

— Je vais aux toilettes tout seul depuis l'âge de trois ans.

— En état d'ivresse ?

Il éclata de rire et s'éloigna en titubant. Elle entendit le déclic du commutateur de la salle de bains, puis le bruit de la porte qui se refermait. Il va rester, se dit-elle. Il va vraiment rester.

Elle attrapa sa tasse de thé et se mit à boire lentement. Le breuvage brûlant la fit transpirer encore. Après l'avoir vidée jusqu'à la dernière goutte, elle alla s'en chercher une autre tasse à la cuisine. C'est loufoque, pensa-t-elle. Il était près de 3 heures et demie du matin et au lieu d'être au lit, elle allait et venait, obsédée par des idées dont elle n'arrivait pas à se débarrasser. L'idée, par exemple, qu'il avait quitté sa femme pour de bon. Parce qu'Elaine savait sûrement qu'il était avec une autre. Et rester avec quelqu'un la nuit entière, cela impliquait plus qu'une banale aventure. Cela signifiait qu'il ne donnait plus la priorité aux sentiments d'Elaine, qu'il ne pouvait plus lui dissimuler l'existence de l'autre. Qu'il ne cherchait plus à la lui dissimuler.

Il y avait longtemps maintenant que David était dans la salle de bains. Il était probablement malade... Elle frappa doucement à la porte.

— David ? Ça va ? (Pas de réponse.) David ? Tu m'entends ? (Elle s'aperçut que le bouton de la porte tournait. Il n'avait pas bloqué la serrure.) Je peux entrer, David ? David, j'ouvre, annonça-t-elle du plus fort qu'elle put.

Elle poussa la porte, qui refusa de bouger. Elle était coincée par quelque chose. Prise de panique, Jill redoubla d'efforts frénétiques. La porte s'entrebâilla enfin de quelques centimètres et Jill aperçut les cheveux blonds de David sur le sol.

— Mon Dieu ! David...

Était-il tombé ? S'était-il simplement allongé par terre ? Était-il blessé ? Évanoui ?

— David, je t'en prie, essaie de t'asseoir...

Elle parvint à écarter encore un peu le battant. David avait les yeux fermés. Il n'avait ni ecchymoses ni bosses apparentes. Elle réussit tant bien que mal à se faufiler dans l'ouverture pour donner à la porte l'ultime poussée nécessaire. Elle céda enfin, envoyant David rouler sur lui-même.

Accroupie, Jill le mit sur le dos et lui examina la tête. Rien n'indiquait qu'il eût fait une mauvaise chute.

Désemparée, Jill regarda autour d'elle. Que faire ? Devait-elle le jeter dans la baignoire pour le dégriser ? Non, il risquait de s'y noyer. Plutôt la douche. Elle ne pouvait pas le laisser allongé par terre dans la salle de bains toute la nuit.

Elle se releva et fit couler l'eau. Mais le problème, maintenant, était de l'installer sous la douche.

Allongé par terre, endormi, David était d'une beauté émouvante. Il était difficile de rêver mieux. Elle l'embrassa et le sentit frémir.

Il s'agissait à présent de le déshabiller. Elle lui déboutonna sa chemise, découvrant les poils blonds de sa poitrine. Elle n'en revenait pas de ce qu'elle était en train de faire, ni de l'excitation qu'elle ressentait. Dans un mouvement impulsif, elle posa ses lèvres sur son torse nu. Il tressaillit de nouveau, et essaya machinalement de l'enlacer, mais ses mains retombèrent, inertes, sur le sol. Elle acheva de lui enlever sa chemise, puis transpirant sous l'effort, entreprit de lui ôter ses chaussures et ses chaussettes. Après quoi elle lui défit sa ceinture, lui ouvrit sa braguette et fit glisser son pantalon le long de ses jambes, jusqu'au-dessous des genoux.

Il poussa un grognement et entrouvrit les paupières.

— Il faut que tu prennes une douche, lui dit-elle. Tu comprends ?

Il grogna de nouveau mais n'esquissa pas un geste pour se lever.

— J'essaie de te déshabiller. Tu ne pourrais pas m'aider un peu ? Tâche de te mettre debout.

Elle l'empoigna sous les aisselles comme elle l'avait fait tout à l'heure. Prenant appui sur elle d'une main, sur le bouton de la porte de l'autre, David se redressa. Son pantalon tomba sur ses chevilles.

Presque nu, n'ayant plus sur lui que son slip, il était splendide. Svelte, musclé, sensuel. Jill était à peine capable de faire un mouvement tant était violent le désir qui l'envahissait.

— Tu peux sortir de ton pantalon ? lui demanda-t-elle, n'osant plus le toucher.

L'air toujours aussi endormi, il s'en débarrassa avec une aisance surprenante et l'envoya promener au loin d'un coup de pied. S'efforçant de ne pas le regarder, Jill le guida jusqu'à la douche.

— Lève la jambe, lui dit-elle quand ils atteignirent enfin leur but.

Il obéit docilement, mais n'arrivant pas jusqu'au bout de son mouvement, il heurta le rebord de la baignoire et poussa un cri de douleur.

— Essaie encore, lui conseilla-t-elle en l'aidant à passer une jambe après l'autre.

L'opération réussie, elle le maintint contre le mur, directement sous l'eau. Suffoqué, il ouvrit la bouche, avança, recula, rejetant la tête en arrière, les yeux écarquillés. Jill le surveillait avec inquiétude, ivre de fatigue et de désir. S'apercevant qu'elle l'observait, David l'attrapa brusquement par le bras et l'attira vers lui. Cette fois, ce fut elle qui alla cogner contre la baignoire. Elle tomba sur les genoux et, éclaboussée par le jet d'eau, se retrouva en une seconde trempée des pieds à la tête. Avec une énergie à laquelle elle ne s'attendait pas de sa part, David la souleva et la fit basculer dans la baignoire. La respiration coupée, elle ferma les yeux, laissant David s'escrimer maladroitement sur les boutons de sa chemise de nuit, jusqu'au moment où il parvint, après les avoir arrachés, à la lui enlever.

— Que tu es belle! bredouilla-t-il, l'œil encore embrumé.

— Je suis surtout ridicule! gémit-elle, tandis que, soudain, les larmes venaient se mêler à l'eau qui ruisselait sur ses joues. J'ai encore mes chaussettes! Et je suis toute mouillée!

Tout à coup, sans cesser de pleurer, elle se mit à rire en pensant au spectacle qu'ils devaient offrir : David, ivre et à peine capable de tenir sur ses jambes — elle, grippée et fiévreuse, les cheveux collés sur la figure, toute nue mais avec de grosses chaussettes de laine blanche tire-bouchonnant sur ses mollets.

Elle se cramponna au coin du mur tandis que David, à genoux, lui retirait ses chaussettes et les expédiait au hasard à travers la pièce. Puis, l'attrapant par les fesses, il enfouit son visage entre ses jambes. Je dois rêver, se dit-elle, en lui enfonçant les ongles dans les épaules, insensible aux trombes d'eau qui la fouettaient.

David la caressa, remontant de bas en haut et, lui prenant les seins, se mit à aspirer les gouttelettes qui perlaient à ses mamelons. Puis il s'empara de sa bouche et l'embrassa avec fureur, comme s'il voulait la dévorer, la faire disparaître et se l'approprier tout entière. Jill perdit-elle l'équilibre? David l'avait-il poussée? Toujours est-il qu'ils se retrouvèrent brusquement au fond de la baignoire, les jambes nouées autour des hanches de l'autre, et il la pénétrait sous l'eau qui coulait toujours. Jill se demanda un instant s'ils allaient se noyer avant de parvenir à l'extase, mais renonça bien vite à se poser des questions devant l'incongruité de la situation à laquelle même ses fantasmes les plus délirants ne l'avaient pas préparée.

Quand ils sortirent enfin de la baignoire, ils s'essuyèrent mutuellement avec la même serviette, se mirent au lit et sombrèrent dans le sommeil.

Au matin, il se réveilla le premier et se dressa brusquement sur son séant, tout à fait lucide. Jill, qui ouvrait les yeux, enfouit aussitôt son visage dans ses mains.

— Mon Dieu ! Je dois être affreuse !

Il lui écarta les mains et l'embrassa.

— Non, tu es ravissante. Quelle heure est-il ?

Jill attrapa le réveil.

— Un peu plus de 7 heures.

Il se frotta la tête, hésitant manifestement sur la décision à prendre.

— Je crois que j'ai intérêt à me sauver, fit-il en souriant. Tu ne te rappelles pas, par hasard, où j'ai mis mes vêtements ?

— Dans la salle de bains, il me semble.

Jill préférait le laisser libre de ses décisions. Se souvenait-il même de ce qui s'était passé ? Elle se redressa avec précaution et tourna la tête à droite et à gauche, luttant contre l'ankylose. Devait-elle se lever et préparer du café ? Elle résolut d'attendre encore un peu. Qu'allait-il dire à Elaine ? Essaierait-il de lui donner une explication ? De mentir ? Elaine le croirait-elle ? Oui, elle croirait tout ce qu'elle avait envie de croire. Après tout, rien n'était changé pour l'essentiel. Cela se limiterait à quelques mensonges supplémentaires. Des mensonges peut-être un peu plus gros, peut-être un peu plus difficiles à faire et à avaler, mais qu'elle avalerait cependant. Cette nuit n'était pas très différente des autres. Elle avait seulement débuté plus tard et fini plus tard. Ce n'était pas une déclaration d'indépendance. Qu'Elaine ait dormi à côté d'une place vide était sans importance. Elle avait les yeux fermés et les garderait fermés.

David réapparut tout habillé, prêt à partir.

— Tu veux un café ?

— Non, merci. Comment te sens-tu ? demanda-t-il en s'asseyant sur le lit et en lui caressant la joue.

— Très bien, mentit-elle.

Il l'enveloppa dans la couverture.

— Reste au lit aujourd'hui. Il me semble que je t'ai plutôt empêchée de te reposer, cette nuit.

Elle lui lança un regard interrogateur :

— Tu te rappelles quelque chose ?

David sourit et l'embrassa.

— Seulement que tu es très belle.

Il l'embrassa encore. La minute suivante, il était parti.

Jill ouvrit les yeux. Cary Grant s'était évanoui avec la nuit. David était en train d'éteindre la télévision. Il s'était changé.

— Excuse-moi, dit-il. J'ai dormi à l'hôtel. C'était une chose idiote à faire. J'espère que tu ne t'es pas trop inquiétée.

— Pas trop, dit-elle d'une voix aussi terne que le ciel matinal.

— Il faut que j'aille au bureau.

— Très bien, fit-elle sans le regarder.

— J'essaierai de rentrer tôt, ce soir.

— Ce serait gentil.

Jill entendit claquer la porte d'entrée. Eh bien, le mensonge avait été dit le plus facilement du monde, en définitive. Elle déglutit avec effort. Puis, comme Elaine l'avait fait avant elle, elle ferma les yeux.

26

Dès qu'elle entra dans le restaurant, elle aperçut Laurie et se précipita vers elle.

— Hello ! Laurie, fit-elle, hors d'haleine. Excuse-moi d'être en retard. Ces réunions n'en finissent pas ! J'ai bien cru que je n'en sortirais jamais. Tous ces gens sont tellement obsédés par ce qu'ils ont à dire qu'ils ne pensent pas à ceux qui aimeraient bien déjeuner de temps à autre. Tu attends depuis longtemps ?

— Quelques minutes.

Mais la voyant rougir, Jill comprit qu'elle mentait. Elle ôta son manteau, le mit sur le dossier de sa chaise, s'assit et respira profondément.

— Je suis vraiment contente qu'on puisse déjeuner ensemble, reprit Jill en l'observant du coin de l'œil.

Son T-shirt à rayures rouge et blanc pendait sur ses épaules comme sur un cintre, et ce qui sortait des manches ressemblait plus à des allumettes recouvertes de chair qu'à des bras.

— Tu ne vas pas à l'école, cet après-midi ?

— Non, il y a C. P. aujourd'hui.

— C. P. ? Qu'est-ce que c'est que ça ?

— Conférence pédagogique. Les profs en ont une par mois à peu près. Maman prétend que c'est seulement histoire d'avoir un jour de congé de plus. Elle ne croit pas qu'ils se réunissent vraiment pour travailler. Elle dit que c'est un pur prétexte.

Jill ne put s'empêcher de rire : elle entendait d'ici la voix d'Elaine vitupérant le corps enseignant.

— Tu n'as pas eu trop de mal à arriver jusque-là ?

Laurie secoua la tête.

— C'est maman qui m'a amenée. Elle a trouvé que l'endroit avait l'air louche à souhait.

— Louche ? (Jill jeta un coup d'œil autour d'elle et fit de la main un petit salut à quelqu'un.) Non, c'est juste le rendez-vous des gens de la télévision. Les studios sont en face. Je n'avais jamais pensé qu'on pouvait le trouver louche.

— Moi, ça me plaît.

— Tant mieux. Moi aussi. Personne ne s'est encore occupé de toi ?

— J'ai dit au garçon que j'attendais quelqu'un.

Jill essaya vainement d'attirer son attention.

— Je suis sûre qu'ils font des études spéciales, déclara-t-elle en soupirant. Il doit y avoir un diplôme de rétrécissement du champ visuel. (Elle sourit à Laurie qui avait l'air visiblement contente.) Alors, comment trouves-tu l'école jusqu'à présent ?

— C'est O.K. !

— Quelle est ta matière préférée ?

Laurie hésita.

— La littérature, peut-être.

— Vraiment ? fit Jill, sincèrement étonnée. C'était ce que j'aimais le mieux, moi aussi. J'adorais faire des rédactions.

— Oh ! je déteste ça !

— Ah bon ?

— C'est un cauchemar. Je ne sais jamais quoi raconter. Ce que j'aime, c'est lire.

— Quel genre de livres ?

— Nancy Drew, par exemple.

Le garçon apparut enfin avec le menu. Jill fit mine de l'examiner mais c'était inutile : elle le connaissait par cœur. Elle espérait seulement que Laurie accepterait de manger quelque chose — c'était d'ailleurs pourquoi elle lui avait donné rendez-vous à l'heure du déjeuner. En fait, l'idée de cette rencontre était venue de Laurie elle-même. Depuis que ses relations avec David se détérioraient, elles s'étaient inexplicablement rapprochées l'une de l'autre. Jusqu'à présent, elles n'avaient encore jamais eu une conversation tant soit peu sérieuse, mais une certaine chaleur s'était substituée à la fraîcheur habituelle de leurs rapports, surtout depuis qu'elle travaillait pour la télévision. Laurie, et Jason aussi dans une certaine mesure, ne manifestaient plus autant d'hostilité envers elle, se montraient même parfois amicaux. Belle ironie du sort ! Alors qu'elle était en train de perdre David, elle commençait à gagner la sympathie de ses enfants !

— Je peux te conseiller ? Ou tu as déjà fait ton choix ?

— Décide toi-même.

— Que dirais-tu d'un hamburger royal ? proposa Jill, jetant son dévolu sur le plat qui lui paraissait le plus nourrissant. C'est servi avec des frites.

— Entendu, dit Laurie dont les clavicules saillaient sous le T-shirt.

Surprise d'avoir obtenu si facilement son consentement, Jill ne cilla pas.

— Et si on prenait un potage pour commencer ? Ils ont une délicieuse soupe de légumes maison, suggéra-t-elle, craignant malgré tout de pousser trop loin son avantage.

— Bonne idée, dit Laurie en souriant.

Où était passée sa jolie petite figure aux joues pleines ? Elle avait le teint brouillé, le visage et les yeux creux. Elaine ne voyait donc pas combien sa fille avait changé ? Pourquoi ne faisait-elle rien ? Jill pensa à Ricki Elfer, qui avait solennellement diagnostiqué de l'anorexie mentale. Laurie en était-elle vraiment là ? Cherchait-elle à se laisser périr d'inanition ?

— Et une salade ? hasarda Jill. (Laurie opina.) Eh bien, je prendrai la même chose, conclut-elle en faisant le compte de cette montagne d'invisibles calories. On verra ensuite pour le dessert.

Dieu fasse qu'elle mange tout ça ! Et si, comme d'habitude, elle se contente de repousser la nourriture sur le bord de son assiette ? Que faire ? Encore un sermon ? Encore une scène pleine de propos amers ? Ou détourner le regard et prétendre que le problème n'existe pas ?

Mais où sa mère a-t-elle la tête? se demanda Jill avec colère. Et son père? C'était à eux qu'il revenait de consulter un bon spécialiste. Et ses professeurs? Pourquoi aucun d'entre eux n'était-il venu tirer la sonnette d'alarme? Ah oui! Ils s'absentaient pour des conférences pédagogiques! Voilà qui pourrait peut-être faire un intéressant sujet d'enquête pour « L'Heure Chicago ». Si l'émission dépassait le stade de l'essai.

— Tu as déjà lu Nancy Drew? lui demanda Laurie.

— Si j'ai lu Nancy Drew? répondit Jill en riant. J'ai lu tous ses livres sans exception. Celui que je préférais, c'était *The Hidden Staircase.*

Laurie sourit, les yeux écarquillés.

— Moi aussi. Et j'adore Judy Blume.

— Qui?

— Judy Blume. Elle écrit pour les jeunes.

— Je ne la connais pas, avoua Jill, à qui ce nom disait quand même vaguement quelque chose.

— C'est vrai que tu n'es pas une enfant.

— Très juste. Et je ne risque plus de le devenir!

— Raconte-moi en quoi consiste ton nouveau job, lui demanda Laurie.

— Tu sais, je ne suis pas sûre que ce soit vraiment un nouveau job. Pour l'instant, c'est provisoire. Cela dépendra du succès de l'émission pilote. J'en ai encore pour quelques semaines, après quoi je reprendrai mes cours à l'université en attendant la décision définitive.

— Mais qu'est-ce que tu fais exactement? insista Laurie, manifestement intéressée.

— Eh bien, c'est justement pour ça que nous avons ces réunions de production, pour essayer de voir clair dans ce que nous sommes en train de faire.

— Qu'est-ce que c'est que ça, une réunion de production?

Jill était très contente que Laurie lui pose toutes ces questions. David, lui, ne lui avait rien demandé depuis qu'elle avait commencé son travail.

— C'est une réunion à laquelle participent producteurs, réalisateurs et assistants. C'est là qu'il faut se battre pour ses idées. Et la bataille est rude. Si tu présentes un projet, tu dois prouver que c'est non seulement une bonne idée, mais une bonne idée « télévisuelle ». Qu'elle a des chances de toucher un large public, que tu peux t'arranger pour qu'elle plaise à tous les membres de la famille et qu'elle peut donner à « voir ». J'ai l'air d'enfoncer des portes ouvertes, mais il ne faut pas oublier que la télévision est d'abord et avant tout un médium visuel. Tu me suis ?

Laurie acquiesça.

— Bien. Admettons maintenant que le réalisateur — moi, en l'occurrence — reçoive le feu vert. On lui accorde généralement trois semaines pour tout mettre au point. La première chose qu'on fait, c'est de t'attribuer une assistante. Et tu peux être à peu près sûre que ce sera la personne que tu détestes le plus ou celle qui est destinée à te créer le plus d'ennuis. Cette assistante passe le plus clair de son temps pendue au téléphone. Elle est chargée de te procurer toutes les informations nécessaires.

« Ensuite, tu dois chercher quel sera le pivot de ton émission — c'est ce que nous discutons en ce moment. (Jill se tut un instant, songeant à Beth Weatherby.) Supposons que tu prennes pour sujet les gens qui font passer des petites annonces dans les journaux pour entrer en relation avec quelqu'un, enchaîna-t-elle. Il faut adopter un point de vue. Par exemple : Et s'ils n'étaient ni des pervers, ni des obsédés sexuels, rien de tout ça, mais simplement de pauvres gens malheureux cherchant désespérément quelqu'un à aimer ? Dans ce cas, tu centreras ton émission sur un couple heureux, qui a fait connaissance par ce truchement, et tu construiras ton histoire autour de lui. Tu pourras commencer par enquêter dans les agences matrimoniales, les bars ou les boîtes disco fréquentés par les célibataires, ou même auprès des solitaires assis sur les bancs des jardins publics. Tu peux aussi répondre à une de ces annonces. Il faut trouver un cas exemplaire et ne pas perdre de vue le côté visuel des choses. On ne tourne jamais en studio. Mais sur place, en priant le bon Dieu pour que la personne qu'on a finalement choisie n'ait pas un casier judiciaire chargé, ce qui flanquerait en l'air toute notre crédibilité. »

Le garçon leur apporta le potage fumant. A la grande stupeur de Jill, Laurie y plongea aussitôt sa cuillère.

— C'est bon ?

— Délicieux. Mais continue. Qu'est-ce qui se passe quand le tournage est terminé ?

— On s'occupe du montage. C'est le moment le plus passionnant, mais aussi le plus frustrant. C'est là qu'on prend conscience de toutes les erreurs qu'on a commises : la caméra n'était pas synchro, la pellicule était défectueuse, les meilleures séquences sont floues. (Jill nota avec satisfaction que Laurie avait déjà fini sa soupe.) On travaille en collaboration avec le monteur. On lui explique ce qu'on veut conserver et ce qu'on veut éliminer. On reste des heures à étouffer dans une chambre noire, les yeux fixés sur un écran minuscule. Un jour, c'est le bonheur, tu as l'impression d'avoir fait quelque chose de formidable. Le lendemain, quand tu revisionnes, tu trouves ça exécrable. C'est à la fois épuisant et enivrant. En général, on y passe deux jours et deux nuits.

Le garçon attendit que Jill ait terminé sa soupe pour apporter la suite. A peine était-elle servie que Laurie piquait du bout de sa fourchette une énorme frite.

— Fameux ! s'exclama-t-elle avec enthousiasme. Alors ? Et après ? Est-ce qu'on garde tout ce qu'on a tourné ?

— Oh non ! répondit Jill en riant. Ce serait un véritable miracle. Bien heureux si on en conserve le sixième. Le tiers si l'on est un crack, ce qui n'est vraiment pas mon cas.

— Mais tu te défends bien.

— Oui, je me défends bien, répondit Jill en souriant, enchantée du tour qu'avait pris ce déjeuner.

C'était peut-être là ce que Laurie réclamait : qu'on s'intéresse assez à elle non seulement pour lui poser des questions, mais pour partager avec elle un peu de sa propre existence. Qu'on lui parle comme à une personne et non comme à une adolescente rétive.

Jill avala une bouchée de son hamburger.

— Quoi qu'il en soit, poursuivit-elle, quand on en est arrivé là, il faut généralement écrire le scénario. Et après, faire le mixage. Ça, c'est la corvée. J'en ai horreur.

— C'est quoi, le mixage ?

— Eh bien, tu as d'une part quelqu'un qui lit le texte que tu as écrit. D'autre part, la musique et les bruitages. Enfin les interviews. Toutes ces composantes sont enregistrées séparément. En gros, il s'agit de marier l'image et le son. Et voilà ! C'est fini.

— Ça doit être excitant, remarqua Laurie sans cesser de mâcher.

— Excitant ? Non, ce n'est pas le mot que j'emploierais. En vérité, ce qui nous plaît à tous dans ce métier, c'est le mouvement : courir après l'information, se déplacer avec l'équipe... Pour la première fois depuis bien longtemps, j'ai l'impression de pouvoir enfin bouger. Je ne sais pas si tu comprends.

— Je pense que oui.

Laurie repoussa son assiette vide.

— Tu veux un dessert ?

— Est-ce qu'ils ont de la glace avec du chocolat chaud ?

Jill passa la commande au garçon tandis qu'elle-même finissait son plat.

— C'est à l'occasion d'une de tes émissions que tu as connu papa, non ? lui demanda Laurie à brûle-pourpoint.

— Oui, répondit Jill, prise au dépourvu.

— Et comme il t'a plu... tu lui as couru après...

Jill reposa sa fourchette, peu satisfaite par la nouvelle tournure que prenait la conversation.

— Je n'ai pas brisé le mariage de tes parents, Laurie, commença-t-elle prudemment. Ton père était malheureux bien avant que j'entre dans sa vie.

— Ce n'est pas ce que dit ma mère. Elle prétend que tout allait bien jusqu'au moment où tu...

— Si tout allait si bien, répliqua Jill, essayant de se défendre, ton père n'aurait pas... (Elle s'arrêta net. Elle avait failli dire que David n'aurait pas cherché à la revoir mais ce n'était pas vrai. C'était un coureur impénitent. Et si elle n'avait pas fait preuve d'autant d'insistance, il n'aurait peut-être jamais divorcé et aurait continué de mener la même existence faite d'aventures et de brèves liaisons.) Tu as raison. Du moins, dans une certaine mesure.

Le garçon réapparut et posa devant Laurie une glace géante. Après avoir jeté un coup d'œil absolument stupéfait à Jill, elle se mit à manger et la conversation ne reprit qu'après qu'elle eut tout avalé.

— Elle était bonne ? demanda Jill, qui n'en croyait pas ses yeux.

— Très.

— Tant mieux. (Jill, qui se rendait compte que Laurie attendait qu'elle poursuive, ne savait trop que dire.) Quand je... quand j'ai connu ton père, j'ignorais qu'il était marié. Je croyais que sa femme et lui étaient séparés...

— Qu'est-ce qui t'avait fait penser ça ?

Elle ne pouvait pas répondre : « C'est ce que ton père m'avait dit. » La franchise c'était très bien, mais ce genre de vérité n'était pas bonne à dire à une gamine de quatorze ans.

— Je ne sais pas. D'ailleurs, ça n'a pas une grosse importance car j'ai très vite appris ce qu'il en était en réalité.

— Comment ça ?

— Par ton père lui-même. Mais il était déjà trop tard. J'étais amoureuse comme une folle et incapable de renoncer à lui. J'ai essayé. Nous avons essayé tous les deux. Nous ne voulions faire de mal à personne, ni à toi, ni à ton frère, ni à ta mère.

Le garçon vint débarrasser la table.

— C'est pourtant bien ce que vous avez fait, non ?

— Oui, c'est vrai. Et je le regrette beaucoup.

Laurie haussa les épaules et, sautant du coq à l'âne, laissa tomber :

— Maman va faire recouvrir les meubles du salon.

Jill sourit.

— Pourquoi pas ? murmura-t-elle mélancoliquement.

Jill regarda sa montre. Presque 2 heures. Laurie était partie aux toilettes et ne revenait pas. Si elle l'attendait plus longtemps, elle allait arriver en retard au travail. Laissant un pourboire particulièrement généreux au garçon — qui sait s'il n'avait pas contribué à la réussite de ce déjeuner ? — elle se rendit aux lavabos où Laurie avait disparu depuis dix minutes.

— Mon Dieu ! Laurie, tu es malade ? s'écria-t-elle en se précipitant vers le cabinet béant où l'enfant, pâle comme une morte, était écroulée à genoux, les bras noués autour du siège.

— Je crois que j'ai trop mangé, balbutia-t-elle en retenant ses larmes.

— C'est ma faute, fit Jill en lui caressant les cheveux. Je suis tout le temps à te harceler sous prétexte que tu ne manges pas assez.

Elle alla chercher une serviette en papier au distributeur, l'humecta sous le robinet et alla l'appliquer sur le front de Laurie.

— Désolée, Jill. C'était vraiment délicieux.

— Ne t'en fais pas pour ça.

Elle l'aida à se relever et à marcher jusqu'à la sortie. Surprises par l'air glacial, elles s'emmitouflèrent dans leurs manteaux.

— Est-ce que je peux t'abandonner quelques minutes ? (Et comme Laurie hochait la tête :) Je reviens tout de suite. Attends-moi là.

Jill se précipita dans la librairie qui faisait le coin et revint un peu plus tard, un livre sous le bras.

— C'est pour toi.

— *Wifey*, dit Laurie, lisant le titre à haute voix.

— Tu l'as déjà ? (Laurie secoua la tête tout en feuilletant les pages.) J'ai demandé le meilleur roman de Judy Blume et le vendeur m'a conseillé celui-là. Est-ce que tu crois que tu vas supporter le trajet en taxi ?

— Ouais, répondit-elle sans conviction.

— Écoute-moi, Laurie (Jill fit signe à un taxi qui passait et qui se rangea le long du trottoir à côté d'elles), tu as besoin de l'aide de quelqu'un...

— D'un psychiatre ? demanda Laurie tranquillement.

— Oui. Se laisser mourir de faim pendant des mois entiers et se gaver ensuite à s'en rendre malade, ce n'est pas un comportement normal. Tu es assez intelligente et assez fine pour t'en rendre compte. Je voudrais faire quelque chose pour toi mais je ne sais pas quoi, sinon te dire que tu as besoin de plus que je ne peux t'apporter. (Le chauffeur ouvrit la portière et leur adressa un regard interrogateur. Mais ni Jill ni Laurie ne bougèrent.) Ta maladie porte un nom et, crois-moi, tu n'es pas la seule à en souffrir. C'est le cas de beaucoup de filles de ton âge. Je me suis un peu documentée là-dessus ces derniers temps...

Laurie sourit.

— Tu pourrais peut-être en faire un sujet d'émission...

Jill serra la jeune fille dans ses bras et l'énergie avec laquelle celle-ci lui rendit son étreinte la surprit.

— Pourquoi pas ? Tu réfléchiras à ce que je t'ai dit ?

Laurie hocha la tête et sauta vivement dans le taxi qui démarra et se perdit au milieu des encombrements. Quand il eut disparu, Jill prit le chemin du studio. Elle éprouvait un curieux sentiment d'euphorie.

— Je bouge, dit-elle tout haut. Je bouge à nouveau.

27

Elle percevait le bruit depuis plusieurs minutes déjà quand elle prit conscience qu'elle ne dormait plus.

— Qu'est-ce que c'est ? marmonna David d'une voix pâteuse.

Jill ouvrit les yeux et regarda la pendulette. Il était 8 heures. Donc, on était samedi. Le bruit avait cessé et l'idée l'effleura une seconde qu'ils l'avaient rêvé tous les deux quand il recommença. On aurait dit un message en morse, incohérent, qui se répétait à petits coups secs et saccadés.

— C'est l'interphone, fit Jill.

— L'interphone ? Qui diable...

Mais Jill s'était déjà précipitée dans la cuisine. Elle revint presque aussitôt et alla droit à la penderie. David la regarda faire, très surpris.

— Tu ferais mieux de te mettre quelque chose sur le dos. C'est Elaine. Ça n'a pas l'air d'aller.

Jill enfila une robe longue en tissu éponge et lança à David son peignoir en velours bleu.

— Oh ! merde ! maugréa-t-il. Qu'est-ce qu'elle veut ?

— Elle ne me l'a pas dit. Peut-être qu'elle n'arrive pas à décapsuler sa bouteille de jus d'orange.

— Très drôle !

David passa la main dans sa chevelure en bataille, sortit du lit dans toute sa nudité et mit son peignoir. A la vue de son érection, Jill éprouva un sentiment de nostalgie. Depuis un mois, ils n'avaient fait l'amour que deux fois, en tout et pour tout.

Un coup violent ébranla la porte d'entrée.

— On dirait qu'elle est là, dit-elle d'un ton ironique. (David ne fit pas mine de bouger.) Si on faisait semblant d'être morts, tous les deux ? proposa-t-elle, espérant le dérider.

En vain. Comme il ne disait toujours rien, elle alla ouvrir. Elaine se précipita aussitôt dans le séjour, la bousculant au passage.

— Comment avez-vous osé ? s'exclama-t-elle en se retournant brusquement vers Jill qui l'avait suivie.

— Hello, Elaine. Donnez-vous donc la peine d'entrer...

— Oh ! Inutile de le prendre sur ce ton ! Comment avez-vous osé ? répéta Elaine, frémissante de fureur.

Au prix d'un héroïque effort, Jill parvint à garder son calme. A quoi cela avancerait-il de donner à David le spectacle de deux femmes hystériques aux prises l'une avec l'autre ? D'ailleurs, où diable était-il passé ?

— Puis-je savoir de quoi vous m'accusez au juste ?

— Cessez de jouer les saintes nitouches ! s'écria Elaine, en lui agitant devant les yeux, à grand renfort de moulinets, le livre qu'elle tenait à la main.

— Si vous n'y voyez pas d'inconvénient, je préférerais ne pas recevoir ce bouquin dans le nez, dit Jill dont la voix commençait à monter.

— Vous n'avez pas vu d'inconvénient, vous, à le fourrer sous le nez de ma fille ! cria Elaine.

— Mais de quoi parlez-vous ?

Elaine lança le livre sur la petite table en verre. Après avoir rebondi, il atterrit bien à plat, étalant son titre en toute innocence : *Wifey*... Par Judy Blume.

— C'est le roman que j'ai offert à Laurie.

— Comme si je ne le savais pas ! Une horreur, qui devrait être interdite même aux adultes ! Quant à donner ça à une jeune fille de quatorze ans...

— Mais quelle mouche vous pique ? demanda Jill en s'emparant du volume. Laurie m'a dit que Judy Blume était son auteur préférée. Elle écrit des livres pour la jeunesse.

David apparut alors qu'elle était en train de le feuilleter.

— Qu'est-ce qui se passe ici? demanda-t-il de cette voix posée, signe d'une agitation extrême, qu'Elaine et Jill connaissaient bien.

— Il se passe que ta femme actuelle est en train d'empoisonner l'esprit de notre fille.

— C'est un malentendu, fit Jill, incapable de dissimuler son sourire. Je ne m'étais pas rendu compte...

— Qu'est-ce qui vous fait rire?

— Je suis désolée, déclara Jill en baissant la tête pour cacher ce sourire qu'elle n'arrivait pas à maîtriser. C'est une erreur, expliqua-t-elle à David. Je croyais que Judy Blume écrivait exclusivement des livres pour la jeunesse. Ce n'est visiblement pas le cas de celui-là.

— Et qu'est-ce qui te fait sourire? lui demanda-t-il avec les accents d'un procureur.

Cette fois, le sourire de Jill s'effaça instantanément. Elle s'adressa à Elaine.

— Pardonnez-moi, Elaine. Je suis fautive, c'est vrai, mais n'y voyez aucune intention de ma part, je vous en prie.

— Et dans le conseil que vous lui avez donné d'aller voir un psychiatre, il n'y avait sans doute aucune intention non plus? rétorqua Elaine.

— Quoi? s'exclama David, stupéfait. Qu'est-ce que c'est que cette histoire, Jill? Envoyer Laurie chez un psychiatre! Qu'est-ce que c'est que cette absurdité?

— Je ne pense pas que ce soit absurde, répondit Jill tranquillement.

David était tellement sidéré qu'il en demeura muet.

— Donc, vous le reconnaissez! cria Elaine.

— Bien sûr que je le reconnais! cria Jill à son tour. Il serait temps je crois que quelqu'un s'intéresse à cette petite.

— Comment osez-vous... répéta pour la troisième fois Elaine.

Jill jugea politique de battre quelque peu en retraite.

— Je ne veux pas dire que vous ne l'aimez pas ni que vous ne vous souciez pas d'elle. Bien sûr que non. Mais je me soucie d'elle, moi aussi, et il me semble que j'ai droit à la parole quand je vois que quelque chose ne tourne pas rond.

— Vous n'avez aucun droit sur ma fille.

— Et qu'est-ce qui ne tourne pas rond, d'après toi ? lui demanda David.

— Regarde-la, David ! Elle a diminué de moitié depuis que je la connais !

— Allons, Jill ! Au nom du ciel, nous n'allons pas revenir là-dessus ! C'est une adolescente typique.

— Une anorexique typique, oui.

— Une quoi ? fit Elaine.

— Une anorexique. C'est quelqu'un, généralement à l'âge de l'adolescence, qui...

— Je ne veux pas savoir ce que c'est ! Tout ce que je veux, c'est que vous cessiez de remplir l'esprit de ma fille d'abominations et d'idées folles. Que voulez-vous de moi encore ? Qu'est-ce qu'il vous faut de plus ? Vous avez pris mon mari, vous voulez aussi mon enfant, maintenant ? Pourquoi ? Parce que vous ne pouvez pas en avoir, c'est ça ? Parce que vous êtes stérile, vous essayez de mettre la main sur les enfants des autres ? En tout cas, je vous interdis de toucher aux miens ! Vous avez compris ?

Jill était pétrifiée. Vous avez pris mon mari... abominations... stérile... C'étaient là des formules sorties tout droit du Moyen Age ! Viens à mon secours, David, implora-t-elle silencieusement, sachant qu'il ne servirait à rien d'essayer de faire entendre raison à Elaine. Aide-moi, je suis ta femme.

— Elaine a raison, déclara David. Cela ne te regarde pas. Laurie est notre fille et c'est à nous de nous occuper d'elle.

Jill eut l'impression de recevoir physiquement un coup. Elle trébucha et tomba en arrière dans un fauteuil.

— Tu t'occuperas aussi des honoraires du psychiatre, conclut Elaine en se dirigeant vers la porte. Laurie est enchantée par cette idée. Elle pense sans doute qu'elle y gagnera un certain prestige à l'école, ou quelque chose de ce genre. En tout cas, je t'enverrai les papiers à mesure que je les recevrai. Au revoir, Jill. Ravie d'avoir pu bavarder avec vous.

La porte claqua. Jill contemplait fixement le tapis. Elle avait peur de regarder David... peur d'avoir envie de le tuer. Peur de savoir qu'elle avait envie de le tuer.

— C'est malin ! dit-il. Comme si nous n'avions pas suffisamment de difficultés financières...

— Les difficultés financières ne sont pas, de loin, notre principal souci, répondit-elle tranquillement.

— Un psychiatre ! Bon Dieu ! Jill ! tu ne trouves pas que tu en fais un peu trop ?

— Quelle est exactement ma place dans la famille, David ? demanda-t-elle d'une voix à peine audible.

— De quoi parles-tu ?

— De ce qui s'est passé ici il y a un instant, alors que j'étais réduite à l'état de non-personne.

— Exprime-toi clairement, nom de Dieu !

Jill se décida enfin à le regarder.

— Tu ne vois vraiment pas ce que tu as fait ?

— Ce que j'ai fait, moi ? Ce n'est quand même pas moi qui ai donné à ma fille un bouquin pornographique et qui lui ai conseillé d'aller chez le psychiatre !

— Pornographique ! Il ne faut pas exagérer. Un peu osé, tout au plus, mais la question n'est pas là. C'est un malentendu et je n'ai pas l'intention de recommencer mes explications et mes excuses. Ce qui est important — la seule chose importante, en vérité — c'est ta propre attitude.

— Mon attitude ?

— Oui. (Jill se leva, sentant les forces lui revenir.) Qu'est-ce que je fais ici, David ? Je suis ta femme. Je pensais que cela signifiait que je faisais partie d'une famille qui comptait aussi deux enfants. Ce n'est peut-être pas ce que j'aurais choisi, mais je l'ai accepté, considérant que tes enfants et toi étiez indissociables. Vous formez un tout et je pensais que je faisais partie de ce tout. C'est ce que j'avais cru comprendre quand on me demandait d'aller les chercher je ne sais où, de leur préparer à dîner, de m'occuper d'eux pendant le week-end ou de leur tenir compagnie à ta place. Et je constate maintenant que mon rôle se limite à celui d'une femme de ménage. Je n'ai pas le droit d'intervenir dans les affaires sérieuses.

— Tu exagères...

— Je n'exagère pas ! Je viens de me faire descendre en flammes par un tireur d'élite, sous les yeux de mon mari qui, pendant ce temps-là, lui passait des munitions. Elaine m'a sorti un certain nombre de choses odieuses, qui ne devraient pas laisser un mari indifférent, c'est le moins qu'on puisse dire. Et comment réagit ce mari ? Il déclare : « Elaine a raison. » Elaine a raison ! On m'humilie devant lui, mais il est trop occupé par ses propres ennuis pour s'en apercevoir. Je crois qu'il n'y a rien à ajouter, poursuivit-elle après un silence. On m'a assigné mon rôle en termes dépourvus d'ambiguïté. Je n'ai plus qu'à y conformer mon existence et à préparer le petit déjeuner de mon seigneur et maître.

Comme elle tournait les talons, David l'empoigna par le bras.

— Cesse de te conduire comme une enfant ! Personne ici ne te considère comme une domestique.

— Alors, qu'est-ce que je suis ? cria Jill, aussi fort qu'Elaine quelques instants auparavant. Je ne suis ni une mère, ni une belle-mère, comme on me l'a laissé très clairement entendre. Je ne suis même plus une épouse.

— Jill...

— Suis-je une épouse, oui ou non ? Nous ne faisons plus l'amour, nous ne nous parlons plus. Dame ! Comment pourrions-nous faire l'amour ou parler puisque nous ne nous voyons même plus ?

— A cause de ta maudite émission.

— Ça, alors ! Tu ne manques pas d'aplomb ! Et est-ce que tu te rends compte que tu ne m'as pas demandé une seule fois où j'en étais, si j'étais contente de ce que je faisais ?

— Tu connais mes sentiments là-dessus.

— Les tiens, oui. Mais les miens, en as-tu la moindre idée ?

— Je ne peux pas faire semblant de m'intéresser à ce qui ne m'intéresse pas, répondit David après un long silence. Toute cette histoire me déplaît profondément et si tu veux savoir la vérité, je pense que tu as accepté de réaliser cette émission uniquement pour te venger de moi.

— Me venger de quoi ? demanda-t-elle lentement, sentant venir la minute de vérité.

Pris de court, David comprit soudain la portée de ses paroles et tout ce qu'elles impliquaient. Il alla s'asseoir sur le divan en évitant soigneusement de croiser son regard.

Tout se passa alors comme dans un film au ralenti. Elle entendait les mots avant qu'ils ne sortent de la bouche de David : Je suis navré, Jill. Je pensais que ce serait une affaire terminée, à présent.

— Je suis navré, Jill, dit-il d'une voix tremblante. Je pensais que ce serait une affaire terminée, à présent.

Les yeux de Jill se remplirent instantanément de larmes.

— Et elle ne l'est pas ?

Elle connaissait la réponse. Non, elle ne l'est pas. Elle ne l'est pas. Elle ne l'est pas.

— Non, fit-il sans la regarder. Mon Dieu, Jill, je te demande pardon. J'ai l'impression d'être le dernier des salauds mais je ne sais pas quoi faire. Je t'aime et je ne veux pas te perdre. Nicki n'est rien d'autre qu'une toquade. Elle est jeune. Elle est belle. Elle me donne le sentiment d'être le Roi de la Montagne...

— Je me fous des sentiments qu'elle t'inspire, vocifératelle en se précipitant sur lui et en le bourrant de coups de poing. Fumier ! Ordure !

Elle parvint à le frapper en pleine figure avant qu'il n'ait réussi à lui emprisonner les poignets. Elle essaya de se libérer, mais elle sentit soudain qu'il l'enlaçait, qu'il la serrait contre lui, essayant de la consoler, de la calmer.

— Jill, Jill, lui murmurait-il à l'oreille. Ne pleure pas, je t'en supplie.

Il la relâcha et posa la tête sur sa poitrine. Elle leva les bras avec l'intention de le frapper dans le dos, au lieu de quoi elle s'accrocha à lui comme une noyée à une bouée de sauvetage. En moins de temps qu'il n'en faut pour le dire, David avait retroussé la robe de Jill et expédié son peignoir au loin. Ils firent l'amour avec cette violence qu'engendre le désespoir, quand les larmes remplacent la sueur et que le remords et la peur tiennent lieu de véritable désir. Ils en avaient parfaitement conscience et, quand ce fut fini, ils étaient l'un et l'autre sans illusions.

— Et maintenant ? demanda Jill. Qu'est-ce qui va se passer ?

— Je ne sais pas, répondit-il honnêtement.

— Sais-tu au moins ce que tu veux ?

— J'aimerais que les choses redeviennent comme avant.

— Avant quoi ?

— Avant toutes ces histoires. Avant que Beth ait tué Al. Avant ton imbécile d'émission...

Jill n'en croyait pas ses oreilles.

— Avant que Beth n'ait tué Al ! Avant que je ne sois revenue à la télé ! Tu te rends compte de ce que tu dis, David ? Tu rejettes sur les autres toutes les responsabilités. Et Nicole, qu'est-ce que tu en fais ? Et votre rôle à tous les deux dans tout ça ?

— Je ne nie pas ma responsabilité. J'essaie simplement de t'expliquer que j'ai des circonstances atténuantes qui m'ont, à un moment névralgique de ma vie, rendu particulièrement vulnérable à Nicole...

— Bien sûr ! Tu te trouveras toujours des circonstances atténuantes ! Permets-moi de te rappeler que cette « toquade » a commencé avant, justement alors qu'Al était encore vivant et moi encore professeur ! Alors que l'intéressante journaliste que tu avais prise pour femme était déjà devenue une petite épouse assommante...

— Personne n'a jamais dit que tu étais assommante !

— Je me barbais à en mourir. Comment ne t'aurais-je pas barbé aussi ?

David se mit à faire les cent pas.

— Je regrette, Jill, mais je ne peux m'empêcher de penser que c'est seulement à partir du moment où tu as commencé à parler de cette émission de télévision que nos ennuis ont débuté.

Jill ferma les yeux.

— Je ne peux même pas t'en parler maintenant !

— Ce n'est pas ce que je voulais dire, tu le sais très bien.

— Oui, je sais. Mais tu voudrais que j'y renonce.

Il s'arrêta de marcher.

— Je n'en sais rien. Je ne sais même plus ce que je dis. Je ne vois pas d'inconvénient à ce que tu travailles pour la télévision. Mais cette émission sur Beth Weatherby...

— Ce n'est pas une émission sur Beth Weatherby, mais la question n'est pas là, n'est-ce pas ?

— Et quelle est la question ?

— Peu importe ce que je fais, pourvu que tu aies la haute main sur mon emploi du temps, sur le lieu et l'objet de mon travail. Voilà le fond du problème, n'est-ce pas ? Tu veux que je ne bouge pas de Chicago, que je sois occupée à heure fixe, de 9 heures du matin à 5 heures du soir, et que je me garde soigneusement des sujets que tu trouves choquants ou inopportuns...

— Jill...

Elle le dévisagea en silence pendant quelques secondes.

— O.K. Tu as gagné. Je vais te donner satisfaction : je laisse tomber. Et maintenant ? J'ai cédé à la première de tes exigences. J'attends la suite.

— La suite ? répéta David, dérouté par le cours que prenaient les événements.

— Il me semble que nous avons intérêt à faire le point. Les enfants, maintenant. Que décidons-nous à leur sujet ?

David baissa la tête.

— Jill, je t'en prie, tu sais très bien ce que j'en pense...

— Parfait. Pas d'enfants. La question est réglée. Et Nicole ?

Silence.

— Que veux-tu que je te réponde ? demanda enfin David.

— Tu ne le devines pas ?

Nouveau silence.

— Que j'arrête de la voir.

— Touché !
— Je ne peux pas.
— Tu ne peux pas, répéta-t-elle, le regard brûlant de fureur. Tu attends de moi que je renonce à tout — à ma carrière, à mon foyer, et même à mon mari quand il éprouvera le besoin urgent de céder à des circonstances atténuantes. Et, pendant que j'y suis, que je continue à m'occuper des enfants mais sans avoir droit à la parole, que je supporte Elaine, ses insultes et ses exigences, et que je paie le loyer de l'appartement, te laissant partager ton temps et ton argent entre ton ex-épouse et ta maîtresse actuelle ! Pas étonnant qu'elle voie en toi le Roi de la Montagne ! Est-ce qu'elle a conscience que cette montagne est le résultat d'une accumulation de factures impayées ?
— Je ne vois pas où tout cela nous mène, répliqua David avec un calme exaspérant.
— Ah ! oui ? C'est vraiment dommage. Moi je le vois très bien. Cela contribue à placer nos relations dans leur juste perspective. J'ai accepté toutes tes conditions. Je suis prête à vivre avec tes horaires, tes dettes, tes enfants et même ton ex-femme. Je suis prête à renoncer au métier que j'ai choisi et à avoir des enfants à moi. Je suis prête à faire tout ce que tu veux, à être ce que tu veux que je sois, à marcher sur la tête s'il le faut pour te garder. Je ne te demande qu'un seul sacrifice en échange : Nicole Clark. Réponse : tu ne peux pas !
— Je ne peux pas te raconter d'histoires, fit-il tristement. Préférerais-tu que je mente ?
— Pourquoi pas ? Pourquoi te sens-tu brusquement incapable de mentir ? Tu ne t'en es pas privé jusqu'à présent ! D'où te viennent soudain tous ces scrupules ? s'écria-t-elle en fondant en larmes.
David lui tendit une main qu'elle repoussa.
— Je suis désolé, Jill. J'aimerais pouvoir dire les mots que tu désires entendre. Qu'elle ne compte pas, que je suis disposé à rompre. Mais ce n'est pas possible. Tout ce que je sais, c'est que j'ai beau t'aimer — et je t'aime, Jill —, je ne peux pas renoncer à Nicki. Pas encore.
— Dans combien de temps ?
— Que veux-tu dire ?

Jill ravala ses larmes.

— « Pas encore », cela implique un futur. Un moment où cela deviendra possible. Quand ?

Il secoua la tête.

— Je ne sais pas.

— Alors, tu espères que je vais rester là, bien tranquille, à t'attendre ?

La franchise de la réponse de David la surprit :

— C'est ce que j'aimerais. Mais je sais que je n'ai pas le droit de te le demander.

— Et tu as diablement raison ! hurla Jill que pareille outrecuidance fit sortir de ses gonds. Je pourrais te le faire payer cher, continua-t-elle, encore plus étonnée que son mari par ce qu'elle disait. Je pourrais te soutirer tout ce qu'Elaine n'a pas réussi à t'extorquer, ce qui n'est pas énorme, je l'admets, mais cela apprendrait sûrement à la jeune Nicole une ou deux petites choses sur les réalités de l'existence !

Elle s'interrompit, stupéfiée par l'amertume qui l'avait envahie. Il y eut un long silence, pendant lequel ni l'un ni l'autre ne bougea. David finit par murmurer :

— Fais comme tu l'entends. Il s'agit de ta vie et tu dois la mener comme tu le juges bon. Si tu veux divorcer, nous divorcerons. Si tu veux me prendre tout ce que je possède, eh bien, prends-le. Je ne t'en empêcherai pas. Je te donnerai tout ce que tu voudras.

— C'est toi que je veux, dit-elle d'une voix brisée.

— Non, riposta-t-il d'un ton ferme. La femme qui vient de parler exige beaucoup de choses, mais je ne fais pas partie de la liste.

Et il s'en alla.

— David ! Je t'en supplie, s'écria-t-elle en se précipitant derrière lui. Je ne pensais pas un mot de ce que je t'ai dit. Tu sais bien que je ne ferai jamais une chose pareille. Je t'en prie, David... Excuse-moi...

David alla s'enfermer dans la salle de bains. Jill s'effondra devant la porte, pleurant à fendre l'âme, ses larmes tombant à grosses gouttes sur le sol.

— Excuse-moi... Excuse-moi... répétait-elle.

Mais sa litanie fut couverte par le bruit de l'eau qui commençait à couler du robinet de la douche.

28

— Oh ! mes enfants ! Il fait un de ces froids dehors ! lança Irving d'une voix de stentor en s'engouffrant dans la petite salle de projection. Ça va, tout le monde ?

Le silence fut rompu et la salle se remit à bourdonner. Les sempiternelles récriminations à propos des rigueurs du mois de novembre à Chicago refaisaient surface. Jill prêta l'oreille quelques minutes à Irving, qui expliquait à la douzaine de personnes présentes que la projection ne commencerait que quand les commanditaires seraient arrivés. « Non mais, vous rendez-vous compte qu'il commence à neiger ! » l'entendit-elle s'exclamer sur le ton de la stupéfaction la plus complète. Puis elle s'absorba de nouveau dans la contemplation de l'écran géant et vide.

La porte ne cessait de s'ouvrir et de se refermer sur de nouveaux arrivants. Bientôt tous les fauteuils seraient occupés, et pas seulement par des gens comme elle, les ouvrières de la ruche, mais aussi par les Reines — les responsables de la station, les représentants des annonceurs, par tous ceux qui allaient décider si oui ou non on donnait le coup d'envoi à « L'Heure Chicago ».

Je devrais être nerveuse, songeait-elle. Heureuse. Terrifiée. Furieuse. Embarrassée. N'importe quoi ! Mais non. Elle ne ressentait rien. C'était comme ça depuis trois ou quatre semaines. Elle traversait la vie comme une somnambule, comme si elle occupait un corps étranger, aussi sec et décoloré que les feuilles d'automne qui n'attendent que les roues d'une voiture pour être écrasées, ou que le vent pour les emporter et les déchiqueter.

— Alors, qu'est-ce que tu penses de ça ?

— Pardon ? fit-elle en se retournant et en apercevant Irving penché sur elle. Excuse-moi. Tu disais ?

— Je disais que novembre a frappé Chicago avec la force d'une boule de neige lancée contre un pare-brise, répéta Irving. Qu'est-ce que tu en penses ?

— Qu'est-ce que je pense de quoi ?

Jill se rendit compte qu'elle souriait. Et qu'il y avait longtemps que cela ne lui était pas arrivé.

— Cette image m'est venue en chemin. Novembre frappant comme une boule de neige. Je trouve ça très poétique, pas toi ? (Le sourire de Jill s'élargit encore.) A part ça, tu vas bien ?

— Très bien.

— Pas de problèmes avec l'université ?

— Non. J'ai expliqué que cette projection était importante et qu'il fallait absolument que j'y assiste.

— Quel effet ça fait de se retrouver là ?

— Je suis très contente, répondit Jill d'une voix dépourvue d'inflexions.

Irving lui tapota l'épaule.

— Attendons avant de nous emballer. Mais quelque chose me dit que les décideurs vont aimer ce qu'on va leur montrer, que tu vas pouvoir quitter définitivement l'*alma mater* et reprendre ta place dans un univers où le sexe et la violence ont encore bonne réputation. Mais qu'est-ce que tu as, Jill ? ajouta-t-il sans transition.

— Rien. Je suis fatiguée, c'est tout.

— Eh bien, demande donc à ton Apollon de mari de te laisser dormir de temps en temps.

Après lui avoir encore tapoté l'épaule, il s'éloigna. Jill fixa de nouveau l'écran vide, rempli pour elle du visage de David en gros plan. Son regard et son sourire se trouvaient encore magnifiés par la taille de cette projection imaginaire. Cette image l'attirait comme un aimant. Elle avait envie de se précipiter vers elle et de s'y engloutir, consciente cependant qu'à la moindre pression l'image se briserait, qu'elle retomberait de l'autre côté de la toile, meurtrie et les mains vides, que derrière l'écran — derrière ce visage — il n'y avait rien.

Jill fut soudain frappée par cette intrusion de la logique et de la raison. Elle avait réussi depuis un mois à tenir à bonne distance tout semblant de réalité. Comme si le monde s'était pétrifié. A l'instar de la Belle au Bois Dormant, qui s'était piqué le doigt à son fuseau, elle avait, d'un simple coup de baguette magique, suspendu le temps, anéanti la vie des émotions, en attendant le baiser du Prince Charmant.

A présent, il ne restait plus que quatre fauteuils inoccupés. L'atmosphère devenait suffocante, d'autant plus que la plupart des gens s'étaient mis à fumer. Au début de leur mariage, David lui reprochait l'odeur de tabac refroidi qui imprégnait ses vêtements et ses cheveux pendant des jours entiers après ce genre de réunions. Aujourd'hui, il ne le remarquerait sans doute même pas. Divisant son temps entre elle et Nicole, il était rarement à la maison et ne partageait son lit que quand il était exténué. Le désir n'existait plus. Le désespoir lui-même avait glissé vers quelque chose de plus abstrait. Elle avait l'impression d'être une simple balise marquant, au large, une côte familière. Comment avait-il dit ? Je ne peux pas faire semblant d'éprouver un intérêt que je n'éprouve pas ?

Jill ferma les yeux et, s'enfonçant plus profondément dans son fauteuil, s'efforça de faire le vide dans son esprit. Tout était arrivé par sa faute à elle. Elle l'avait acculé, elle avait forcé les choses. Comme la Belle au Bois Dormant, il ne lui restait plus qu'à espérer que David trouverait son chemin et viendrait la rejoindre à travers la forêt d'épines. Elle rouvrit les yeux en entendant la sonnerie du téléphone. Irving alla décrocher. Ses lèvres remuaient mais Jill n'écoutait pas ce qu'il disait. Elle ne reprit conscience des choses qu'en voyant la salle se vider peu à peu.

— Viens, lui dit Irving. Je t'invite à dîner.

— Qu'est-ce qui se passe ?

— C'est ce maudit hiver, grommela-t-il en attrapant son pardessus. Dès qu'ils voient un flocon de neige, les gens ne savent plus conduire. Notre commanditaire a eu des ennuis sur une petite route. Rien de grave, mais il ne sera pas là avant 7 heures.

Jill prit son manteau et le suivit.

— Que devient ta belle-fille ? lui demanda-t-il tandis qu'ils traversaient la rue pour aller au *Maloney's.*

— Laurie ? fit Jill en s'arrêtant devant la porte du restaurant. Elle va très bien. Elle ne pèse toujours guère plus qu'un petit pois mais elle va deux fois par semaine chez le médecin et je crois vraiment que cela la remettra d'aplomb.

— Ça pourrait faire une superbe émission.

Jill se mit à rire.

— C'est exactement ce que Laurie m'a dit, à peu près au même endroit, il y a un mois, rétorqua Jill, qui imaginait la réaction de David à cette nouvelle idée. Écoute... Tu m'en voudras beaucoup si je refuse ton dîner ? J'ai plutôt envie de marcher.

— De marcher ? Mais il va bientôt faire nuit et il fait un froid de canard !

— N'exagérons rien. Il ne fait pas si froid que ça et je ne traînerai pas dans les petites rues.

— Du moment que tu ne m'obliges pas à t'accompagner... Eh bien, rendez-vous à 7 heures, conclut Irving en s'engouffrant dans le restaurant. Sois prudente !

Jill resta quelques secondes sans bouger dans le froid. Car il faisait vraiment froid ! Curieux qu'elle ne s'en soit pas rendu compte avant !

Elle retraversa la rue, ne sachant trop où aller. Le vent lui cinglait la figure et elle remonta son col. Son nez se mit à couler. Naturellement, se dit-elle en l'essuyant du dos de la main. Allez, en avant !

Et puis d'abord, pourquoi assistait-elle à ce visionnage ? Elle avait promis à David de renoncer à la télévision. Non, ce n'était pas tout à fait ça. C'était à la condition que, de son côté, il renonce à Nicole. Il n'avait pas accepté le marché. Et voilà pourquoi elle était venue à la projection.

Et si sa séquence leur plaisait — aux clients, aux commanditaires, aux responsables de la chaîne ? S'ils lui proposaient un engagement ferme, du travail régulier ? Que leur dirait-elle ? Excusez-moi, je ne peux pas vous répondre, il faut que j'attende que mon mari ait pris une décision au sujet de sa maîtresse ?

Et s'il la prenait, sa décision ? Si, ce soir, il lui annonçait en rentrant que c'était elle qu'il avait choisie, qu'il la préférait à Nicole et aux plus jolies filles de la terre ? Alors, quelle serait sa réponse ? Mon Dieu, pouvait-elle vraiment tout abandonner ? Rester enlisée jusqu'au cou dans les frustrations et les récriminations de toutes sortes, sachant que la branche qui aurait pu la sauver était passée à portée de sa main et qu'elle l'avait repoussée avec insouciance ? Pourrait-elle vraiment se résigner à rester enfermée dans une tour d'ivoire pour cent ans, sous prétexte qu'elle s'était laissé embrasser par le Prince Charmant ?

Elle s'engagea dans State Street, une rue bordée de boutiques.

« L'Heure Chicago » était une bonne émission, elle n'avait aucun doute là-dessus. Sa séquence était probablement ce qu'elle avait produit de meilleur jusqu'ici. Elle avait retourné le thème des femmes battues qui tuent leur mari dans tous les sens, et si elle n'apportait pas de réponses faciles, elle posait des questions troublantes et qui feraient réfléchir. Elle entendait la voix du commentateur : « Le sujet de cette émission est la peur. La peur de milliers de femmes maltraitées et de maris tortionnaires qui voient maintenant leurs épouses se révolter avec les conséquences souvent mortelles qui s'ensuivent. Et la peur de tous ceux qui sentent que ce tournant nouveau est appelé à renforcer le vieil adage selon lequel l'indulgence est acquise à la femme meurtrière. »

Jill poussa un soupir de satisfaction. Quelque chose d'humide lui caressa la joue et, levant les yeux vers le ciel clair et froid, elle vit voltiger des flocons de neige. Prise d'une impulsion enfantine, elle ouvrit la bouche toute grande et en happa plusieurs qui s'évanouirent instantanément au contact de sa langue.

Elle tourna à l'angle de Michigan Avenue, pensant à Beth. Elle avait été assaillie par tant de préoccupations, ces derniers temps, qu'elle l'avait quelque peu négligée. Avisant une cabine sur le trottoir d'en face, elle traversa en courant, sans se soucier des coups d'avertisseurs furieux qui retentissaient derrière elle. Elle fouilla son sac à la recherche de monnaie, et sa mémoire pour retrouver le numéro. Beth répondit presque aussitôt.

— Comment allez-vous ?

— Jill ?

Jill hocha la tête, puis prenant conscience qu'elle ne la voyait pas, répondit, un peu trop fort peut-être :

— Oui. Pardonnez-moi de ne pas vous avoir appelée depuis si longtemps. Mais je ne savais plus où donner de la tête.

— Je m'en doute, répliqua Beth d'un ton chaleureux. Comment se présente l'émission ?

— Bien. Très bien, même. On va la projeter tout à l'heure devant les responsables de la chaîne et de possibles commanditaires. Ma séquence passera en dernier, juste après le scandale des fraudes à la Sécurité sociale et le groupe *Second City.*

— Alors, vous êtes contente ?

— Oui. Votre nom n'est pas cité une seule fois. On fait simplement allusion à « de récents événements ».

— Avec quelle rapidité on passe au chapitre des « récents événements » ! remarqua Beth en plaisantant. Cela devrait rasséréner David.

Jill ne fit pas de commentaires et Beth n'insista pas.

— Comment tenez-vous le coup ? lui demanda Jill.

— Si je n'ai pas flanché jusqu'à présent, je ne vais quand même pas m'écrouler au dernier moment.

— La date du procès est fixée ?

— A jeudi, dans trois semaines.

— Vous vous sentez nerveuse ?

— Non. Enfin, peut-être un peu. Mais c'est mon avocat qui frôle la dépression. Il veut à tout prix me persuader de changer de système de défense. Mais je tiens absolument à faire valoir mes droits à la légitime défense. En fait, le mouvement des femmes a fait de mon affaire une cause célèbre. Je reçois des quantités de dons, des offres de soutien, des lettres de personnalités éminentes. Et Michael est rentré, ajouta-t-elle après un silence.

— Oh !

— Je ne suis pas sûre que ce soit définitif. Il porte toujours sa robe safran et je vois des tas de gens bizarres rôder autour de la maison. Mais j'avais raison, Jill. Il savait quelque chose. Il nous avait surpris plusieurs fois alors que Al me brutalisait. Mais en me voyant les mains ligotées et la bouche bâillonnée, il en avait déduit que nous nous livrions à je ne sais quel jeu sexuel et pervers et, bien entendu, il était beaucoup trop gêné pour en parler. (Elle eut un petit rire nerveux.) Pauvre petit! Rien d'étonnant s'il préférait ses mélopées. Il viendra témoigner en ma faveur, ajouta-t-elle après un silence. L'accusation soutiendra sans aucun doute que j'étais adulte et consentante, amateur de petites spécialités. En tout cas, je vous avertis que je vais sûrement alimenter les conversations pendant quelque temps.

— Cela vous ennuie?

— Non. Plus rien ne peut m'atteindre de ce que l'on trouvera à dire sur mon compte. J'ai vécu le plus dur pendant la période où je me suis efforcée de me mettre en règle avec moi-même, de justifier mon acte à mes propres yeux, de déterminer ce que je devais faire, ce que je devais dire, sachant que la vérité choquerait, qu'on ne me croirait pas, que je risquais peut-être de finir ma vie en prison. Mais c'est drôle. Une fois la décision prise, le reste est relativement simple. Il suffit de s'y tenir. C'est quand on hésite sur ce qu'on doit faire que la panique s'installe.

— C'est si facile que ça? demanda Jill qui comprenait que Beth tenait ce discours également à son intention.

— Non, répondit celle-ci en riant. Mais ça sonne bien, non?

Jill rit à son tour.

— Il va falloir que je vous laisse.

— Rappelez-moi bientôt.

— Je n'y manquerai pas. Au revoir.

Jill se remit en route, passa devant les élégantes boutiques du *Magnificent Mile,* jetant un coup d'œil aux vitrines, traversant et retraversant la rue, selon l'inspiration du moment. Seuls la neige qui s'accumulait sur son manteau et le jour qui tombait lui rappelaient que le temps passait. Les bruits de la circulation semblaient lui faire cortège et plus elle avançait, plus les coups de klaxon devenaient impérieux, comme si les conducteurs étaient engagés dans une course contre la montre avec le crépuscule. Elle parcourut encore la distance de deux blocs avant de comprendre que l'avertisseur qu'elle entendait hurler depuis un moment s'adressait à elle. Elle s'approcha de l'étincelante voiture beige et marron qu'elle ne reconnut d'abord pas plus que la femme qui était au volant.

— Hello ! la fana de la gonflette ! lui cria la conductrice après avoir baissé sa vitre teintée. Je vous suis depuis dix minutes. Où diable allez-vous de ce pas ? Vous ne savez pas qu'il est dangereux de se promener la nuit dans cette ville ?

Jill reconnut la voix de Ricki Elfer et lui sourit.

— Que faites-vous par ici ?

— Disons que quand je ne fais pas du training chez Rita Carrington, j'en fais faire à mon portefeuille ! Vous avez le temps de prendre un café ?

— Quelle heure est-il ?

— 7 heures moins 10.

— Oh mon Dieu ! non ! Je dois être au studio à 7 heures ! Je ne m'étais pas rendu compte que j'avais marché si longtemps.

— Eh bien, montez. Je vous dépose.

— Quelle chance !

Jill s'installa dans la voiture et, après avoir indiqué le chemin à Ricki, lui raconta sommairement le sujet de son émission.

— Ah oui ! fit Ricki avec un sourire entendu. C'est un peu l'histoire de cet avocat qui s'est fait assassiner. (Jill se borna à acquiescer.) Comment votre amie tient-elle le choc ? ajouta-t-elle à la grande surprise de Jill.

— Elle va bien, répondit-elle sans accuser le coup.

— Souhaitez-lui bonne chance de ma part.

— Comptez sur moi. Vous avez une voiture superbe !

— Elle vous plaît ?

— Elle est sensationnelle !

— C'est un cadeau de Paul.

— Diable ! Une fête ? Un anniversaire ?

— La mauvaise conscience, répondit Ricki en souriant. Je n'arrêtais pas de me plaindre depuis quelque temps. Les habituelles récriminations féminines, quoi. Un beau jour il en a eu assez et il m'a demandé, sur ce ton bien particulier qu'ils prennent tous, et que vous connaissez : « Mais qu'est-ce que tu veux, à la fin ? » Je lui ai déclaré : « Je veux que tu sois plus tendre. Je veux que tu sois plus amoureux. Je veux que tu me consacres davantage de temps. » Alors, il m'a dit : « Je ne pourrais pas simplement t'acheter quelque chose ? » (Ricki se mit à rire en lui faisant remarquer du geste le luxe de sa voiture.) Comment ne pas être amoureuse d'un type comme ça ?

Elle arrêta sa Seville devant le studio.

— On a fait vite, remarqua Jill en ouvrant la portière. Merci beaucoup, Ricki.

— Vous ne voulez pas venir dîner avec votre mari un de ces soirs ?

— Avec plaisir, mentit Jill. A bientôt, au club !

Ricki s'éloigna en klaxonnant à plusieurs reprises. Dès que la voiture fut hors de vue, Jill pénétra dans l'immeuble.

« Le thème de cette émission est la peur », entendit-elle quand elle pénétra dans la salle de projection. Des photos de femmes couvertes d'ecchymoses, de femmes battues, se succédaient, tombant les unes sur les autres comme autant de corps sans vie. Et puis, tout à coup, la bande sonore se mit à cafouiller, les images devinrent floues et Jill se demanda un instant s'il n'y avait pas eu une bavure au montage, si l'on ne s'était pas trompé de piste. Elle n'avait pas interviewé Beth Weatherby. Elle n'avait interrogé ni sa mère, ni Ricki Elfer, ni Elaine. Ni Laurie. Et pourtant, elles étaient toutes là sur l'écran, remuant les lèvres à l'unisson, leurs voix, en surimpression les unes sur les autres n'en formant plus qu'une, parlant comme si elles ne faisaient qu'une seule et même personne. C'est un remarquable amant... et puis après ? Il n'est pas le seul, déclarait la voix, tandis que toutes les têtes approuvaient énergiquement. Qui voudrait d'un mariage parfait ?... Dans la vie, il y a des choses qu'il faut savoir accepter... Sarah Welles s'est noyée dans le lavabo de sa salle de bains... La vie est trop courte... Les visages, démesurés, réagissaient à toutes ces remarques, passant d'une émotion à l'autre, de la stupeur à l'amusement ou à l'anxiété. Soudain, une vague silhouette apparut à l'arrière-plan, grossit, se superposa à tout le reste. Jill la regardait, fascinée. Vous allez me demander pourquoi je ne l'ai pas quitté, commençait la femme. N'oubliez pas que, pendant très longtemps, je me suis adressé des reproches à moi-même. (Je suis désolée, David... Cette fois c'était sa propre voix, suppliante, que Jill entendait.) Je persistais à penser que c'était moi la fautive. (Je n'en pensais pas un mot, David, je t'en prie, je regrette tellement !) L'orgueil est plus fort que le bon sens. (Pardonne-moi, David, je t'en supplie.) Et bientôt, votre âme elle-même est morte. Il a tué mon âme. (Jill voyait les fragments de son âme déchirée voleter comme des feuilles au-dessus de la tête de David.) Comment pourrait-on pardonner ? demandaient les voix avec colère. (Mais pourquoi est-ce que je me torture ainsi ? s'interrogeait Jill.)

En une fraction de seconde, tout le monde disparut et l'écran fut de nouveau occupé par les images impressionnantes d'une haine plus impressionnante encore. Mon Dieu ! quel mal nous nous faisons ! se dit Jill, prenant subitement conscience qu'elle était aussi meurtrie que toutes ces femmes. Seulement ses blessures à elle ne se voyaient pas.

Mais qu'est-ce que je veux ? se demanda-t-elle, agacée, s'agitant dans son fauteuil, croisant et décroisant les jambes.

En tout cas, je sais ce que je ne veux pas ! se dit-elle tout à coup en s'asseyant, cette fois, bien droite. Je ne veux pas être comme Elaine, rongée d'amertume, animée d'un irrésistible besoin de vengeance. Je ne veux pas finir comme Beth, acculée à tuer pour survivre après avoir franchi les limites du supportable. Je ne veux pas que soit détruit ce qu'il y a eu de bon dans mon mariage et par là nous détruire nous-mêmes, mon mari et moi. Je ne veux pas être amenée à le détester — ni à me détester moi-même. Je crois toujours au mariage en dépit de tout, mais je ne peux plus me résigner à n'être que l'observatrice passive de ma propre vie. Je sais ce que je veux. Je veux cesser de me sentir coupable et misérable. Je veux retrouver ma fierté. Retrouver mon âme.

Jill assista en paix à la fin de la séquence, vit son nom apparaître au générique sans même remarquer s'il s'agissait de Jill Listerwoll ou de Jill Plumley et constata que, somme toute, elle n'y attachait pas vraiment d'importance. Puis elle reçut les félicitations de tout le monde et comprit, aux sourires des commanditaires éventuels qui n'engageaient à rien, qu'il lui faudrait attendre encore quelques semaines leur verdict définitif.

Mais cela aussi, c'était très bien. Chaque chose en son temps. Elle serra chaleureusement la main d'Irving et quitta les lieux.

Nicole Clark habitait un immeuble relativement moderne dans un quartier sans particularité aucune. Jill y arriva en dix minutes, mit presque autant de temps pour se garer, et sortit de la voiture les deux valises qu'elle avait passé plusieurs heures à remplir.

Il n'y avait pas de concierge mais un système compliqué d'interphones qu'elle était en train d'essayer de décrypter quand elle fut tirée d'embarras par un couple de locataires qui rentrait. Ramassant ses valises, elle entra en vacillant sous leur poids. Appartement 815, ne cessait-elle de se répéter dans l'ascenseur. Le couple descendit au troisième, la porte de la cabine se referma et reprit son ascension pour la déposer au huitième.

Elle prit aussitôt à droite et s'aperçut bientôt, en regardant les numéros, qu'elle s'était trompée de côté. Elle revint sur ses pas, avec ses valises qui lui paraissaient de plus en plus lourdes. Brusquement prise de panique, elle les posa un instant par terre. Elle entendit la voix de Beth : « C'est quand on ne sait pas ce que l'on va faire que la panique s'installe. A partir de la minute où l'on a pris sa décision, elle se dissipe. » Mais ce n'était pas si simple. Elle imaginait déjà ce qu'elle ressentirait tout à l'heure quand elle regagnerait l'appartement vide, sachant que David ne rentrerait pas. Ce n'était pas fait pour lui faciliter les choses.

Elle reprit ses valises et se remit en marche avec détermination jusqu'au numéro 815. Que dirait-elle à la personne, quelle qu'elle soit, qui lui ouvrirait la porte ? Les paroles seraient peut-être inutiles. Les valises parleraient d'elles-mêmes.

Elle pouvait essayer l'humour. Salut tout le monde ! Il paraît que c'est ici qu'on s'amuse, alors j'ai décidé de m'inviter...

Et si David était déjà rentré à la maison ? Supposons qu'il ait justement rompu avec Nicole et qu'ils se soient croisés sans le savoir ? Jill se mit à fredonner *Strangers in the Night.*

La porte s'ouvrit.

Nicole Clark apparut sur le seuil, en peignoir de velours blanc, la peau encore humide, une serviette autour du cou. Un chat siamois se frottait contre ses jambes.

— David est sous la douche, dit-elle après un court instant de silence en repoussant le chat du pied.

Jill avait la gorge nouée et son nez commençait à la picoter. (« Hello ! Je suis Nicole Clark et je vais épouser votre mari. »)

— Ce sont ses affaires, dit Jill doucement, en s'efforçant de ne pas éternuer. Il pourra venir chercher le reste demain. Je ne serai pas chez moi de la journée. Mon avocat prendra contact avec lui d'ici un jour ou deux, continua-t-elle en se demandant qui diable était son avocat. Je préfère qu'il ne m'appelle pas directement.

Les deux femmes s'évaluèrent longuement du regard.

Elle est belle, même sans maquillage, songea Jill. Le chat était revenu et léchait les pieds de Nicole avec gourmandise. Tiens ! Son second orteil est plus long que le gros et elle a un énorme cor ! Elle a des pieds affreux !

Jill la regarda en face et sourit, remarquant pour la première fois qu'elle avait une petite tache blanche sous la lèvre inférieure. Peut-être l'avait-elle toujours eue. A moins que cette tache n'ait attendu le bon moment pour apparaître, manifestant par là le caractère mortel de la chair qu'elle habitait ?

— Je ne comprends pas, balbutia Nicole. Vous renoncez ? J'ai gagné ?

Jill se redressa, la gorge enfin dénouée, n'ayant même plus envie d'éternuer.

— Tout dépend de ce que vous pensez avoir gagné.

Consciente que Nicole l'observait, Jill fit demi-tour et se dirigea d'un pas vif vers l'ascenseur, enfin sûre — pour la première fois depuis des mois — qu'elle ne trébucherait pas, qu'elle ne tomberait pas.

1750

Achevé d'imprimer en Europe (France)
par Brodard et Taupin à La Flèche (Sarthe)
le 29 mars 1996. 1980N-5
Dépôt légal mars 1996. ISBN 2-290-01750-7
1er dépôt légal dans la collection : déc. 1984
Éditions J'ai lu
27, rue Cassette, 75006 Paris
Diffusion France et étranger : Flammarion